LIBERTAD, GRACIA Y DESTINO EN EL TEATRO
DE TIRSO DE MOLINA

MARIO F. TRUBIANO

LIBERTAD, GRACIA Y DESTINO EN EL TEATRO DE TIRSO DE MOLINA

EDICIONES ALCALÁ, S. A.
Madrid-1985

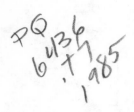

I.S.B.N.: 84-7008-066-0
Depósito legal: M. 41.539-1985

Printed in Spain
Impreso en España

PRUDENCIO IBÁÑEZ CAMPOS
Cerro del Viso, 16
Torrejón de Ardoz (Madrid)

DEDICATORIA

A mis padres, por su cariño vital y espíritu sacrificado.
A mi esposa Cici, Cáliz de mi amor, cuya sonrisa me inspira y
cuya bondad alimenta mi vida y la dulcifica.
A mi hijo Antonio, cuyo aliento nutre mi alma y la serena.

RECONOCIMIENTOS

Quiero aquí testimoniar mi sincera gratitud y afecto personal al Prof. Francisco Fernández Turienzo por su inconmensurable ayuda y oportunos consejos y valiosas sugerencias en la preparación de este trabajo. Una expresión de agradecimiento va dirigida a Mildred C. Thelen, quien me introdujo en la rica y maravillosa cultura española; a Herminia Turienzo, por su excelente labor mecanográfica. Y finalmente, a mi esposa Cici, cuya infinita paciencia, ayuda técnica y consejos de toda clase, hicieron no sólo posible, sino agradable mi tarea y añadieron valor personal especial a este trabajo.

CAPÍTULO I

EL PROBLEMA DE LA LIBERTAD Y LA GRACIA EN TIEMPO DE TIRSO

1. Humanismo escolástico

Durante el siglo XVI se manifiestan cambios radicales y definitivos en el rumbo de la vida del hombre sobre la tierra. Tres sucesos de suma importancia debemos tener presentes para nuestro estudio, a saber: la Reforma protestante (1517), el Concilio de Trento o Contrarreforma (1545-1563), y la Controversia *de auxiliis* (1588-1607). España figuró al frente de todas las naciones europeas en el intento de evitar la escisión protestante, que, debido a la expansión del nominalismo, el erasmismo y otras denominaciones —como el escotismo— se hacía no sólo probable, sino amenazadora en la Península Ibérica; y una vez estallada la Reforma, capitaneó la lucha en contra de ella [1].

El papel dominante que desempeña España en estos sucesos decisivos se debe a una sólida y superior preparación intelectual [2], que proporcionaba terreno firme a su espíritu combativo:

> La escolástica española, que domina e informa todo el desarrollo cultural del siglo español y todo su influjo decisivo en la Europa de los siglos XVI y XVII, ha de ser considerada como un verdadero reflorecimiento después de la decadencia escolástica de los siglos XIV y XV... [3].

---

[1] España... figuró al frente de todas las naciones católicas en otro de los grandes esfuerzos contra la Reforma, en el Concilio de Trento, que fue tan español como ecuménico..., M. MENÉNDEZ Y PELAYO, *Historia de los heterodoxos españoles*, edición preparada por Enrique Reyes, vol. 38 de la Edición Nacional de *Obras completas* (Santander, C. S. I. C., 1947), pp. 405-406.

[2] Véase, por ejemplo, HANS WANTOCH, *Spanien: Das Land ohne Renaissance* (München, G. Müller, 1927); VÍCTOR KLEMPERER, «Gibt es eine Spanische Renaissance?», *Logos*, 16 (1927), pp. 126-161. Para la confirmación de un Renacimiento español, véase F. G. AUDREY BELL, *El renacimiento español*, traducción y prólogo de Eduardo J. Martínez (Zaragoza, Ebro, 1944); GUILLERMO FRAILE, O. P., *Historia de la filosofía española: desde la época romana hasta fines del siglo XVII* (Madrid, Biblioteca de autores cristianos, 1971), en particular pp. 207-231.

[3] JOHANNES HIRSCHBERGER, *Historia de la filosofía* (Barcelona, Herder, 1971),

Lejos de mostrarse rígida y antiprogresista, se proponía España encuadrar el proceder de la vida del «nuevo» hombre en cimientos asentados sobre firme raciocinio y no sobre una seudodialéctica de *conveniencia*. A partir del siglo XVI, la filosofía escolástica había dejado de ser la cumbre de la especulación y formulación del saber coherente, como había sido en el siglo XIII con centro en París [4], y empezado a sufrir rupturas internas —decadencia integral— hasta limitarse a alimentar meras disquisiciones dialéctico-sofísticas, carentes de contenido [5]:

Mientras se acentuaba la decadencia de la filosofía en Occidente, España se propuso con afán febril, renovar y humanizar el pensamiento escolástico, haciendo de él campo fértil para cultivar lo nuevo. La renovación de la filosofía escolástica en España, con centro en Salamanca [6], continuó no sólo los temas estrictamente filosóficos —como había hecho el siglo XIII— con Domingo Báñez, Luis de Molina y Francisco Suárez, entre los más destacados, sino que emprendió nuevas especulaciones sobre los derechos y responsabilidades del estado, de la sociedad, de los súbditos y, principalmente, del hombre. Figuras eminentes como el padre Francisco de Vitoria con su *De Indiis et jure belli*, Alonso de Castro con su *De potestate legis poenalis*, y muchos otros, añaden nuevas dimensiones al comportamiento y deber del estado, de la sociedad y del individuo.

La renovación de la filosofía escolástica en España debe ser entendida, no sólo como continuación de la filosofía tomista como tal, sino como un intento de integrar los nuevos descubrimientos y hazañas de la época (Nuevo Mundo, colonización, aventuras oceanográficas y geográficas, descubrimiento en los campos de la física y astronomía, etc.) y las vicisitudes que éstos aportaron a la vida y ser del hombre (todo ello bajo una capa acogedora que integrara de manera real la dependencia

---

p. 600. RAOUL DE SCORRAILLE S. J., en su obra *François Suárez de la Compagnie de Jesús*, vol. I (París, P. Lethielleux, 1911), pp. 65-66, añade por su parte que «la gloire littéraire la plus incontestable du genie espagnol, au XVIᵉ siècle, fut de s'attacher de préférénce à la science la plus élevée et d'y monter plus haut que tous les autres. Il fut surtout théologien et fut théologien sans rival».

[4] MAURICE DE WULF, en obra *Philosophy and Civilization in the Middle Ages* (New York, Dover Publications, 1953), p. 82, escribe: «the thirteenth century is rich in personalities. But, among the numerous philosophical systems to which the century gave birth, there is one which overshadows and surpasses all others in its influence. It is the scholastic philosophy. This is the system of Doctrines which attains the height of its perfection in the thirteen century, and to which the majority of the ablest minds subscribe, William of Auvergne, Alexander of Hales, Thomas Aquinas, Bonaventure, and Duns Scotus...»

[5] Véase WALTER BRUGGER, *Diccionario de filosofía* (Barcelona, Herder, 1972), p. 589.

[6] Véase WALTER BRUGGER, *op. cit.*, p. 592. RAOUL DE SCORRAILLE, en su libro *François Suárez de la Compagnie de Jesús, op. cit.*, p. 69, afirma rotundamente que «Salamanque, en effet allait ètre le berceau le plus fécond de la scolastique moderne, comme Paris l'avait été de celle du moyen âge».

del hombre con respecto a Dios: característica medieval) [7] con el nuevo espíritu emancipador renacentista, que amenazaba con romper esta vinculación humana a lo divino. Esta es, como veremos más tarde, la preocupación capital que Tirso de Molina dramatiza con todo furor, divino y humano. La renovación escolástica española es en su principio, ámbito y meta, la integración real de lo divino y los nuevos dominios y poderes humanos. Y puesto que el hombre es esencialmente espiritual [8], esta integración es un intento marcadamente humanista, en el sentido más profundo y moderno de la palabra. No sólo el humanismo como corriente, sino toda la escolástica española «tuvo como denominador común una múltiple dimensión. Fue un humanismo literario, crítico, doctrinal, constructivo y realista, o sea, un humanismo integral y fecundo» [9] que se proponía examinar el «nuevo» hombre a la luz de sus nuevas dimensiones y dominios.

Mientras que el mundo medieval veía al hombre desde su vertiente ontológica [10], el renacimiento se jactaba de verlo en su aspecto individualista, o sea, maquiavélico. Los escolásticos españoles veían en este salto algo más que un intento de humanizar y emancipar al hombre. Lo percibían como el intento de poner al hombre fuera del ámbito de lo divino y de la providencia directa de Dios, del cual todo dependía. Para Tirso de Molina este salto significaría la esencia misma de la tragedia del hombre moderno. Sin caer en ninguna de las dos vertientes, los escolásticos españoles se esfuerzan por armonizar al hombre y sus nuevos poderes y dominios con su ambiente físico y social, psicológico y espiritual y, al mismo tiempo, reintegrarlo libremente al dominio y providencia de Dios. Ante el afán de declararse el hombre autor absoluto de la naturaleza, nuestros escolásticos tratan de reafirmar con Santo Tomás que «el hombre no es autor de la naturaleza», y que si bien «Dios dejó al hombre a sí mismo», también lo dejó «en manos de su consejo», y para «utilizar las cosas naturales para las obras de arte y de virtud destinadas a su uso» sin «excluirse al hombre de la providencia divina» jamás [11]. El problema de cómo armonizar la libertad del hombre —su

---

[7] «Como nunca en ningún otro período de la historia espiritual de Occidente, vive aquí un mundo entero en la seguridad de sus ideas sobre la existencia de Dios, su sabiduría, poder y bondad... sobre la esencia del hombre y su puesto en el cosmos... Unidad y orden son los signos del tiempo», JOHANNES HIRSCHBERGER, op. cit., p. 272.

[8] La tradición aristotélica, agustiniana y tomista así lo atestigua en sus respectivas doctrinas.

[9] VICENTE BELTRÁN DE HEREDIA, Cartulario de la Universidad de Salamanca, vol. II (Salamanca, Universidad de Salamanca, 1970), p. 16.

[10] «Es la edad media... modelo en muchos aspectos; formalmente por la precisión lógica y rigor de sus razonamientos y por el carácter objetivo de su concepción de la ciencia, en lo que la persona desaparece siempre detrás de la cosa...», JOHANNES HIRSCHBERGER, op. cit., p. 274.

[11] SANTO TOMÁS DE AQUINO, Suma teológica, I, q. 22 a. 2.

liberum arbitrium— con la eficacia de la gracia divina, desciende de la esfera filosófico-intelectual, formal y objetiva, que caracterizaba la solución tomista del problema y se convierte en preocupación real, viva y sentida, ante la nueva concepción y postura del hombre moderno.

2. *Origen de la Controversia de auxiliis y su extensión*

Ni Santo Tomás ni los teólogos medievales habían vacilado en aceptar —como contenido de su fe— la armónica unión —que no unidad— de la eficacia de la gracia divina y el libre albedrío del hombre. Para ellos esto era tan natural y obvio, que ni les proporcionaba apuro, ni les afectaba individual y personalmente. En una palabra, la libertad humana y la gracia divina no podían entrar para ellos en conflicto; se trataba simplemente de un engranaje más dentro del gran y misterioso designio divino. Pero en el hombre renacentista vemos un cambio radical: el problema de si sigue existiendo realmente la libertad en el hombre, aun sabiendo, como enseña la teología, que todo está concebido, planeado y ordenado previamente por Dios, es algo que le tocaba en lo más profundo de su propio ser, de su propia existencia; en otras palabras, afectaba a su esencia y a sus derechos metafísicos. El «nuevo» hombre «no se valora ya según la medida de un orden sobrehumano, al que se subordina y sirve [como su hermano medieval], sino que comienza a buscar en sí mismo la medida» [12]. Ésta pues —que como hemos dicho, no lo era para el hombre medieval— se personaliza y es sentida de manera concreta y real en cada cual; más aún, llega a popularizarse de tal modo, que se convierte en tema candente y polémicamente discutido entre teólogos, estudiantes y gente común.

La popularización de la polémica sobre el problema del libre albedrío y la gracia divina fue causa de mucha preocupación entre los teólogos, particularmente los dominicos, que, por la sutileza y transcendencia del asunto, hubieran querido mantener toda discusión, opiniones y diferencias sobre el problema dentro de los recintos de la facultad de teología. El problema, sin embargo, no podía por menos de penetrar en las entrañas mismas del pueblo, puesto que residía en ellas por la madurez del tiempo. La nueva toma de conciencia de cada individuo, que le impulsaba a sentirse capaz de buscar nuevos confines y horizontes, bien fueran personales, institucionales o nacionales; el número cada vez mayor de estudiantes universitarios [13], ansiosos de propagar y «vivir»

---

[12] JOHANNES HIRSCHBERGER, *op. cit.*, p. 498.

[13] «Mais Salamanque, que déjà une renommée ancienne, de ressources plus grandes, *une affluence exceptionnelle d'étudiants*, plaçaient à la tête des autres, eut de plus l'avantage de posséder, au commencement du XVIᵉ siècle, des homme éminents...», RAOUL DE SCORRAILLE, *op. cit.*, p. 72. (El subrayado es mío.)

su enseñanza; la amenaza cada vez más inminente del protestantismo y el ímpetu que la Contrarreforma añadió a la lucha; la publicación del libro *Concordia liberi arbitrii cum gratiae donis* del jesuita Luis de Molina y las acerbas controversias que resultaron de ella —entre los dominicos y jesuittas— no pudo por menos de afectar a la gente de manera decisiva en el decurso de su vida diaria. Esto creemos que explica en gran medida la aceptación, la asimilización y el éxito de las obras teológicas de Tirso como *El Condenado por desconfiado, El burlador de Sevilla, Quien no cae no se levanta* y otras más. Desde Lope de Vega, la comedia iba dirigida al pueblo. Fue en su misma concepción un *teatro popular*. Considerando la profundidad y diversidad de temas y la complejidad de la elaboración dramática de la comedia del Siglo de Oro [14], es difícil explicar, tanto el éxito del teatro religioso de Tirso de Molina como el del teatro religioso-intelectual del gran Calderón, sin un público dotado y nutrido de cierta preparación y afinidad filosófico-religiosa para los temas que le presentaban [15].

La difusión del problema del libre albedrío del hombre entre el pueblo llano y la preocupación que esto causó entre los teólogos, nos las confirman el padre dominico Palacios de Terán, comisario de la Inquisición y el padre Francisco Zumel, de la Orden de la Merced y maestro al parecer de Tirso de Molina. El padre Palacios de Terán en carta al consejo de la Inquisición (13 de septiembre de 1594) escribe:

> ... envío a V. A. con esta una copia que he hecho sacar de un tratado que anteayer vino a mis manos y anda en esta ciudad [Salamanca] en la [sic] de muchos legos repartiendo el tratado por los padres de la Compañía, y le intitularon: 'Defensa de la compañía cerca [sic] del libre albedrío'; cuyo autor se entiende es un padre Francisco Suárez, teatino, lector de teología en este su colegio desta ciudad. Hame parecido justo enviarle a V. A. por tres razones. La primera, porque pienso que estos padres con este tratado en alguna manera ofenden la autoridad dese santo tribunal y secreto del, pues causa tan grave y que pasa ante V. A. la publican en este tratado entre legos y idiotas y gente que no son teólogos y parece que los ponen por jueces desta causa [la Controversia *de auxiliis*]. La segunda, porque cuando no estuviera deducido este negocio ante V. A., por tocar a misterio tan subido de nuestra fe, en que aun los grandes teólogos han tenido necesidad de proceder con mucho tiento y humildad, no era justo hacer cerca [sic] desto tratado en romance sin licencia de V. A. y mucho menos que anduviera en manos de legos. *La tercera,*

---

[14] Para una interpretación de la comedia del Siglo de Oro y de la controversia sobre su «unicidad» o «universalidad», desencadenada por Arnold G. Reichenberger, véase EVERETT W. HESSE, *La comedia y sus intérpretes* (Madrid, Castalia, 1972).

[15] KARL VOSSLER, *Lope de Vega y su tiempo*, traducción del alemán por Ramón de la Serna (Madrid, Revista de Occidente, 1933), en particular los capítulos XVII-XIX, estudia el tema.

> *por el escándalo que hay y habrá entre los que leyeren, viendo que*
> *en él llaman a los padres dominicos luteranos y calvinistas* [16].

Y el padre Francisco Zumel, en memorial dirigido al consejo de la Inquisición (Sevilla el 22 de septiembre de 1594) sobre el mismo asunto:

> De Salamanca me han escrito que en la materia de lo que el
> Consejo [*de Inquisición*] trataba del padre Molina han hecho o *an-*
> *dan por mejor decir unos papeles en romance donde ponen la dis-*
> *puta* [sobre la libertad humana y la eficacia de la gracia] *en roman-*
> *ce* puesta en forma que favorece la parte de los padres de la Com-
> pañía, con mucha arrogancia... *y que estos papeles en romance andan*
> *en poder de mercaderes y oficiales y caballeros y gente de capa y*
> *espada* [17].

Tampoco se limitan las discusiones sobre el asunto a la ciudad de Salamanca, centro de tantas acérrimas disputas. De Madrid escribía el padre Zumel al padre Domingo Báñez, formulador de la solución que se conoce con el nombre de bañecianismo:

> En los postreros de abril de 1591 años vinieron a mí escandaliza-
> dos tres colegiales mayores. El uno el doctor Aguirre... y me dijo
> que la habían dado los padres de la Compañía unas conclusiones
> para argüir... me dijo que una conclusión de los padres de la Com-
> pañía era contradictorio de un canon y decreto del concilio Triden-
> tino.
> En este mesmo tiempo hablaron conmigo dos colegiales mayo-
> res. El uno el doctor Boán... díjome que estaba escandalizado y es-
> pantado de atreverse la Compañía a defender tan mala y sospechosa
> doctrina. Y el dicho doctor Boán me envió las conclusiones...
> Después desto me habló el doctor Arixti, colegial mayor del cole-
> gio del Arzobispo de Toledo... y trajo algunos fundamentos contra
> la doctrina de las conclusiones cerca de la causalidad de Dios y de
> sus auxilios y de cómo Dios tiene predestinadas y determinadas todas
> las cosas ante praevisiones operum futurorum... [18].

Y en Valladolid, otro centro de calurosas disputas sobre el libre albedrío entre dominicos y teatinos, el padre jesuita Antonio de Padilla, «amicísimo de nuevas doctrinas tomó a su cargo de defender todo el libro de Molina y leyó sus opiniones en cátedra» [19] ya, que según el parecer del padre Beltrán de Heredia, «la aparente sencillez del sistema molinista seducía a la juventud» [20].

Pero la controversia sobre la libertad y la gracia, así como su aceptación y las acaloradas disputas que sostenían sus protagonistas, tanto

---

[16] VICENTE BELTRÁN DE HEREDIA, *Domingo Báñez y las controversias sobre la gracia* (Madrid, C. S. I. C., 1968), p. 413. (El subrayado es mío.)

[17] *Ibíd.*, pp. 413-414. (El subrayado es mío.)

[18] *Ibíd.*, pp. 58-59.

[19] *Ibíd.*, p. 62.

[20] *Ibíd.*, p. 62.

en los recintos académicos como fuera de ellos, no se explican, ni pueden explicarse en todo su alcance ni por la «sencillez del sistema molinista», como opina el padre Beltrán de Heredia, ni por el ardor, entusiasmo y celos personales e institucionales de los padres de la Compañía o de Santo Domingo [21]. Si así fuera, otras corrientes y sistemas «sencillos» tales como el nominalismo, el escotismo y el erasmismo, habrían prendido con más fuerza y vigor, puesto que también hicieron su entrada en las aulas colegiales y universitarias de España. Ni tampoco la firme intervención inquisitorial, que, como ha demostrado Marcel Bataillon [22], tuvo tanta importancia en la extirpación del erasmismo, explica por sí sola este resultado. La misma Inquisición que condenó el erasmismo, condenó también el molinismo y prohibió la polémica. Y sin embargo, no fue capaz de impedirla, como vamos a ver más adelante. Las razones hay que buscarlas en fuentes más próximas al carácter y naturaleza de la escolástica española misma, al pulso de la época, y a la adecuación que el molinismo proponía entre el espíritu del «nuevo» hombre y el despliegue del tiempo.

3. Humanismo y Contrarreforma

Como ya hemos notado, la escolástica española tuvo la solidez y ventaja de continuar y reafirmar la postura de Santo Tomás, no en el vacío, sino a la luz de los nuevos sucesos y hazañas del hombre moderno. El hombre renacentista se movía, en sus especulaciones y labores de toda índole, en este mundo con un proceder basado en el raciocinio: el pensar humano desde su propia perspectiva. Esta es su nota más característica. No es, pues, ningún hecho gratuito, el que la filosofía escolástica española, la más avanzada de Europa en el siglo XVI, se fundamentara en el sistema tomista: «En las aulas salmantinas la teología había sido... campo abierto al raciocinio, no en plan demoledor, sino de análisis íntimo, de escrutinio de doctrinas a la luz de ciertos principios intangibles y conforme a un método sancionado por los grandes maestros de la escolástica» [23]. Pero no por ello, se les niega o prohíbe a las aulas universitarias y centros colegiales españoles la enseñanza de otras corrientes y sistemas divergentes del tomismo. A la luz de este «escrutinio de doctrinas», el nomi-

[21] Para la contienda y rivalidades institucionales de las dos órdenes véase: VICENTE BELTRÁN DE HEREDIA, Domingo Báñez y las controversias sobre la gracia (Madrid, C. S. I. C., 1968). Véase también RAOUL DE SCORRAILLE, en su obra François Suárez de la Compagnie de Jesús, dos volúmenes, citada anteriormente.
[22] Véase MARCEL BATAILLON, Erasmo y España: estudio sobre la historia espiritual del siglo XVI, traducción de Antonio Alatorre (Buenos Aires: Fondo de cultura económica, 1966).
[23] VICENTE BELTRÁN DE HEREDIA, «Valor doctrinario de las lecturas del Padre Báñez», Ciencia Tomista, 39 (1929), p. 78.

nalismo, el escotismo y el erasmismo hicieron su entrada en las aulas españolas. En cuanto al movimiento nominalista —precursor del protestantismo— y su adhesión a los centros de enseñanza, «se le abrieron francamente las puertas en Salamanca en 1508, a pesar de las protestas de los tomistas» [24]. Pero es de notar que, de entre los que abrazaron la corriente nominalista en España, los dos más destacados fueron ellos mismos tomistas: los padres Pedro Martínez de Osma y Diego de Deza, ambos dominicos. En los años decisivos para el cristianismo y el Occidente —1508 a 1523— convivían en aulas universitarias españolas el tomismo y el nominalismo [25]. Esta convivencia continuó hasta 6 años después de la escisión protestante: 1517. ¿Sería un intento de integrar y armonizar el nominalismo con la tradición tomista, evitando, por lo tanto, la división definitiva del cristianismo? Sea de ello lo que fuere, «la teología que llegó a imponerse en todas las escuelas del mundo cristiano fue la de Salamanca» [26]. A pesar de que la Reforma protestante ya se había declarado oficialmente en 1517, hasta 1523 no se lanzó España de manera definitiva a la destrucción y derrota de cualquier corriente que favoreciera al protestantismo. La lucha abierta estalló cuando el nominalista Juan de Oria «en plena cátedra vino a negar la existencia de tres personas en Dios» [27]. Esta afirmación —núcleo de la teología—

[24] VICENTE BELTRÁN DE HEREDIA, *Cartulario*, p. 16.
[25] TIRSO DE MOLINA, al recapitular las opiniones y hechos históricos que el padre Francisco Zumel había escrito sobre ciertos varones eminentes de la época de 1500-1525 para su historia de la Orden de la Merced, nos da una nota interesantísima sobre el nominalismo y su ascendencia en la Universidad de Salamanca precisamente durante la época de la escisión luterana: «Prosigue [Francisco Zumel] que, asta entonces, Salamanca no gozaba otras chátedras de Philosophía sino las que llaman de propiedad perpetuas y que respecto de las nuevas oppiniones y agudezas, que florecían por aquellos años, entre los que llaman Reales —que ponen las essencias de las cossas en la substancia de ellas— y sus competidores intitulados Nominales, porque hacen mas caudal de los términos y voces significatibas que de los sugetos, quisieron los de la esquela salmantina añadir otras dos chátedras, cada una para la proffesión de estas dos philosophías y que, para esto... despacharon a París al doctor Honcala... para que, con salario competente trasladasse a Salamanca al referido maestro fray Domingo [de San Juan del Pie del Puerto], religioso nuestro, y de Alcalá al maestro Silíceo... Leyó éste la doctrina de los Nominales y la de los Reales nuestro fray Domingo, compitiendo con igual ingenio y sutileza entrambos y admirando igualmente a los más doctos de aquella española Athenas.» *Historia General de la Orden de Nuestra Señora de las Mercedes*, vol. I, edición crítica de Manuel Penedo Rey (Madrid, «Revista Estudios», 1973), p. 452. Es curioso notar que se le asigna al padre Domingo de San Juan del Pie del Puerto la cátedra correspondiente a los Reales siendo él destacada figura nominalista ¿Sería un intento de expansión del estudio nominalista y satisfaciendo al mismo tiempo a las posibles oposiciones de los tomistas? A pesar de llevar la cátedra de los Reales, parece que el padre Domingo enseñó la doctrina nominalista como lo hizo el maestro Silíceo, o por lo menos regentó la cátedra de los Reales a la manera parisiense: Véase VICENTE MUÑOZ, *La lógica nominalista en la Universidad de Salamanca (1510-1530)* (Madrid, «Revista Estudios», 1964.
[26] VICENTE BELTRÁN DE HEREDIA, *Cartulario*, p. 16.
[27] *Ibíd.*, pp. 16-17.

fue inmediatamente combatida por los tomistas [28] y, desencadenó todo el mecanismo «de privación de cátedra, proceso inquisitorial y sanción, previa discusión del reo en presencia de Adriano Sexto, Papa de 1522 a 1523, en Zaragoza, con un tomista,... que le redujo a silencio» [29]. La teología escolástica en general y la tomista en particular, se fundamentan en ciencia sistemática, cuyo proceder argumentativo nace de los principios revelados en la Sagrada Escritura, pero llegan a conclusiones ciertas mediante razones discursivas, es decir, mediante el raciocinio humano. Al proponer y defender el padre Juan de Oria la tesis nominalista de que la razón humana es incapaz de llegar a la certeza científica por medio del raciocinio, se cae por abajo el núcleo de la argumentación escolástica [30]. El raciocinio y el análisis sistemático son base, estructura y forma del tomismo y, por lo tanto, el nominalismo y el tomismo llegan a ser doctrinas opuestas y antitéticas. Así pues, a partir de 1523, la escolástica española reafirma su carácter tomista en el sentido explicado y extiende su primacía e influjo a todos los campos del saber y del vivir, eliminando incluso a otras corrientes o concurrencias más o menos afines (el escotismo, por ejemplo), y esto por su «diafanidad y perfección intrínseca» [31]. Al llegar los años de la Contrarreforma (1545-1563) Santo Tomás «era el doctor único y unánimemente seguido en las escuelas nacionales, y aun en las de afuera del reino, después que el nominalismo había pasado de moda y las aulas de Escoto amenazaban cerrarse por falta de alumnos» [32]. Sin embargo, la disputa nominalista con el tomismo lleva consigo un germen de ironía prelúdica, dado que precisamente lo que la posición tomista rechazaba del nominalismo —su negación de que el hombre tuviera la facultad del raciocinio científico y, como corolario, su emancipación de lo divino: su libre albedrío— será después atacado por el molinismo por el mismo camino, o sea, por cuanto restringe la autonomía e independencia del hombre respecto al poder y a la voluntad divinas.

---

[28] La Orden de Santo Domingo había declarado de manera oficial la lucha contra el protestantismo en el Capítulo General de Valladolid en 1523. En este Capítulo se declara: «Rogamos a todos y a cada uno de los hermanos de la Orden, y si es necesario mandamos, para que tengan el mérito de la obediencia, que se opongan a las ponzoñosas y dañosas doctrinas, como las pestíferas de Martín Lutero, que se infiltran poco a poco en la Iglesia y amenazan su ruina; Ordenamos principalmente a aquellos que se distinguen por su ciencia y elocuencia oponerse a estas doctrinas, no solamente con sus oraciones, sino también con sus predicaciones, tanto en privado como en público, en las iglesias y en las casas, cerca del pueblo y con la nobleza. Deben defender la fe delante de todo el mundo.» VENANCIO CARRO, *El maestro Fr. Pedro de Soto, O. P. y las controversias político-teológicas en el siglo XVI*, vol. I (Salamanca, Convento de San Esteban, 1931), pp. 186-187.

[29] VICENTE BELTRÁN DE HEREDIA, *Cartulario*, pp. 16-17.

[30] *Ibíd.*, p. 17.

[31] *Ibíd.*, p. 18.

[32] VICENTE BELTRÁN DE HEREDIA, «Valor doctrinal de las lecturas del padre Báñez», *Ciencia Tomista*, 39 (1929), p. 77.

La preocupación por la libertad real del hombre ante sus nuevas posibilidades, queda explícita ya desde un primer momento, y forma parte del carácter mismo de la renovación de la escolástica española. Asentar en bases concretas y ciertas los dominios, poderes, posibilidades y limitaciones del hombre en sí mismo, habida cuenta de su relación causal con Dios, concordando en equilibrio armónico real la providencia divina y la eficacia de su gracia, de un lado y la autonomía y libre actuación del hombre, —sin violar ni la naturaleza de éste ni la eficacia de aquélla— por otro, fue el intento que movió de modo patente las inquisiciones de los escolásticos españoles del siglo XVI [33]. Las polémicas contra las corrientes nominalista, escotista y erasmista y los pronunciamientos contra la tesis protestante —codificado todo ello en el Concilio de Trento— que rebajaba la capacidad racional y volitiva del hombre, al declarar corrompida en su esencia la naturaleza humana y negarle su autonomía ante la omnipotente acción de Dios, son pruebas patentes del verdadero carácter renacentista de la escolástica española. Su intento fue nada menos que reclamar la libertad y autonomía humana del hombre, sin ofender ni violar el ámbito de la actuación divina. Y por detrás de la aparente postura y proceder pomposo del Concilio de Trento y, a pesar de las intencionadas distorsiones que la imagen de tal concilio ha venido sufriendo a través de los años hasta hoy día, —Contrarreforma llegó a ser sinónimo de fuerza reaccionaria y represión dirigida por España— su fin fue en realidad reclamar el libre albedrío e independencia para el hombre en este mundo, sin dejar de infundir en él la debida humildad ante la omnipotencia de Dios todopoderoso. Entendida así la misión española en el Concilio de Trento, quiso infundir en él el mismo carácter de su escolástica renovadora: respeto ante los nuevos poderes del hombre y humildad ante la grandeza divina. No es coincidencia, pues, que la delegación que representa al pie de la letra esta armónica dicotomía sea precisamente la española, compuesta por teólogos de fama establecida, como fueron los dominicos y jesuitas [34]. En el Concilio de Trento, que «fue tanto español como ecuménico» [35], tanto los dominicos como los jesuitas actuaron al unísono ante la herejía

---

[33] «Les hérésies à leur tour faisaient sentir combien il était nécessaire de s'attacher, pour les combattre, à une philosophie solide et à une théologie de bon loi. C'étaient là de germes précieux de rénovation et de progrés. Toutfois, ce ne fut pas à Paris qu'ils parvinrent tout d'abord à leur pleine éclosion: ce fut au-delà des Pyrénnées, rapportés, ou reçus et cultivés par les maîtres qui illustrèrent alors les principales universités de la Péninsule, notament celles de coïmbre, d'Èvora, d'Alcala, de Valladolid, et surtout de Salamanca.» RAOUL DE SCORRAILLE, op. cit., vol. I, p. 69.

[34] Un obispo italiano en el Concilio de Trento comenta sobre la eminencia de los teólogos reunidos: «Non é comparso d'Italia theologo alcuno di rara erudizione. Di Spagna et Portogallo ve ne sono alcuni di cualche eccellenza. Di Francia e solo uno.» VENANCIO CARRO, op.. cit., p. 293. (El subrayado es mío.)

[35] M. MENÉNDEZ Y PELAYO, op. cit., p. 685.

protestante y «suministraron un concurso valiosísimo para las decisiones de la célebre asamblea» [36].

Ante el grande y sentido tema de la libertad y autonomía del hombre y la eficacia de la gracia divina, son los escolásticos españoles quienes se esfuerzan en asentar al «nuevo» hombre dentro de las raíces de su propia naturaleza, tal como es, cuidando de no desviarle de su cauce natural, o sea, que el hombre no es un mero vehículo inerte en manos de Dios (tesis protestante), que el hombre está dotado de facultades volitivas e intelectivas con las cuales dirige y gobierna su vida libremente y que aspira a la vida eterna, pero siempre sujeto a la voluntad y ayuda de Dios (tesis de la escolástica española y del Concilio de Trento) y que no puede en virtud de su propia naturaleza o voluntad alcanzar, dominar ni averiguar los designios divinos (tesis semipelagiana). En una época de grandes logros e impulsos creadores, verdaderamente impresionantes en todos los campos de las actividades humanas —geografía y oceanografía, política nacional e internacional, economía y ciencias, cultura y religión, colonialismo y mercantilismo, diplomacia y piratería— no sorprende que el hombre empiece a respirar aires de grandeza y de autosuficiencia. Se invierten las medidas que rigen su vida. El hombre empieza a verse, cada vez más, como centro y meta de su existencia. En sus pulsos empieza a latir lo que Goethe denominará, dos siglos más tarde, «el afán de infinito» en sí mismo. Surge un desplazamiento cualitativo en el existir del hombre ante su creador: en vez de la obediencia aparece la competencia —pensamos en Paulo de *El condenado por desconfiado*. El hombre crece en la medida en que su creador es alejado de su centro —pensamos en Don Juan de *El burlador de Sevilla*. Cabe notar, sin embargo, que Dios no desaparece del horizonte en el Renacimiento y faltan dos centurias para que Nietzsche lo declare muerto. Dios es simplemente relegado a un lado: de ahí la repetida e irónica exclamación «¿Qué largo me lo fiáis?» de Don Juan. Era lógico, pues, que el problema de la autonomía y libre albedrío del hombre surgiera y dominara todo el Siglo de Oro. Es lógico también, creemos, que sea en España donde se afronta el problema directamente, pues su renaciente escolástica es la más avanzada del occidente y su poder mundano —Fernando e Isabel, Carlos V, Felipe II— es el más expansivo y atrevido en todas las actividades humanas. Es natural también que en este ambiente de actividad febril se sienta el ansia de lo imposible [37] —Don Quijote— y la angustia de lo nuevo —marco del tiempo— ante la seguridad de lo viejo. Se ofrecen, por

---

[36] Antonio Astraín, «Los españoles en el Concilio de Trento», *Razón y Fe*, III (1902), p. 189.

[37] «Entonces España vivía plenamente el ideal imperialista de los guerreros conquistadores, de los santos reformadores, de D. Quijote, de D. Segismundo... El optimismo nacional hizo florecer la apoteosis de la libertad en la tesis molinista.» Alberto Bonet, *La filosofía de la libertad en las controversias teológicas del siglo XVI y primera mitad del XVII* (Barcelona, Subirana, 1932), p. 106.

lo tanto, variadas soluciones a los problemas nuevos y vigentes del hombre. A medida que la vida del hombre avanza en su rumbo emancipador, la escolástica española presenta y despliega ante él el cauce de sus posibilidades y de sus límites. Consta que frente al gran problema del siglo —el libre albedrío del hombre en relación con la eficacia de la gracia divina— la escolástica española elabora no menos de tres sistemas —el bañecianismo, el molinismo y el congruismo— para mantenerse a la altura del tiempo y resolver de manera adecuada y sostenible este grande y transcendente problema del hombre. Consta también, y cabe afirmarlo decisivamente, que a pesar de la divergencia entre sí de los tres sistemas propuestos, los tres convergen en un punto fundamental para el desppliegue del espíritu y de las actividades y responsabilidades del individuo: reclamar y defender la libertad y autonomía —el *liberum arbitrium*— del hombre:

> A pesar de la diferencia de opiniones, y en medio de la multiforme variedad de sentencias en la solución de los problemas nuevos que la asidua elaboración teológica iba suscitando, todos incondicionalmente rendían homenaje al Maestro común [Santo Tomás], resultando de esa armonía fundamental cierta unidad lógica superior entre las diversas tendencias. La libertad de juicio estaba suficientemente compensada por la identidad de principios para que se obtuviera un verdadero avance en esas disciplinas [38].

La «identidad de principios» significaba descartar la tesis protestante y sostener y defender teológica y filosóficamente tanto el libre albedrío del hombre, como la eficacia de la gracia divina. En un primer momento son los dominicos, tomistas y más tradicionalistas, quienes se encargan de colocarse en oposición a la herejía calvinista-luterana y defender los actos libres del hombre [39]. Pronto se unen a ellos los teólogos de la reciente y renacentista Compañía de Jesús (1540), cuyo «concurso valiosísimo» en Trento es testimonio, tanto de su profunda preparación teológica, como de su espíritu humanista impaciente y renovador: [40] «ya se iban cansando los padres de tan largo Concilio. Solamente los españoles (los jesuitas en particular) mostraban ánimo para continuar todas las tareas» [41].

Al concluirse la tercera y última reunión a finales del año 1563 y

[38] VICENTE BELTRÁN DE HEREDIA, «Valor doctrinal de las lecturas del padre Báñez», *l. ci.*, pp. 77-78.
[39] «La Orden Dominicana... fue en la vanguardia, incluso de un modo oficial [Mandatos contra Lutero en el Capítulo General de Valladolid en 1523] en la lucha contra el protestantismo, bien secundada por beneméritos controversistas del clero secular y de las órdenes religiosas existentes entonces: Franciscanos, agustinos y carmelitas.» VENANCIO CARRO, *op. cit.*, vol. II, p. 96.
[40] Véase ANTONIO ASTRAÍN, «Los españoles en el Concilio de Trento», l. c., p. 205.
[41] ANTONIO ASTRAÍN, «Los españoles en el Concilio de Trento», *Razón y Fe*, IV (1903), p. 153.

satisfecho de haber hecho frente a la herejía protestante, el Concilio de Trento reafirmó, ahora de manera vinculante, la doctrina de Santo Tomás sobre la gracia y el libre albedrío. En los diez y ocho años que duró el Concilio y después de tantas investigaciones, discusiones y deliberaciones sobre el problema de si realmente se da la libertad en el hombre aun cuando todo está preconcebido y ordenado por Dios, discusiones llevadas a cabo por los teólogos más eminentes y capacitados del occidente, es lógico y aun natural afirmar que el hombre había salido de tan profundo y minucioso escrutinio más consciente de sí mismo, de su autonomía en el actuar y de su autenticidad individual: él había sido el centro y objeto del escrutinio. Las olas del tiempo y el rumbo de la historia pedían más para adecuar el hombre con el tiempo en que vivía. No sorprende, pues, que el problema de la libertad del hombre transcienda a la misma asamblea Tridentina.

Tampoco debe sorprender que fueran los escolásticos españoles quienes se hicieron cargo otra vez del grave y urgente problema. Ya desde tiempo atrás venían preocupándose de las disputas con los nominalistas en las aulas colegiales y universitarias españolas y, por tanto, eran bien conscientes de la importancia y transcendencia que tal asunto tenía respecto al futuro despliegue de las acciones y responsabilidades del hombre.

Aunque la tradición tomista, celosamente conservada por los padres dominicos, dominó el saber y la enseñanza en los siglos XV y XVI y llegó a prevalecer en Trento [42], y aunque los padres de la Compañía de Jesús recogieron también en su principio la tradición de Santo Tomás y unos y otros obraron en concierto en el concilio Tridentino contra la herejía protestante, sin embargo, sus respectivos moldes y orientaciones eran marcadamente divergentes. Y no podía ser de otra manera. La orden dominicana, fundada en el siglo XIII, se formó con conciencia y perspectiva medieval. Su proceder, cuajado y solidificado en el espíritu del Santo Maestro, se orientaba hacia el futuro, pero con pie firme en el pasado: la tradición. La tradición, sintetizada y sistematizada [43], era su proceder

---

[42] «La escolástica reina de hecho durante el imperio de Carlos V y en la mayor parte de las Universidades, sobre todo, naturalmente en los centros de estudios superiores de las órdenes religiosas y en los destinados a la formación del clero... pasando el furor nominalista... la escolástica conoce una nueva etapa de florecimiento. Los focos de este movimiento renovador son España y Portugal con las universidades de Salamanca, Alcalá y Coinbra.» JOHANNES HIRSCHBERGER, *op. cit.*, vol. I, pp. 511-512. En cuanto al carácter de esta renovación de la escolástica «era Santo Tomás el Doctor universal... tan afianzado, que nadie se atreverá a ponerle en discusión. Toda la exhuberante producción teológica de aquel siglo [XIV], ya fuese en las escuelas públicas, ya en los claustros conventuales, rezumaba tomismo y se desnvolvía en torno al Texto Angélico». VICENTE BELTRÁN DE HEREDIA, «Valor doctrinal de las lecturas del padre Báñez», *Ciencia Tomista*, 39 (1929), p. 77.

[43] WALTER BRUGGER, en su *Diccionario de filosofía* (Barcelona, Herder, 1972), p. 587, define a Santo Tomás como «el mayor sistematizador de la Edad Media».

claro, cauto y seguro para el camino sano del hombre. Los dominicos
españoles, con el padre Domingo Báñez al frente, recogieron este proceder cauto, sistemático y tradicional, aplicándolo ahora de manera ta-
jante a los problemas del hombre.

La Compañía de Jesús, por su parte, fundada en 1540 en España y
también por un español, el padre Ignacio de Loyola, se cuajó y formó
en pleno Renacimiento. Es la época de Carlos V el Emperador y España
se hallaba en marcha hacia la cumbre del poder internacional. Sus actividades, sean políticas o culturales, mercantiles o religiosas, explora-
doras o diplomáticas, representan un reconocimiento de los poderes
y alcances del hombre, aunque — y esto es importante y característico
de España— siempre bajo y en nombre de Dios. Es la época aventurera
y futurista de las exploraciones y la colonización. Es la época de las
grandes hazañas personales del hombre y, con ellas surge toda una ava-
lancha de tratados, dictámenes y pronunciamientos sobre el poder y deber del estado y del súbdito, del colonizador y colonizado, de la guerra
lícita y de la paz, de los derechos y responsabilidades del individuo [44].
Todo esto surge como consecuencia de dichas hazañas. El mundo se hace
más terrenal y al lado de la teología anda, por así decirlo, la mundolo-
gía: «en el clima humano de esta temática social, los problemas del hombre, su destino, su conocimiento y libertad, adquieren nuevo interés»,
que si «no llega, con todo a absorber o desplazar el enfoque teocéntrico
y religioso del medioevo» [45], sí llega a competir con él. Y como prueba de
esto tenemos el Concilio de Trento y la Controversia *de auxiliis*: «no es
una casualidad que el tema de la libertad humana, enfrentada o conci-
liada con el dominio divino, ocupe el primer plano en este período; en
él se encuentran en lucha... protestantismo y catolicismo, bañecianismo
y molinismo» [46]. Es natural, pues detrás del furor religioso de los padres
de la Compañía yacen sus verdaderas raíces de afirmación del hombre,
humanistas e innovadoras. La orientación de los padres jesuitas, por lo
tanto, tiene que ver más y se proyecta con la perspectiva del hombre:
«El órgano que unió el espíritu religioso al espíritu del mundo, fue la
Compañía de Jesús» [47].

JOHANNES HIRSCHBERGER, en su *Historia de la filosofía*, I (Barcelona, Herder,
1971), p. 376, afirma: «lo que en tiempo anterior a él [Santo Tomás] había pene-
trado en la escolástica en forma de material nuevo, sobre todo en ideas aristoté-
licas, por la vía de los árabes o directamente por las traducciones del griego, lo
integra Santo Tomás en un edificio unitario. Y la síntesis que edifica como buen
artífice, con el material viejo y nuevo, está rigurosamente trabada y por encima
de todo luce en ella una meridiana claridad inigualable.»

[44] Véase MARCIAL SOLANA, *Los grandes escolásticos españoles de los siglos XVI
y XVII: sus doctrinas filosóficas y su significación en la Historia de la Filosofía*
(Madrid, Real Academia de Ciencias Morales y Políticas, 1928).

[45] JOHANNES HIRSCHBERGER, *op. cit.*, vol. I, p. 600.

[46] *Ibíd.*, p. 600.

[47] STROWSKI FORTUNAT, *Pascal et son temps*, vol. I, París, Plon, 1909, citado
por ALBERTO BONET, *op. cit.*, p. 105.

4. La controversia ante la Inquisición española

Al concluirse el Concilio de Trento y lograda la tarea común ante él, el concierto y cooperación entre los dominicos y jesuitas deja de tener vigencia por la naturaleza de sus respectivas orientaciones. Los dominicos se repliegan más a su molde tradicionalista y, con el padre Domingo Báñez al frente, se declaran custodios y árbitros de la libertad humana. Los jesuitas, con muchos seguidores y simpatizantes de su lado, empiezan a desplegar su verdadero enfoque renacentista y se lanzan a luchar por la causa del hombre, edificando una escuela y todo un sistema alrededor de él. Esto significaría, por razones intrínsecas a su orientación [48], una desviación general del tomismo dominante hasta entonces y una ruptura del equilibrio tomista sobre la eficacia de la gracia y el libre albedrío del hombre:

> Pudimos [los dominicos] distinguir perfectamente deslindadas dos fases homogéneas... Primero resalta... la adhesión sincera a la doctrina de Santo Tomás propuesta por el fundador [Ignacio de Loyola]; luego, conforme iban tomando auge los estudios del instituto, viene la emancipación de esa doctrina hasta llegar a la oposición franca... La nueva teología [premolinismo y molinismo], integrada en su buena parte por doctrinas probables, bordeaba con frecuencia en su desenvolvimiento los límites de la ortodoxia... La primera medida y la más eficaz para abrir paso a la nueva doctrina era, pues, difundirla entre la juventud universitaria [49].

Efectivamente, poco después del Concilio de Trento, los jesuitas, con su orientación humanista y empujados ahora por el fervor antiprotestante post-tridentino, empiezan a formular y proponer doctrinas sensiblemente más atrevidas sobre la independencia total de las acciones del hombre [50] respecto al poder de la gracia divina, no sólo en la Universidad de Alcalá —centro del humanismo— sino también en Salamanca, torre del tomismo. Estas doctrinas, que más tarde llegaron a ser la tesis fundamental y oficial del padre Luis de Molina y de la Compañía, «aun-

---

[48] «El molinsmo no derivaba solamente de la reacción frente al determinsmo pesimista de Lutero que motivó su concreción. Sus raíces estaban en la tan compleja evolución de la conciencia cristiana de la época. Si hemos descartado el humanismo como corruptor del método por artificios literarios, nos apresuramos a reconocerle otra influencia más profunda como elemento transformador de la mentalidad de la nueva Europa. Por él, el yo humano se elevó al primer plano de las preocupaciones como objeto de observación y fundamento de acción.» ALBERTO BONET, op. cit., p. 103.

[49] VICENTE BELTRÁN DE HEREDIA, Domingo Báñez y las controversias sobre la gracia, ed. cit., pp. 13-31.

[50] «La Compañía encarnaba esencialmente la Antirreforma, y así, por una especie de necesidad biológica se proclamó la defensora por excelencia del libre albedrío, de su valor y de sus derechos.» ALBERTO BONET, op. cit., p. 105.

que en forma atenuada, encontraron decidido apoyo entre algunos jesuitas salmantinos y fueron propuestas en su aula por fray Luis de León,
padre agustino, entre 1570 y 1578 como doctrina probable...» [51]. Este
proceder, cada vez más expansivo en favor de la libertad humana y en
mengua de la gracia divina por parte de los jesuitas y sus simpatizantes,
iba, según los bañecianos, más allá de los edictos Tridentinos y de la doctrina de Santo Tomás y encontró, por tanto, pronta reacción entre los
dominicos. Éstos veían en las nuevas doctrinas el peligro opuesto a la
posición luterana. Si ésta destruía el libre albedrío del hombre, la jesuita
o molinista neutralizaba la eficacia de la gracia. Se derrumba, por lo
tanto, el armónico equilibrio de la solución tomista, recién reforzado por
Trento. Como había sucedido sesenta años antes con los nominalistas,
los dominicos, capitaneados ahora por Domingo Báñez, se encontraron
otra vez en una situación de competencia y rivalidad doctrinal de gran
transcendencia para el hombre y para su propio patrimonio doctrinal,
no sólo en las aulas colegiales y universitarias, sino también fuera de
ellas.

Prescindiendo de detalles estrictamente históricos y de los enredos
y embrollos de rivalidad personal e institucioanl [52], es lo cierto que la
primera contienda entre las dos doctrinas vino a llegar a manos de la
Inquisición en 1582 (Tirso de Molina, según su propia declaración, ya
debía haber nacido). La Inquisición falló en favor del padre Domingo
Báñez y de la posición dominica, puesto que el consejo «prohibió que se
enseñasen ciertas proposiciones en que iban comprendidas las que am-
pararon fray Luis de León y los jesuitas salmantinos» [53]. En cuanto a la
afrenta jesuita en esta primera lucha, el Santo Oficio debió fallar negativamente puesto que a fray Luis de León, partidario de los jesuitas
premolinistas, «se le mitigó la sentencia primera en atención a que se
sometía y allanaba de antemano a lo que el tribunal ordenase. A fines de
julio o primeros de agosto de 1582 proponían los inquisidores de Valladolid que fuese gravemente reprendido» [54] junto con el padre jesuita
Prudencio de Montemayor, que «fue reprendido y separado de la enseñanza de la teología» [55]. Según estos hechos, las nuevas proposiciones
jesuitas fueron rechazadas oficialmente, mientras la posición tomista,
ahora denominada bañecianismo, en nombre de su formulador, continuaba representando la posición oficial de la iglesia y siendo considerada
como la expresión más auténtica de la doctrina del Angélico y aun de

---

[51] VICENTE BELTRÁN DE HEREDIA, *Domingo Báñez*, p. 44.

[52] Véase VICENTE BELTRÁN DE HEREDIA, la obra *Domingo Báñez y las controversias sobre la gracia*, citada ya. Y RAOUL DE SCORRAILLE, *François Suárez de la
Compagnie de Jesús*, edición citada.

[53] VICENTE BELTRÁN DE HEREDIA, *Domingo Báñez*, pp. 45-46.

[54] *Ibíd.*, p. 46.

[55] *Ibíd.*, p. 47.

San Agustín. El padre Domingo Báñez continuó, por tanto, explicando a Santo Tomás.

Es preciso señalar, sin embargo, que a pesar de que el premolinismo quedaba «prohibido en España seis años antes de que apareciese el libro de Molina» [56], *Concordia liberi arbitrii cum gratiae donis*, su aparición en los centros colegiales y universitarios no dejó de registrar una reacción positiva y acogedora. Pese a la prohibición, la nueva doctrina no cesó de ser propuesta y defendida por sus exponentes: tan favorable era el clima de cambio y la atracción que la nueva doctrina molinista suscitaba por el espíritu de la época. La Inquisición, por lo tanto, no logró imponer ni conferir verdadera eficacia a sus decretos en tales casos, por madurez y adecuación del tiempo, y ello pese a su dureza. El mismo padre Francisco Zumel, no pequeño enemigo de la doctrina molinista, relata, en memorial dirigido a la Inquisición en 1594 «ciertas palabras harto significativas que hacia 1577 (1588) oyó pronunciar en la Universidad de Salamanca a uno de esos premolinistas: '¿Veis esto que ahora se condena? Dejadlo, que de aquí a veinte años serán opiniones comunes y se enseñarán'» [57]. Esta primera escaramuza deja entrever la vigilancia que los padres dominicos ponían en sostener los decretos tridentinos, así como el proceder cauto y sistemático de la tradición tomista y su deseo de armonizar la libre actuación del hombre con la eficacia de la gracia divina, para que ni la una ni la otra sufriera desviación o violación, como ya había sucedido con la Reforma; pero también es posible entrever el ardor con que las oportunas e innovadoras proposiciones molinistas arraigaban en los ánimos de la España joven y vanguardista. El efecto de Trento, pues, no fue en realidad un cerrarse o un replegarse de España hacia adentro. Si bien los dominicos exigían adhesión literal a los decretos del Concilio de Trento y a la autoridad de Santo Tomás, los jesuitas molinistas pretendían adelantarse más en la expansión de los poderes y dominios naturales del hombre, atacando la posición dominicana y tradicional como rígida y parecida al luteranismo. La controversia entre estas dos doctrinas, vista y entendida dentro de su verdadero marco y realidad interna y, en los efectos que produjo, sale favorecida por las fecundas ideas y materiales que añadieron vigor a la vida del hombre y al ambiente de la época:

> Si concedemos que la orden ignaciana, de inspiración fundamentalmente española, es el cauce principal de humanismo en la enseñanza escolar europea de los siglos XVI y XVII; si al mismo tiempo proyectamos el hervor religioso de la reforma católica [en tan gran parte española], en su dimensión positiva, no como mero dique de contención temporal de lo nuevo, sino como una potente vida interna que lleva a la especulación abstracta de la escolástica postridentina a informar una vida cultural, literaria, poética y artística impreg-

---

[56] *Ibíd.*, p. 47.
[57] *Ibíd.*, p. 44..

nada de desbordante religiosidad [el barroco], que necesitaba los desahogos de una vida y de una literatura mística sin par antes ni después... será forzoso reconocer que el hecho histórico global llamado siglo de oro español, nos deja la impresión de un renacer definido y vigoroso [58].

Si los procesos premolinistas confirman la vigilante presencia de un sector tradicionalista —tal como el dominico— inclusive rígido, también atestiguan la presencia de otro sector innovador de sustancial peso, pues, como hemos notado, el fallo inquisitorial, negativo para éste, no tuvo vigencia ni eficacia en orden a evitar su expansión: [59] al contrario, sirvió para intensificar aún más la contienda.

Al aparecer el libro *Concordia liberi arbitrii cum gratiae donis* del padre Luis de Molina en 1588, cuajó en torno a él toda una escuela formal y oficial, por así decirlo, de la Compañía de Jesús, dado que el libro recogía y defendía, de manera sistemática y completa, todas las proposiciones afines a la Compañía que habían aparecido hasta entonces:

> De todas las opiniones nuevas que los de la Compañía se apropiaron para formar su escuela teológica autónoma, ninguna fue aceptada con tanta resolución ni defendida con tanto empeño como el Molinismo. En él veía el instituto un medio eficaz para rebatir a Lutero, y se comprende que encontrase fácil acogida en la mayoría de sus miembros, ansiosos de rebasar los moldes trillados del tomismo. En torno a este sistema surgieron y se desarrollaron las controversias *de auxiliis* [60].

La acogida del libro de Molina por los padres de la Compañía y sus simpatizantes no puede explicarse sólo en virtud de su postura marcadamente antiluterana —pues los dominicos también lo habían sido y continuaban siéndolo— ni tampoco se explica por su rivalidad institucional con los dominicos, por la hegemonía de las escuelas imperantes [61], aunque todo esto agravó la rivalidad. A estos factores contribuyentes es preciso añadir los que en realidad son hechos capitales: la doctrina expuesta por Molina poseía cierta viabilidad interna —muchos teólogos eminentes, Francisco Suárez entre ellos, la defendieron— y una incuestionable adecuación a la época, el «aggiornamento», al tiempo que iban de acuerdo con la disposición y orientación natural de la Compañía:

> El libro venía con toda oportunidad a satisfacer sus ansias de no-

---

[58] JOHANNES HIRSCHBERGER, *op. cit.*, p. 579.
[59] Véase VICENTE BELTRÁN DE HEREDIA, *Domingo Báñez*, pp. 61-62.
[60] *Ibíd.*, p. 32.
[61] El padre VICENTE BELTRÁN DE HEREDIA hace mucho hincapié en la rivalidad institucional entre las dos órdenes por el control de las escuelas imperantes: «La verdadera causa de estos conflictos era de ordinario la desviación cada vez más acentuada en los de la Compañía de Santo Tomás, desviación que procuraban infundir en los extraños, para arrebatar a los nuestros la hegemonía de las escuelas.» *Domingo Báñez*, p. 27.

vedad y de señalarse en las escuelas como autores de una solución singular del problema más terrible que suele preocupar al cristiano cuando se interna por los altísimos misterios de la gracia [62].

El padre jesuita Raoul de Scorraille también confirma la aceptación del libro de Molina por la Compañía. Hace notar, sin embargo, el carácter innovador de la Compañía desde su fundación por Ignacio de Loyola:

> La vérité est que la Compagnie ne suivit pas Molina, mais que Molina précisa et coordonna en la développant, une théologie de la grâce, qui, pour la subtance, était, des l'origine, celle de l'ordre de saint Ignace [68].

No obstante esto, la aparición del libro de Molina no podía sino intensificar la contienda sobre la ortodoxia de las opiniones en cuestión. Según el parecer de los dominicos, la tesis molinista había quedado ya prohibida en España como resultado de los procesos inquisitoriales seguidos contra fray Luis de León y el padre Prudencio de Montemayor por exponer parecidas proposiciones, a causa de las cuales habían sido reprendidos en 1582. A medida que avanzaban el empuje y la popularidad de la *Concordia*, crecía el número de denuncias, apologías, actos y peticiones de censuras universitarias de las respectivas doctrinas. Frente a las acusaciones, tanto las proposiciones molinistas como las bañecianas iban siendo remitidas, ora por los comisarios universitarios, ora por el Consejo de Inquisición, a los teólogos más sabios, o a comisiones más reconocidas, para calificarlas:

> ... en ce temps où la théologie passionnait les esprits, où les dictées des professeurs de renom passaint vite de mains en mains, de collège à collège, d'université à université, où l'émulation de maîtres et la crainte des hérésies portaient à soumettre à une sévère critique tout ce qui touchait à la foi, la moindre apparance d'innovation doctrinal devoit attirer vite l'attention et bientôt provoquer la discussion, l'examen, les jugements ecclésiastiques [64].

Entre las calificaciones más severas que recayeron sobre el molinismo, se encuentran las de los padres Domingo Báñez, de la Orden de Santo Domingo y Francisco Zumel, hermano en religión de Tirso de Mo-

---

[62] *Ibíd.*, p. 55.
[63] RAOUL DE SCORRAILLE, *op. cit.*, vol. I, p. 357. Efectivamente así lo confirma el mismo SAN IGNACIO DE LOYOLA, en su *Ejercicios espirituales:* «En parlant de la grâce, il faut se garder de ce venin d'hérésie, qui consiste à lui donner tant de place qu'il n'en reste plus la liberté. On peut donc insister sur la nécessité de la foi e de la grâce, avec le secours de Dieu, autant qu'il y aura profit pour sa gloire. Mais il ne faut le faire, surtout dans les circonstances périlleuses que nous traversons, ni exclusivement ni de telle manière que la valeur des oeuvres et le rôle du libre arbitre soient amoindris ou comptés pour rien.» V. también p. 358.
[64] RAOUL DE SCORRAILLE, *op. cit.*, vol. I, pp. 363-364.

lina. Entre los apologistas de la doctrina molinista destacan, el insigne
padre jesuita Francisco Suárez y los teólogos de las universidades de
Alcalá y Sigüenza[65].

5. La controversia desborda los límites nacionales

Si los procesos de fray Luis de León y fray Prudencio de Montemayor
habían acaparado el vivo interés de los teólogos, profesores y estudiantes, el libro de Molina y las subsiguientes acusaciones y actos públicos
(el caso Padilla en Valladolid, por ejemplo)[66], las apologías, denuncias
y defensas, terminaron por desbordar las pasiones y el caudal intelectual
de la nación:

> Se disputa por la verdad, sin duda alguna, y por una verdad de
> transcendencia suprema para el destino del hombre; pero también se
> disputa por la hegemonía espiritual en el mundo católico. Están fren-
> te a frente, no ya dos teólogos, sino dos grandes ejércitos de teólogos.
> Se combate con «ardor propio de los campos de batalla» dice un
> memorial a Clemente VIII, sin tregua ni descanso, en las conversa-
> ciones privadas, en la cátedra y en el púlpito; y los adversarios se
> acusan mutuamente de pelagianos o de luteranos, es decir, de here-
> jes, con gran escándalo de toda la nación[67].

Ante tan grave y trascendental acontecimiento, era inevitable que ni el
bando bañeciano ni los secuaces de Molina se conformaran, ni se some-
tieran a ninguna sentencia resolutoria del Santo Oficio y, por tanto, se
recurrió a Roma para tratar de resolver el delicado problema. Prescindiendo aquí de detalles y sin decidir sobre quién deba caer la responsabilidad de haber llevado la contienda a la sede papal[68], el hecho histórico cierto es que la contienda, por su aspecto teológico-filosófico, religio-
so-clerical y político, —que afectaba tanto al destino individual del hombre como a la historia del mismo hombre, a la supremacía de las órde-

---

[65] Para una serie de calificaciones véase VICENCE BELTRÁN DE HEREDIA, en la
obra *Domingo Máñez y las controversias sobre la gracia*, citada ya. Véase también
RAOUL DE SCORRAILLE, en la obra anteriormente mencionada, y ALBERTO BONET,
*La filosofía de la libertad en las controversias teológicas del siglo XVI y primera
mitad del XVII* (Barcelona, Subirana, 1932), pp. 133-134.
[66] «En Valladolid... Dos debates públicos entre Fray Diego Núñez, O. P. y el
P. Antonio Padilla, S. J., apasionan la ciudad, y sus ecos llegan a las otras universidades y a la corte... El frente de batalla se extiende. Las tesis de Báñez y Molina se convierten en tesis de sus Órdenes respectivas.» ALBERTO BONET, *op. cit.*,
p. 134.
[67] ALBERTO BONET, *op. cit.*, p. 134.
[68] Sigue todavía la controversia sobre cuál de los dos bandos inició el proceso de llevar la contienda a Roma por creer más propicia a su causa o doctrina
cualquier sentencia papal. Sobre este particular véase VICENTE BELTRÁN DE HERE-
DIA, *Domingo Báñez y las controversias sobre la gracia* y RAOUL DE SCORRAILLE,
François Suárez de la Compagnie de Jesús, ediciones citadas.

nes religiosas y del catolicismo mismo en su lucha contra el protestantismo— se llevó al Vaticano en 1594 para su escrutinio y solución. Otra vez y pasados sólo unos treinta años desde el Concilio de Trento, el Papa Clemente VIII se vio obligado a convocar varias comisiones y congregaciones papales para evitar irreparables consecuencias. ¡Tal era la amplitud del problema y la necesidad de «aggiornamento»!

La mudanza de lugar de la contienda *de auxiliis* desde España a Roma no calmó ni podía calmar las pasiones, ni podía hacer disminuir la producción intelectual sobre el asunto —estudios, dictámenes, decretos, réplicas, clarificaciones, apologías, etc.— Tampoco podía frenar sus divulgaciones y popularizaciones, a pesar de que Clemente VIII había prohibido en 1594 «a los religiosos de entrambas Órdenes hablar de estas materias en público;» [69] esto no logró evitar las discusiones privadas, ni los escritos sobre el tema: forzosamente se tocaba al enseñar y explicar a Santo Tomás en las aulas universitarias y colegiales. Además, poco después, en 1598, el mismo Clemente VIII levantaba para todos el silencio impuesto por él en 1594, si no para el púlpito, sí para la cátedra [70].

Por lo que concierne a la corriente molinista y a la defensa de la *Concordia* por la Compañía de Jesús, la intervención del papa para decidir *de auxiliis*, a pesar de dos fallos iniciales condenatorios del libro de Molina [71], no pudo sino añadir cierta legitimidad y vigor a su doctrina, puesto que sólo unos veinte años antes había sido rechazada en España de manera oficial por el Santo Oficio, según los dominicos, mientras que ahora incumbía de modo formal y serio a las comisiones papales. Seguían los molinistas —la Compañía de Jesús— su lucha contra el protestantismo, haciendo valer en contra de éste la altura del poder y del esfuerzo humano y el valor de las buenas obras. Su elevación a doctrina legítima, aceptable y aceptada por la Iglesia, fue obra del Papa Paulo V el 18 de agosto de 1607, cuando anunció su decisión sobre la contienda *de auxiliis* dando «libertad para cada uno de los adversarios de defender su opinión, y prohibición absoluta de calificar de herejía a ninguna de ellas» [72].

La importancia y alcance de la declaración papal es tan patente como transcendental. Entre los molinistas y jesuitas, la solución del

---

[69] ALBERTO BONET, *op. cit.*, p. 134.
[70] *Ibíd.*, p. 134.
[71] Véase ALBERTO BONET, *op. cit.*, pp. 134-137.
[72] ALBERTO BONET, *op. cit.*, p. 137. El padre RAOUL DE SCORRAILLE transcribe así la decisión de Paulo V: «La conclusion de Paul V fut que, les parties admettant également tous les décrets des conciles, par suite s'entendant sur le dogme et ne se divisant que sur l'explication du dogme, il n'était pas opportun pour le moment de rendre une sentence doctrinale; qu'il fallait laisser le temps en montrer plus tard, s'il y avait lieu, la nécessité; qu'une bulle sur la doctrine commune à tous serait inutile...», *op. cit.*, vol. I, p. 458. Véase también MARCIAL SOLANA, *Los grandes escolásticos del siglo XVI y XVII* (Madrid, Real Academia de Ciencias Morales y Políticas, 1928), p. 90.

Papa Paulo V «fue celebrada... con festejos públicos, iluminaciones, músicas y corridas de toros» [73], compartiendo la importancia de la victoria con el pueblo. Además, la declaración favorable confirió legitimidad a la doctrina molinista y concedió a la Compaía de Jesús puerta abierta para modular su carácter progresista y expresar abiertamente su *modus vivendi*:

> The Jesuits always have managed to capitalize on the need of the moment. They offered free education at just the time when the «new learning» was growing out of the Renaissance... The Jesuits seem to thrive best when they are not required to be paragons of orthodoxy; when they are confronted with men aqually as bright whose arguments are as well reasoned and buttressed by as deep a faith as their own... [74].

Ahora la lucha contra el pesimismo protestante y la valoración del hombre como ser libre podía continuar sin obstáculos ni compromisos —según el carácter de sus protagonistas— mediante sólidos y sostenidos raciocinios:

> The intellectual character of the Society of Jesus is no accident. St. Ignatius Loyola saw that the only way the ideas and doctrine of the Protestant Reformation could be met and countered was by force of Intellect [75].

En cuanto al bando bañeciano-tomista, la decisión papal significó, si no una derrota, sí una nueva disposición defensiva. La controversia en su aspecto oficial terminó, es verdad, con la declaración de Paulo V, pero no paró sin embargo la disputa. Al contrario, «abrió a la discusión científica más anchos caminos» [76]. La verdad es que cesan, esto sí, las series de acusaciones oficiales de los dos bandos, pero no la defensa y apología de las respectivas posiciones. La controversia sobre la gracia y la libertad no perdió ni podía perder su ímpetu y alcance con la declaración papal, por la visible y capital razón que va vinculada a ella y es su causa motriz, es decir, por la herejía protestante. Al no desaparecer el protestantismo, no podía desaparecer la contienda en su verdadero alcance. Así que la Controversia *de auxiliis* «prosiguió» y prosigue todavía, con menos pasión, pero con idéntica parcialidad» [77].

---

[73] ALBERTO BONET, *op. cit.*, p. 137.

[74] STAN BICKNELL, «Jesuits: The Church's Shock Troops Move into the Modern World», in *New England (Boston Sunday Globe)*, Feb. 15, 1976, p. 38.

[75] *Ibíd.*, p. 26.

[76] ALBERTO BONET, *op. cit.*, p. 137.

[77] Según el parecer de Ciriaco Morón-Arroyo, el decreto papal sobre la gracia y el lapso de tiempo que media entre éstos y la fecha del *Condenado por desconfiado* que él pone erróneamente en 1625, habían «disuelto las diatribas de los frailes sobre el asunto». Además, opina el profesor Morón-Arroyo que «es absurdo pensar que el pueblo de 'mosqueteros' tuviera ningún interés en las sutilezas

6. Los años de formación de fray Gabriel Téllez

Los años más bulliciosos, pasionales y fértiles de la controversia discurren desde 1582 (si empezamos con los procesos de fray Luis de León y del padre Prudencio de Montemayor) hasta la supuesta resolución papel en 1607. La controversia en su aspecto formal, es decir, la disputa entre los bañecianos y molinistas, y en su alcance más amplio, o sea la lucha contra los protestantes, marca y define esta época. Ninguna convicción, ideología o atmósfera popular y nacional la excede; mucho menos ciertas aberraciones de prejuicios populares [78] que se han querido atribuir a España durante esta época. Se lucha contra el protestantismo: amenazan las guerras religiosas en Flandes y estalla la Guerra de los Treinta Años (1618-1648) que tanto afectaron a España. El país, las instituciones y el pueblo se nutren de la controversia, si no en sí misma, sí, al menos, en su intención última. Estos años coinciden casi al pie de la letra con el nacimiento, juventud, hábito, noviciado, profesión, educación y preparación teológica de Gabriel Téllez. Nuestro autor, por su vocación, estudios y proximidad directa a las controversias y controversistas, no pudo sino nutrirse de todo ello. Subrayemos que durante los años de la máxima efervescencia, pasional e intelectual de la disputa, es decir, entre 1596 y 1607, tenemos al futuro fraile Gabriel Téllez como colegial, según asegura el padre Manuel Penedo Rey, en el Colegio Impe-

---

de la disputa». *El condenado por desconfiado*. Edición de Ciriaco Morón-Arroyo y Rolena Adorno (Madrid, Ediciones Cátedra, 1974), p. 33, nota 22. A nuestro juicio estas afirmaciones carecen de validez en vista de la realidad histórica. Los hechos las desacreditan. Primero, el lapso de tiempo que media entre la declaración papal y *El condenado por desconfiado* es mucho menos del que el ilustre crítico sugiere. El padre Manuel Panedo Rey establece con datos y lógica convincentes, en su edición de la *Historia de la Merced* la fecha del *Condenado* y aun del *Burlador* en 1621 a más tardar. La declaración papal *de auxiliis* salió el 18 de agosto de 1607 dejando sólo 14 años y no 21 como cree el profesor Morón. Segundo, en cuanto al interés de los «mosqueteros» sobre el asunto tuvo que ser grande y penetrante puesto que —esto cabe subrayarlo— el teatro religioso de Tirso tuvo un éxito enorme, ni cesó con él, sino que continúa con igual éxito e interés con el teatro religioso-intelectual del gran Calderón. Recordemos también con nuestro fraile Gabriel Téllez que el problema y amenaza de los protestantes —causa-motor de la Controversia *de auxiliis*— no disminuye en este tiempo, pues el mismo Téllez nos recuerda los esfuerzos de su Orden por restablecer en Francia los conventos destruidos por los hugonotes: «Yuase, por estos tiempos [1605], restituyendo nuestra religión en la destruida Francia y a pesar de los muchos hereges que asta oy día la infestan... Por este mismo tiempo, conviene a saver, el año seyscientos diez y nueve, volvió a renazer en Francia, como fenix de sus cenizas mesmas, nuestra religión que, según vimos, casi destruyeron en ella los hereges hugonotes...» *Historia general de la Orden de Nuestra Señora de las Mercedes*, ed. cit., pp. 278 y 323.

[78] Véase Julián Juderías, *La leyenda negra* (Madrid, Editora Nacional, 1960), en particular pp. 238 y ss.

rial de la Compañía de Jesús. Después, lo encontramos en Salamanca siguiendo los cursos de arte desde 1601 a 1603. Lo encontramos de nuevo metido en los estudios de teología en Toledo y Guadalajara desde 1603 a 1607 [79], en el momento mismo de finalizar oficialmente la controversia, por disposición del Papa Paulo V el 18 de agosto de 1607; y también en Alcalá de Henares durante los años 1608 a 1610, siguiendo sus estudios de teología, cuando los dos bandos —ya libres del alcance de las acusaciones ante la Inquisición— se dedicaban a asentar y ampliar sus proposiciones y discusiones doctrinales. Pese a lo que sugieren ciertos críticos recientes, en el sentido de que la controversia ya no tenía vigencia por haberla disuelto el papa y era, por lo tanto, de interés marginal para el clero y de ninguno para el pueblo, es de notar que por lo que concierne a la Orden de la Merced y a nuestro autor, tal controversia continuaba siendo problema urgente y de la mayor importancia dos años después del decreto declaratorio de Paulo V. En 1609 la Orden de la Merced se vio forzada a reinstaurar en sus colegios conventuales la doctrina de Santo Tomás:

> Estaba legislada la enseñanza del tomismo, según la exposición de Zumel, pero ya algunos profesores se apartaban de Santo Tomás, obligando al Capítulo general de Guadalajara de 1609 a dictar prescripciones muy severas para la salvaguarda de la doctrina del Angélico [80].

Tirso de Molina «era un tomista entusiasta y convencido» [81] según se desprende de algunos críticos de sus obras. Además, el tema de la disputa lo llevaba Tirso en las entrañas por vocación y profesión; como vocación, por ser clérigo y por haber seguido por requisito riguroso estudios y honda preparación en teología; como profesión, por haber enseñado oficialmente tal teología. Si aceptamos la fecha de 1621, a más tardar, para *El condenado por desconfiado* y para *El burlador de Sevilla* [82]

---

[79] TIRSO DE MOLINA, *op. cit.*, vol. I, pp. XL, XLIV, XLV.

[80] MANUEL PENEDO REY, en TIRSO DE MOLINA, *op. cit.*, vol. I, p. LXXII.

[81] *Ibíd.*, p. LXXII. Véase también DELGADO VAREL, «Psicología y teología de la conversión en Tirso», *Estudios*, número extraordinario, 1949, pp. 341-377. P. ORTÚZAR, «Teología del *Condenado*», *ibíd.*, pp. 322-336.

[82] El padre Penedo Rey asigna la fecha de 1621 a las dos obras. En cuanto al *Condenado* la fecha parece ser conclusiva. Ruth Lee Kennedy y otros críticos de autoridad concluyen lo mismo. Kennedy escribe «que la fecha de la composición de *El Condenado* es el año 1621». MARTÍN ORTÚZAR, O. de M., «*El condenado por desconfiado* depende teológicamente de Zumel», *Estudios*, número citado, p. 336. Por lo que concierne a la fecha del *Burlador* el problema adquiere cierta complejidad, por lo menos en cuanto al tema, por existir una primera versión con idéntica temática bajo el título de «¿Tan largo me lo fiáis?» que se atribuye ahora universalmente al mismo autor y que parece haber sido escrita con anterioridad a la salida de Tirso para Santo Domingo en 1616 —lo cual explicaría la descripción de Sevilla— o poco después de su vuelta en 1618. De todos modos la obra entra dentro del período de su preparación a fondo de la teología y de

vemos cuán poca distancia media entre esta fecha y la de su temporada como lector de teología en Segovia, desde 1618 a 1620, «dando lecciones de Teología escolástica de una hora diaria, por lo menos, conferencia todas las noches, conclusiones los domingos y presidir un Acto público al año» [83]. ¿Cómo podía desaparecer su interés por el problema más acuciante y enloquecedor de entonces y aún de hoy? Además, dentro de los recintos mismos de la Orden de la Merced, y después de la disolución papal de la Controversia de auxiliis, el problema continuaba siendo de mucha gravedad y motivo de mucha perplejidad para muchos teólogos y estudiantes y, en particular, para el padre Pedro Franco de Guzmán, sujeto contra el que, según Penedo Rey, dirige Tirso una punzante sátira con sus dos obras El Burlador y El Condenado. El mismo padre Guzmán, en declaración ante el Santo Oficio en 1628, confirma el interés perturbador del problema de los auxilios de Dios y el libre albedrío:

> ... que ningún misterio de nuestra fe le congoja si no es el misterio de la Predestinación y Reprobación... discurriendo con personas de estudios de cuántas malas noches y desvelos le había dado esta consideración siendo estudiante en Salamanca [1606-1610, donde conoció a Zumel] y lo mucho que ella congoja a todos los que se la ponen a considerar... [84].

Más aún, este problema, el «más terrible del cristiano», no surge de repente en el repertorio dramático del fraile de la Merced; tampoco se limita a El Condenado y El Burlador ni aparece con estas obras, hasta el punto de que fuese posible relacionarlo directamente como causa y efecto, con el caso Guzmán, según indica el padre Penedo Rey [85]. La pre-

---

su enseñanza como tal, pues la había enseñado en Santo Domingo. En cuanto a la posible fecha de ¿Tan largo me lo fiáis? véase TIRSO DE MOLINA, Obras dramáticas completas. Edición crítica de Blanca de los Ríos, vol. II (Madrid, Aguilar, 1962), pp. XI, 523-530. Por lo que concierne a la temática y a la primacía de las dos versiones, FRANCISCO FERNÁNDEZ-TURIENZO, «El Burlador: mito y realidad», Romanische Forschungen, 86, 3/4 (1974), pp. 265-300.

[83] MANUEL PENEDO REY, en TIRSO DE MOLINA, op. cit., vol. I, p. LXXII.

[84] Ibíd., nota 29, p. CXXXVI.

[85] El padre Manuel Penedo Rey en su valiosa introducción a La historia general de la Orden de Nuestra Señora de las Mercedes hace mucho hincapié en demostrar que el padre Pedro Franco de Guzmán fue el origen y causa de la sátira del Burlador y del Condenado y que «Tirso escribió ambas comedias de acuerdo con aquel sentimiento popular, un tanto fanático, para convertir al monje Paulo [Guzmán] en víctima de su propia ceguedad: la clásica contumacia judaica. El éxito tuvo que ser extraordinario» (p. CXXXIX). Sin descartar esta posibilidad por ahora, no cabe olvidar que, primero, la enemistad de Tirso con Guzmán, según el mismo autor, era solamente enemistad de bando y no personal (como la que había entre Guzmán y los hermanos Melchor y Gaspar Prieto); no hubiera podido desencadenar tan frenético odio contra una persona, aun enemiga, del mismo recinto, cuando no lo hizo Tirso contra el padre Marcos Salmerón a quien Tirso declara en carta como enemigo suyo. El mismo padre Penedo Rey reconoce y hace resaltar no ser consecuente con el carácter humilde

destinación, la gracia salvífica de Dios y el libre albedrío del hombre fueron una constante preocupación, tanto teológica como dramática para Tirso, desde su temprana producción artística. Tampoco termina con

---

y poco resentido de Tirso. Segundo, afirma que *El Burlador* y *El Condenado* (escrito en 1621) fue la causa de la enemistad entre los hermanos Prieto y Guzmán, puesto que en «1620 Guzmán y Prieto estaban en tan buenas relaciones que éste le envió a Roma por su Vicario General y en 1622 aparecen criminalmente enfrentados, algo tuvo que ocurrir en 1621» (v. g. *El Burlador* y *El Condenado*, p. CXL, nota 23). Esto, como se ve, carece de lógica común por ser Tirso tercera persona en el litigio Prieto-Guzmán y no necesariamente entremetido en él y, claro está, no se sigue que sus obras, por hirientes que fueran, debían causar enemistad entre terceras personas. El padre Penedo Rey parece olvidarse de un hecho irreparable y lamentado por Tirso mismo y es el fracaso de Guzmán, precisamente como Vicario General, al no impedir la separación de los mercedarios descalzos de la Orden Madre, lo que ocurrió el 4 de septiembre de 1621. ¿No sería más bien este fracaso más hiriente para Gaspar Prieto por recaer en él por haber enviado a Guzmán a Roma la causa de la enemistad? Si Tirso escribió las dos obras para satirizar tan directa y vilmente al dicho Guzmán, cabría poder aducir pruebas incontrovertibles de enemistad personal entre los dos (aunque es posible que Guzmán se sintiera reflejado en las dos obras) y no deducirlas de hechos marginales. Además, si las dos obras «no son ajenas a la contienda Prieto-Rivera por el generalato» (p. LXXVI) en 1622 ¿cómo se explica la existencia de la primera versión del *Burlador ¿Tan largo me lo fiáis?* que es indudablemente anterior a 1621? También incurre el padre Penedo Rey en error cronológico cuando asigna a las dos obras la fecha de 1621 y sugiere después que Tirso habría recogido las hazañas de Juan de Valdivieso (pariente antepasado de Guzmán) durante su estancia en Burgos desde el 3 al 7 de junio de 1623 a causa del capítulo provincial: «Personalmente nos inclinamos a creer que con motivo de su estancia en Burgos no dejaría de visitar algunos parajes cercanos a esta capital —Torrepadierna, Olmillos, Villanueva de las Carretas, Sasamón, etc. [tierras de los antepasados de Guzmán]— donde aún se recuerdan las hazañas del Burlador, Juan de Valdivieso, en romance de la comarca» (p. LXXVIII). Si con esto se sugiere el principio o una fuente del *Burlador de Sevilla*, es evidente que no se pudo escribir en 1621, sino después del 7 de junio de 1623. La preocupación por la libertad y la gracia o, si se quiere, la predestinación y reprobación, es constante en Tirso desde sus primeras obras y los gérmenes protéicos de D. Juan, Enrico y Paulo —como gusanillo en metamorfosis para llegar a mariposa— también aparecen desde muy temprano en sus obras. A medida que crece la conciencia teológica de Tirso también crece la conciencia de sus personajes. Por el momento, señalamos a Don Jorge y D. Luis de *La Santa Juana* como génesis del futuro Burlador y Enrico. Enfrentado así el problema de la gracia, tal como la realidad textual nos lo exige, cualquier relación con Guzmán tiene que ser marginal y no creemos en todo caso sea a causa de la postura filojudaica de Guzmán. Tampoco aceptamos la opinión del padre Penedo Rey de que Tirso haya escrito las dos obras de acuerdo con el sentimiento popular antijudaizante, primero, por la temática de las dos obras, que se adhiere estrictamente al problema de la gracia —preocupación nacional de la época— y segundo, el supuesto judaismo de Guzmán no se vino a conocer universal y detalladamente hasta su proceso inquisitorial que no fue hasta 1628-1629. Además, el hecho de haber salido absuelto ¿indicaría también que el Santo Oficio era judaizante? Como confirma el mismo padre, el Santo Oficio sólo tenía en cuenta cuestiones de fe. Tirso, si es que satiriza a Guzmán, debería hacerlo a causa de sus temerarias posiciones en materia de fe y de atrevimiento al misterio divino (Calvino), o por atenerse a la «privanza» y no por sus raíces judaizantes. Si, por otro lado, atendemos a su

El Condenado; la misma temática se repite en *Quien no cae no es levanta* de 1628. Basta ahora con indicar la presencia temprana de esta misma temática y de los gérmenes de los tres protéicos personajes de *El Condenado* y *El Burlador* en *La madrina del cielo, La ninfa del cielo* [86] y la trilogía de *La Santa Juana* para asentar tales raíces desde el principio de su actividad como escritor. Ni el infausto Don Juan ni el infiel Paulo ni el confiado Enrico nacieron hechos hombres como de repente. Como el gusanillo en metamorfosis, los tres protéicos personajes se engendran y van adquiriendo modalidades únicas a medida que se ahonda y concretiza la conciencia artística del autor, hasta poder vivir a solas las eternidades que les esperaban. El padre Guzmán no pudo ser, por tanto, causa directa, puesto que los gérmenes de nuestros personajes vivían ya antes de entrar en la escena el dicho padre Guzmán. Cualquier relación de los tres personajes tirsianos con el padre Guzmán, tiene que entenderse no como causa y efecto, sino como un posible hecho o elemento real del que supo servirse en su intento de satirizar a los validos y la peste de la privanza, —esto suponiedno que Tirso hubiera pensado en un personaje real al escribir dichas obras. Tirso de Molina es, en efecto, el crítico social más audaz y pujante del Siglo de Oro, juntamente con Quevedo. El padre Guzmán pudo haberse visto reflejado en las dos obras, como podía verse reflejado el Conde-Duque de Olivares, el mismo monarca o cualquier persona débil o atrevida en la fe. Éste, es decir, el valido de Felipe IV arremete contra Tirso —los hechos posteriores lo confirman: la Junta de Reformación y el destierro— para vengarse de la sátira por tenerle a Tirso tan cerca y a tiro. Pero de todo ello no se sigue, sin embargo, que Tirso enderezara directamente su sátira contra el otro fraile, de forma personal y tan vilmente. Este proceder no concuerda con el carácter noble y virtuoso de Tirso, como indica el mismo padre Penedo Rey en su valiosa introducción a la *Historia de la Merced*. Tirso siempre manifiesta su inocencia en su *Historia de la Merced* ante el caso Guzmán, considerándose, según las palabras del padre Penedo Rey «víctima de la envidia, mordacidad y calumnia... ni existe motivo para no creerlo» [87].

La consideración de si Tirso compuso *El Burlador* y *El Condenado* «para defender su partido, combatiendo al pariente del Conde-Duque (el padre Guzmán) con las armas que tenía a su alcance, el teatro, o arrastrado por la fuerza temática del asunto» [88] no tiene que depender

---

atrevimiento calvinista como una derivación de la «contumacia hebraica», entonces no hay inconveniente en aceptarlo, puesto que se revuelve en torno a disputas y posiciones teológicas y no en prejuicio sectario.

[86] Véase la introducción de BLANCA DE LOS RÍOS en su edición de TINSO DE MOLINA, *op. cit.*, vol. I, pp. 106-107. También R. M.ª HORNEDO, «El condenado por desconfiado», *Razón y Fe* (1940).

[87] TIRSO DE MOLINA, *op. cit.*, vol. I, p. CXXXI.

[88] *Ibíd.*, p. CXXXI.

exclusivamente de uno u otro caso. Los dos, juntos, son posibles y muy probables. Hemos dicho que lo que se nos impone por la fuerza interna y constante en las obras del mercedario, es la presencia consciente de la temática de la Controversia *de auxiliis* [89] desde sus primeras creaciones hasta después de las dos obras en discusión. Es el eje y fin de su teatro. *El Burlador* y *El Condenado* causan alborotos y escalofríos por fundir en perfecta, irrevocable y, para Don Juan y Paulo, trágica simbiosis el peso abrumador que aporta al drama del «nuevo» hombre su ansia «de infinito» y la fuerza del designio y misterio divinos. Esto es lo que hace inolvidables a Don Juan y a Paulo. En esto consisten sus tragedias y las del hombre moderno. La libertad y la gracia o, si se quiere, la predestinación o reprobación, que «andaba en boca de todo el mundo, frailes y seglares» [90], es el motor que mueve el teatro religioso del mercedario, sin excluir en absoluto —la obra de arte queda siempre sin agotar— cualquier intención de crítica social o de sátira.

Es evidente por las razones expuestas a lo largo de este capítulo, que Tirso de Molina conoce a fondo las controversias en torno a la eficacia de la gracia y el libre albedrío del hombre. La controversia como tal, en sus puntos característicos, según las doctrinas en contienda, es bien conocida [91]. Queremos ofrecer, sin embargo, un resumen de los tres sistemas en discusión: el bañecianismo, el molinismo y el suarismo o congruismo.

7. Síntesis doctrinal de la Controversia de auxiliis

El bañecianismo, así denominado por ser su primer y principal exponente Domingo Báñez O. P. (1528-1604), fundamenta su sistema sobre la eficacia de la gracia y el libre albedrío en el principio aristotélico-tomista de la premoción física [92]. Según este principio, Dios por ser *agens per intellectum* y causa eficiente en *actu primo*, es causa primera y absoluta de todo lo creado. Su acción se aplica directa e inmediatamente a las causas segundas y no alcanza nada que no sea decretado por su soberana voluntad y sabiduría [93]. De esto se sigue que la voluntad divina

[89] El profesor Ciriaco Morón-Arroyo en la introducción a su edición del *Condenado por desconfiado* (Madrid, Ediciones Cátedra, 1974), reduce a un mínimo la presencia de la controversia como temática de esta obra. La basa a su vez en el *Arte de bien morir* de Roberto Belarmino. No aceptamos esta contención ni la fecha que propone (1625-1626) a causa de tal libro.

[90] Manuel Penedo Rey, en Tirso de Molina, *op. cit.*, vol. I, p. CXXXI.

[91] Véase Alberto Bonet, Venancio Carro, Vicente Muñoz, en las obras citadas. F. Stegmüller, *Francisco de Vitoria y la doctrina de la gracia en la escuela salmantina* (Barcelona, Biblioteca Balmes, Durán y Bas, 1934). Raoul de Scorraille, Marcial Solana, en las obras citadas ya. Henry Sullivan, *Tirso de Molina and the Drama of the Counter Reformation* (Amsterdam, Rodopi BV, 1981, en particular pp. 26-40.

[92] Véase Federico Stegmüller, *op. cit.*, p. 46.

[93] Santo Tomás, *Suma teológica*, I, q. 14 a. 8.

preordena y predetermina real, eficaz e infaliblemente toda la creación y todo lo que recae en las acciones u operaciones de las causas segundas, incluida la voluntad del hombre en sus actos libres [94]. Los concursos sobrenaturales que Dios concede, gratuitamente siempre, al hombre simplemente por su voluntad bonífica son siempre «inimpedibles e infrustrables». ¿Cómo cabe preguntar, se salva el libre albedrío del hombre si Dios lo preordena y determina todo infaliblemente? He aquí la raíz de la Controversia *de auxiliis* y de la disputa contra el protestantismo. La doctrina bañeciano-tomista responde que la base de la libertad humana radica precisamente y versa en la libre voluntad y providencia divina. Dios obra libremente y como causa primera y soberana mueve siempre con prioridad de naturaleza, como afirma Santo Tomás y repite su escuela, no sólo la voluntad del hombre al acto en cuanto acto, sino también el modo del acto [95]. Dios extiende sus concursos a las causas segundas de acuerdo con sus naturalezas: si las causas segundas son necesarias las mueve necesariamente, si son libres (los hombres) las mueve libremente:

> Nosotros los tomistas decimos que el obrar nosotros los actos sobrenaturales *proviene de la eficacia de los auxilios que vienen de la gracia y misericordia de Dios, tan fuerte y suavemente que infaliblemente nos hacen obrar libremente aquello para que Dios de su voluntad absoluta los envía...* [96].

Tanto los bañeciano-tomistas como los molinistas y suaristas, —con exclusión solamente de los luteranos y calvinistas— concuerdan en afirmar que la voluntad del hombre es libre. El problema nace del modo de concordar la eficacia e infrustrabilidad del concurso divino sin que esto niegue o viole el libre albedrío del hombre, y a la inversa, que la libertad del hombre no neutralice o disminuya el poder de la gracia. Para los bañecianos, la libertad queda salvaguardada primero porque ella radica, como ya hemos afirmado, en la libre voluntad y omnipotencia de Dios. Segundo, porque Dios mueve al hombre según su naturaleza —que es libre— lo cual no implica contradicción ni violación, puesto que Dios puede todo lo que no es intrínsecamente contradictorio [97]. Tercero, porque la facultad racional del hombre está dotada del poder de

---

[94] *Ibíd.*, I, q. 19 a. 6. Véase MARCIAL SOLANA, *op. cit.*, cap. IV.

[95] SANTO TOMÁS, *op. cit.*, I, q. 22 a. 4.

[96] Véase VICENTE BELTRÁN DE HEREDIA, en su obra *Domingo Báñez*, p. 435.

[97] «La libertad no es incompatible con la moción de Dios, ni para ser libre es necesario que nuestra voluntad sea la causa absolutamente primera del acto», VENANCIO CARRO, *op. cit.*, vol. II, p. 58. Domingo Báñez en réplica al padre Francisco Suárez sobre este punto afirma la posición tomista: «Los padres dominicos... declaran [que] el concurso de la voluntad de Dios, que nos da socorros y movimientos y inspiraciones y ayudas cuando absolutamente nos quiere convertir tan fuertes y tan suaves, como su divina omnipotencia y sabiduría lo sabe y puede hacer...», VICENTE BELTRÁN DE HEREDIA, *op. cit.*, p. 436..

asentir en acto (*sensu composito*) al concurso de Dios, el cual «reclama
la dependencia total y absoluta de los seres 'ab alio' respecto al Ser *a se*...
y que es recibido inmediatamente por la creatura que obra... (y) que es
absolutamente necesario... que la creatura obre por la dependencia de
ella y sus actos a Dios» (premoción física) [98]. Y sin embargo, puede también resistir al concurso de Dios pero tan sólo *in sensu diviso* —aquí la
raíz de la solución bañeciano-tomista— es decir, resistir sólo potencialmente, lo que, por lo tanto, nunca llegará a floración [99].

Para que la libertad humana quede intacta sólo se requiere, según
este sistema, «la indiferencia de poder querer un medio y poder no quererlo, y querer una cosa u otra indiferentemente... (que) el entendimiento
juzgue y proponga la indiferencia de los medios al fin» [100] y no la indiferenciación de la voluntad misma. Para Báñez, pues, la definición completa del libre albedrío y del agente libre es la siguiente: «Liberum
arbitrium est facultas intellectus et voluntatis ad agendum vel non agendum, vel ad prosequendum unum vel aliud... Agens liberum est quod
operatur propter finem cum cognitione indifferentiae mediorum ad
finem» [101].

Esta solución, basada en la doctrina de acto y potencia y en la indiferenciación de los medios al fin, no satisfizo ni fue aceptada por los
molinistas. Estos fundamentan el libre albedrío del hombre precisamente en la indiferenciación activa y absoluta, no en los medios con respecto al fin, sino en la indiferencia de la voluntad *in se*.

De todo esto se desprende, como secuela, otro problema y es el siguiente: ¿Cómo conoce Dios con certeza e inmutabilidad, es decir,
infaliblemente, los futuros contingentes y libres? Los bañecianos, con
Santo Tomás, recurren a la distinción escolástica de la ciencia de Dios:
la de simple inteligencia y la de visión. Con la ciencia de simple inteligencia conoce todo lo que abarca su poder y el de lo creado (el hombre), pero
que no llegará a disfrutar del acto jamás, es decir, conoce todos los posibles, en cuanto eternamente posibles. Con la ciencia de visión, por el contrario, conoce Dios desde la eternidad todo lo que fue, es o será de hecho,
de manera real y en acto según ha de ser a su debido tiempo. Aquellos
futuros contingentes y libres que puedan llegar y llegarán de hecho a fruición en el tiempo y que hasta entonces quedan indeterminados y libres, los
conoce Dios porque decretó desde la eternidad en su propia voluntad,
esencia y sabiduría [102], que tales futuros llegarían a fruición. Según Báñez,

---

[98] MARCIAL SOLANA, *op. cit.*, pp. 62-63.

[99] Según FEDERICO STEGMÜLLER, esta solución, *in sensu composito* e *in sensu
diviso* fue la aportación de Melchor Cano al tomismo posterior. Véase *op. cit.*,
p. 56.

[100] Domingo Báñez en réplica a Francisco Suárez, en VICENTE BELTRÁN DE HE-
REDIA, *op. cit.*, p. 455.

[101] *Ibíd.*, pp. 435, 455, 456.

[102] Para Santo Tomás y su escuela «La certeza del conocimiento divino es anterior a las cosas y es su causa. La presencia real es tan sólo una condición por

«la causa primera, Dios, es decisiva y determinante en todo sentido, Dios conoce los futuros en sí mismo, en cuanto causa primera»[103]. Dios es causa primera, Dios, es decisiva y determinante en todo sentido, Dios es causa absoluta de todo y, por tanto, según la doctrina tomista, «conoce todas las cosas a través de su misma esencia... poco importa que se trate de futuros contingentes y libres... [Dios posee] la presencialidad de todo lo creado, ya sean seres y actos libres, ante el ahora eterno de su esencia y conocer»[104].

Es evidente pues, que Dios obra siempre con prioridad y, por lo tanto, extiende los concursos sobrenaturales siempre *ante praevisa merita*, por ser causa primera y absoluta. Si Dios mueve así a la criatura y *ante praevisa merita* ¿cómo puede ser el hombre responsable del pecado, puesto que Dios forzosamente ha de ser su causa Los bañeciano-tomistas responden negativamente, distinguiendo en el pecado tres características: el pecado en cuanto acto; el pecado en cuanto dirección contraria a la ley física; y el pecado en cuanto va en contra la ley moral (*malitia moralis*), es decir, en su entidad física y en su calidad moral[105]. Según Báñez, Dios es «causa completa y entera de todo lo que en el pecado hay de positivo y real; así que es causa del acto del pecado... en cuanto acto físico, mas Dios no es causa de la cualidad moral del pecado, porque ésta de sí no sigue el acto del pecado, en cuanto puesto por creaturas»[106]. Con esto se ve cómo el sistema bañeciano-tomista armoniza, junta, la predestinación con la reprobación, poniendo entrambas en la libre voluntad de Dios, que es por tanto gratuita, y sin embargo, queda el hombre libre, porque Dios sólo permite *el acto* pecaminoso, pero no por eso «se hace Dios su causa ya que la permisión deja al hombre en plena libertad y responsabilidad y porque no está obligado a dejar de permitirlo»[107].

Dios, siendo justísimo, extiende, arguyen los bañecianos, a todas y cada una de sus criaturas la gracia suficiente para que todas y cada una puedan salvarse. Pero no todos logran de hecho la salvación y la gracia. Sin embargo, Dios está dispuesto a extender la gracia eficaz condicionada, de modo que la reciban efectivamente[108]. Aquellos que no reciben tal gracia eficaz no pueden lograr la conversión a Dios —aunque están capacitados, tan sólo *in sensu diviso*, para recibirla— y por lo tanto son reprobados:

> En la reprobación, la permisión del pecado no es causa del abandono en él, y ésta no lo es tampoco del «Velle punire». Además la permisión del pecado es ciertamente la causa de la no conversión a

---

parte del objeto para que pueda terminarse en él un conocimiento seguro». FEDERICO STEGMÜLLER, *op. cit.*, p. 10.

[103] *Ibíd.*, p. 37..
[104] VENANCIO CARRO, *op. cit.*, vol. II, p. 56.
[105] FEDERICO STEGMÜLLER, *op. cit.*, p. 79.
[106] *Ibíd.*, pp. 79-80.
[107] *Ibíd.*, p. 90.
[108] *Ibíd.*, p. 159.

Dios, mas no es causa del pecado. El pecado se sigue ciertamente con necesidad lógica e infalible de su permisión mas no se sigue directamente, sino mediante el libre albedrío. Por eso no resulta Dios causa del pecado... El pecado y no su permisión es la causa del abandono, y el pecado y no el abandono es causa de la pena. La imposición del castigo viene por lo tanto «post praevisa peccata» [109].

A través de todo esto se puede ver, pues, cómo el bando bañeciano-tomista, más estrechamente arraigado en la tradición escolástica, se enfrenta con el problema de la gracia y el libre albedrío desde la perspectiva teológica —de Dios como causa primera— y desde ella determina la solución que, como secuela, salvaguarda el libre albedrío [110].

Para los molinistas, la solución bañeciana resultaba artificiosa y escolástica, es decir, una solución sólo retórica que, a pesar de su consecuencia, no encarnaba viva y realmente la esencia de la libertad humana. Esta tampoco resultaba suficientemente sustraída del yugo determinista de Dios, puesto que «la predeterminación física excluye el libre albedrío» [111]. El molinismo (los jesuitas) encarna «esencialmente la antirreforma, y así, por una especie de necesidad biológica —sus raíces estaban en la tan compleja evolución de la conciencia cristiana de la época— se proclamó defensor por excelencia del libre albedrío, de su valor y de sus derechos» [112]. Al contrario que el bañecianismo, el molinismo se enfrenta con el mismo dilema desde la perspectiva de la conciencia humana, del *ego* personal, y desde ella desarrolla su concepto del libre albedrío «independientemente, o, si se quiere, anteriormente a las tesis teológicas que sólo desenvuelve, después, en función del mismo» [113].

El sistema molinista rechaza la predeterminación física bañeciana por violar la indeferenciación de la voluntad humana, la cual, según este sistema, es esencial, para que el hombre obre libremente. Para que nuestra voluntad quede libre de verdad, es necesario que ella en sí misma tenga el poder de la determinación. No basta, repiten los molinistas, con la indiferenciación de los medios al fin: ni es suficiente la indiferencia meramente pasiva y remota de la voluntad. Es necesario y esencial, arguyen, que la indiferencia de la voluntad sea activa y próxima al acto y que quede intacta. Tampoco la moción divina (concursos), otorgada gratuitamente, puede ser previa y determinante [114]. Supuesta la moción divina —necesaria siempre, admiten, para que el hombre obre— nuestra voluntad debe quedar sin embargo en potencia activa y próxima de

---

[109] *Ibíd.*, p. 162.

[110] «El bañecianismo... de la noción de la causa primera infiere sus tesis del concurso divino, y sólo después de ellas, y como consecuencia de las mismas, formula la definición del libre albedrío.» ALBERTO BONET, *op. cit.*, pp. 171-172.

[111] Francisco Suárez, en ALBERTO BONET, *Ibíd.*, p. 163

[112] *Ibíd.*, pp. 103, 105.

[113] *Ibíd.*, p. 171.

[114] *Ibíd.*, pp. 199, 214, 215.

producir su acto o inhibirlo: «causa libera est, quae, positis omnibus praerequisitis ad agendum, potest agere, aut ita agere unum aut contrarium etiam» [115]. Según esto, la predeterminación física bañeciana, que obra inmediata y determinantemente sobre la voluntad, destruye su indiferencia y con ella la libertad [116]. Para evitar esto, el molinismo recurre al concurso simultáneo y a la ciencia media. Según este sistema de la ciencia media, Dios no conoce los futuros contingentes y libres mediante los decretos de su voluntad. Si esto fuese así, como dicen los bañecianos, se destruiría nuestra libertad. Dios, antes de decretar que tales futuros sucedan en el tiempo, ve y prevé desde la eternidad lo que tal hombre hará ante una multitud de situaciones (ciencia media) y según su actuación prevista, le extiende la gracia simultáneamente al que prevé concretamente que escogerá el camino recto y niega tal auxilio al que prevé que escogerá el pecado. La salvación y la reprobación se verifican, pues, *post praevisa merita et demerita*. De este modo, Dios conoce infaliblemente el fin de todos los hombres. A los que prevé en la gloria, les concede los auxilios no anteriormente a sus actos —esto destruiría su libertad— sino en el momento mismo, simultáneo, por tanto, al acto virtuoso del hombre. Con esto queda a salvo la libertad humana. Para los bañecianos tal solución resultaba temeraria, peligrosa y herética por hacer esperar a Dios a que se decida el hombre primero, y antes de que pueda intervenir Dios [117].

Un tercer sistema fue introducido para mediar, o concordar, por así decirlo, las dos anteriores posiciones de la controversia. Es este el sistema conocido por el nombre de suarismo y congruismo por ser debido al célebre jesuita Francisco Suárez [118]. El suarismo acepta el sistema molinista del concurso simultáneo y la ciencia media, cambiando, sin embar-

---

[115] Luis de Molina, en ALBERTO BONET, *Ibíd.,* p. 175.

[116] «La esencia y naturaleza del acto libre está en que la potencia que le obra, teniendo todo lo necesario para poderle hacer esté con todo eso indiferente, y indeterminada para obrarlo o no.» Francisco Suárez, «En defensa de la Compañía cerca del libre albedrío», en VICENTE BELTRÁN DE HEREDIA, *op. cit.,* p. 421. Así lo repite también el padre RAOUL DE SCORRAILLE: «La créature libre, même placée sous l'influence du concours divin ou de la grâce, doit conserver le pouvoir de se déterminer elle-même à cet acte ou à cet autre: sans ce libre choix, la liberté n'est qu'un mot. Il faut donc exclure tout secours de Dieu qui apporterait avec lui cette détermination de la volonté à telle acte, sans lui laisser le choix d'un autre.» *Op. cit.,* vol. I, p. 354.

[117] Véase VICENTE BELTRÁN DE HEREDIA, *op. cit.,* pp. 53-55.

[118] La importancia del suarismo es muy grande y su influjo en Europa, enorme, aun entre los filósofos y teólogos protestantes e ilustrados. Véase la introducción de E. ELORDUY y L. PEREÑA en su edición bilingüe de FRANCISCO SUÁREZ, *Defensio Fidei,* III (Madrid, C. S. I. C., 1965); SALVADOR CASTELLOTE CUBELLS, «La posición de Suárez en la historia», *Anales del Seminario de Valencia,* 2 (1962), pp. 5-120; ROIG GIRONELLA, «Para la historia del nominalismo y de la reacción antinominalista de Suárez», *Pensamiento,* 17 (1961), pp. 279-310; CAMILO BARCIA TRELLES, *Francisco Suárez. Les théologiens espagnols du XVIᵉ siècle et l'école modern du droit international* (París, Hachelle, 1933).

go, la previsión de Dios desde la eternidad de lo que harán los hombres en tales circunstancias a una «predefinición divina anterior al consentimiento humano» [119]. La premoción física bañeciana es substituida por esta «predefinición divina», que es «un decreto eterno de la voluntad divina por el cual Dios establece de una manera absoluta que algo se realice en el tiempo» [120], evitando la dependencia de Dios respecto a que el hombre muestre su decisión de escoger este o aquel acto, antes de concurrir con sus auxilios:

> La predefinición se distingue esencialmente de la predestinación física... Por ella la voluntad de Dios quiere el acto y los medios que muevan la voluntad humana a producirlo de una manera contingente, no determinante; se adapta a la manera de ser de la voluntad, haciendo que sea ésta la que se determine a sí misma a tal acto; no aplica la eficacia predeterminante de la potencia divina, y se sirve del concurso simultáneo, del cual se aprovecha la voluntad humana para su acto. La ciencia media hace segura la infalibilidad del efecto, pues por ella Dios puede aplicar los medios más apropiados (congruos) para que sirvan de estímulo infalible a la voluntad, sin forzarla [121].

¿Repercute todo esto en el teatro de Tirso? La libertad y la gracia según se desarrollan en la Controversia de auxiliis desempeñan, en efecto, un papel manifiesto y decisivo en el teatro de Tirso de Molina. La manifestación de una y otra en las obras dramáticas religiosas de Gabriel Téllez será el objeto de otro capítulo.

---

[119] ALBERTO BONET, op. cit., p. 229.
[120] Francisco Suárez, en ALBERTO BONET, Ibíd., p. 228.
[121] Ibíd., p. 229.

CAPÍTULO II

CONCEPTO DE LA LIBERTAD Y LA GRACIA EN EL TEATRO DE TIRSO

La intervención oficial en el transcurso de la contienda sobre el libre albedrío y la gracia divina —Reforma, Contrarreforma y la Controversia *de auxiliis*— la preocupación, interés y polémica nacidas de las proposiciones y soluciones ofrecidas a ella por las distintas tendencias —dominicos, luteranos, jesuitas y calvinistas— y universidades —Salamanca, Alcalá, París y Lovaina— las comisiones papales establecidas por los papas Clemente VIII y Paulo V y la solución declaratoria oficial —pero no final— emanada de Paulo V en 1607 respecto a la Controversia *de auxiliis* impregnaron por completo el siglo XVI y el primer decenio del XVII y afectaron al sentimiento nacional y popular de España y hasta de Europa.

Con respecto a Tirso, hemos visto que su formación personal y religiosa cuajó bajo este sentimiento nacional general y, en específico, en los años más ardientes de la Controversia *de auxiliis*: 1582-1607 [1]. Tirso no sólo compartía este sentimiento y preocupación nacional, sino que como hombre de sotana y profesión religiosa se mantenía al corriente, por rigor monacal y deber académico, de las diversas proposiciones y polémicas que habían surgido y continuaba suscitando el asunto. Y como hombre de teatro no se contentaba con explicarlas humildemente dentro del recinto monacal-escolar, por extenso que éste fuera, sino que, como fuente y material dramático en sí y dramatizable, las llevó a las tablas por ser expresión auténtica de vena nacional y contener dilemas individuales universales de trágica transcendencia, y como expresión que son, finalmente, de sus propios sentimientos personales. Consta que del repertorio dramático conocido de Tirso, la mayor parte acoge el tema religioso en general (bíblico, hagiográfico, teológico y autosacramental) [2] y en no

---

[1] Cfr.,*supra*, pp. 27-32.
[2] Para la clasificación del teatro de Tirso de Molina véase el esquema que ofrece ÁNGEL VALBUENA PRAT, en *El teatro español en su Siglo de Oro* (Barcelona, Planeta, 1969), p. 188. Para una clasificación más completa véase MARÍA DEL PILAR

pocas obras, trata específicamente del problema de la conversión, o falta de ella —la libertad humana y la gracia divina— o sea, el influjo sobrenatural y sus manifestaciones en la vida y destino del hombre.

La presencia de la gracia divina y la libertad humana en las obras religiosas de Tirso es constante y caracterizadora de su postura teológica, ética y moral así como de su arte. Para nuetsro estudio de la intervención sobrenatural en las acciones y destino del hombre, hemos escogido siete comedias y dos autos representativos, si los consideramos cronológicamente, de la labor dramática tirsiana, ya que revelan, caracterizan y definen su postura teológica y dramática, cuya integración definitiva y definidora culmina en *El Condenado* y *El Burlador*.

Aunque la cronología de las obras de Tirso está aún por aclarar y los críticos tirsistas difieren entre sí y aducen distintas razones para su ordenación cronológica [3], las obras que nos proponemos estudiar serán presentadas siguiendo un orden más o menos cronológico, que iremos apuntando a través de nuestra presentación, pero siempre subordinadas a un propósito ilustrativo que culminará en *El Condenado* y *El Burlador* respectivamente. Las obras, en orden de presentación son: *Los lagos de San Vicente* (¿1606-1607?, ¿1620?), *La Santa Juana*, primera parte (1613), *La Santa Juana*, segunda parte (1613-1614), *La Santa Juana*, tercera parte (1614), *El mayor desengaño* (1621), *La Madrina del Cielo*, auto (¿1614?), *La Ninfa del Cielo*, auto (1619), *El condenado por desconfiado* (¿1614-15?, ¿1621-22?, ¿1625?) y *El burlador de Sevilla* (¿1619?, ¿1621-22?).

PALOMO, «La creación dramática de Tirso de Molina», en su edición *Obras de Tirso de Molina* (Barcelona, Vergara, 1968), pp. 11-125.

[3] Véanse: RUTH LEE KENNEDY, «On the Date of Five Plays by Tirso de Molina», *Revue Hispanique*, X (1942), pp. 183-214 y «Studies for the Chronology of Tirso's Theater», *Hispanic Review*, XI (1943), pp. 17-46. BLANCA DE LOS RÍOS, «Introducción» y «Preámbulo», en su edición *Obras dramáticas completas de Tirso de Molina*, tres vols. (Madrid, Aguilar, vol. I, 3.ª ed., 1969; vol. II, 2.ª ed., 1962; vol. III, 2.ª ed., 1968). MARÍA DEL PILAR PALOMO, «La creación dramática de Tirso de Molina», en su edición de Tirso de Molina, *Obras*, pp. 11-125.

CAPÍTULO III

LOS LAGOS DE SAN VICENTE

Tirso de Molina dramatiza en *Los lagos de San Vicente* [1] la vida y conversión de Santa Casilda, hija de un rey moro de Toledo, en el siglo XI. Llevada por curiosidad a visitar el calabozo de unos cautivos cristianos, se ve atraída por su humildad y fuerza espiritual. Esto le empuja no sólo a prestarles alivios en secreto, sino a inquirir sobre el fundamento de su religión, que tanto consuelo les depara. En cada visita al calabozo aprende Casilda a estimar cada vez más, en contraste con su religión musulmana, la solidez y concierto que encierra el cristianismo:

> Mas nadie ya me persuada
> después que en su escuela asisto,
> que si es falsa la de Cristo
> no es su ley más concertada.
> Hallo mil contradicciones
> en la de nuestro Alcorán,
> y que sus preceptos dan
> licencias y no razones [2].

Al crecer su entendimiento del cristianismo, se despierta en su voluntad el ansia de nutrir y sustentar no la lascivia del cuerpo, siguiendo su

---

[1] BLANCA DE LOS RÍOS retrotrae la fecha de esta obra a 1606-7; es, pues, según la insigne tirsista una obra primeriza del mercedario. Al asignar esta fecha primeriza a la obra hace notar, con razón, la abundancia «en ella [de] las homilías catequísticas... las apariencias y mutaciones escénicas, los milagros, las apariciones sobrenaturales...» «Preámbulo» en su edición de TIRSO DE MOLINA, *Obras dramáticas*, vol. II, p. 3. RUTH LEE KENNEDY a su vez fecha esta obra en los primeros años de 1620. Véase su artículo «Studies for the Chronology of Tirso's Theater», *HR*, XI (1943), pp. 17-46. Para las fuentes de esta obra véase BLANCA DE LOS RÍOS, *op. cit.*, pp. 3-12 y SERGE MAUREL, *L'univers dramatique de Tirso de Molina* (Poitiers: Publications de l'Université de Poitiers, 1971), pp. 104-108.

[2] TIRSO DE MOLINA, *Los lagos de San Vicente*, Acto I, escena 7, en *Obras dramáticas completas*, ed. Blanca de los Ríos, vol II, p. 22. En adelante citaremos siempre por esta edición y tomo, indicando el acto con números romanos, la escena con números arábigos y la página correspondiente. El subrayado es siempre mío.

tradición, sino la del alma: «cuyo ser / es sustancia inmaterial / que
estriba intelectual / en amar y en entender»[3]. Así le advierte a su prima
Axa, la cual, sospechando que el amor de Casilda por los cristianos cautivos se debe más a su amor por un caballero cristiano que a su religión, se propone, celosa, averiguar su intención.

Pero, a pesar de que la doctrina cristiana le parece bien concertada
a Casilda, le queda sin embargo una duda, que trastorna e inquieta su
entendimiento. Esto es el concepto de la trinidad de Dios, y se dirige al
cielo para buscar aclaración a este misterio. La respuesta a su cavilación
le viene de dos cautivos, que regando en el jardín del rey moro, observan,
con un símil tan humildemente real, algo análogo que explica el misterioso concepto de la trinidad divina. El agua que riega el jardín, nace
de una fuente que, a su vez, se reparte en tres arroyos y que no por ello
cambia la naturaleza y sustancia de las tres aguas[4]. Al escuchar esto
Casilda, ya convencida, anhela hallar el agua «que tiene eficacia / de
alcanzarme vuestra gracia»[5]. En este momento se le aparece milagrosamente San Vicente, para decirle que busque el agua de los lagos de
San Vicente, en los montes de Burgos, para purificarse en sus aguas
con el bautismo. El comportamiento de Casilda para con los cautivos
cristianos había llegado a oídos del rey moro, que considerándolo como
enfermedad, reúne a todos los médicos para curar, aunque sin éxito, el
aparente trastorno de Casilda. Mientras los médicos buscan la cura del
cuerpo, Casilda busca la del alma aprendiendo la doctrina cristiana.

Entretanto se monta en la corte del rey moro un enredo de capa y
espada típicamente tirsiano. Don Tello, noble burgalés y pretendiente de
Doña Blanca, había herido, por celos, a Don Diego, pretendiente también
de Doña Blanca y, desterrado por el Rey Fernando, se refugia en la
corte del moro donde había trabado amistad con Alí Petrán, hermano
de Casilda, el cual ayuda a Don Tello a robar a Doña Blanca y llevarla
a Toledo. Don Diego, para vengarse de Don Tello y para buscar a Doña
Blanca, se encuentra disfrazado también, en Toledo. La presencia de
éstos en la corte del moro, complica aún más el enredo amoroso. Casilda
asegura a su padre que su salud depende de los consejos que puede darle
Don Tello, lo cual enciende los celos de Doña Blanca así como la envidia
y celos de Axa y los celos de Alí Petrán, enamorado, como Don Tello y
Don Diego, de Doña Blanca.

Axa, celosa de Casilda, informa al rey que el propósito de Casilda al
consultarse con Don Tello, no es honesto y que le estima más que a su
propia religión, pues todas las noches, le dice al rey, lleva de comer a los
cristianos cautivos. El rey sorprende a Casilda con la cesta de las comidas
para los cautivos y mandándole que descubra, furioso, la cesta, los man-

[3] Acto I, 7, p. 23.
[4] Acto I, 9, p. 25.
[5] Acto I, 10, p. 26.

jares que había en ella se convierten milagrosamente en flores, cuya fragancia, advierte el rey, «mis canas rejuvenecen. / Del cielo vino este olor / que aquí no los hay iguales» [6]. Este extraño e inexplicable afecto de la fragancia de las flores, ablanda el corazón del rey que, a petición de Casilda, la deja ir en busca de los lagos de San Vicente en la provincia de Burgos, cuyas aguas prometen «curarla».

Pero Alí Petrán, su hermano, al averiguar que Don Tello acompaña a Casilda, bajo el pretexto de buscar las milagrosas aguas de los lagos de San Vicente, se siente engañado y ofendido, pues cree que se llevó a su hermana cuando ya había jurado amor a Doña Blanca a quien él también amaba, y que por su amistad le había prometido desistir en su intento amoroso. Alí Petrán jura vengarse de los dos fugitivos y en su perseguimiento hace cautivos a trescientos cristianos, contra los cuales quiere sacar su espada para vengarse. En el momento en que alza la espada para matarlos, se le aparece la Virgen, cuya intervención [7] obra en él un cambio tan suave, riguroso e inexplicable, que le incita a pesar de su intento de resistencia, a mudar su fe y su amor por ella y servirla como su hermana; ella, reclusa entre unos riscos, vive labrando una ermita en honor de San Vicente, después de haberse purificado en las aguas milagrosas de los lagos del Santo. Termina así la comedia, prometiendo Tirso una segunda parte que hasta este momento no hemos llegado a conocer.

El fraile de la Merced expone en esta comedia, si bien anacrónicamente —como en las otras de este estudio— la doctrina de la Iglesia Católica según la interpretación escolástica aquiniana, ratificada y codificada por los concilios —Trento en particular— y polemizada en la Controversia *de auxiliis*, y perfila un concepto de la gracia divina y la libertad humana que irá delineando a la par que crece su experiencia y profundidad teológica así como su saber artístico. En *Los lagos de San Vicente* se reafirma el principio escolástico-aquiniano de que la facultad discursiva, la razón —el entendimiento— es lo que confiere a la vida del hombre no sólo su unicidad y concierto, sino su libertad y, en virtud de ésta, y con ayuda de la gracia divina, el camino de la salvación o el de la perdición si abusa de ambas. Tirso insiste aquí en el papel primordial que desempeña el entendimiento en el camino de la salvación. Dios con su voluntad salvífica universal, quiere la salvación de todos los hombres y, de acuerdo con ella, concede gratuitamente los recursos necesarios para que todos puedan salvarse (estos recursos divinos, o sea la gracia suficiente, sólo dan el *posse salvari*) aunque no todos llegan de hecho a la salvación. Es decir, que todos pueden moverse hacia la aprehensión del bien salvífico. Para Casilda, por ejemplo, las

[6] Acto II, 11, p. 39.
[7] Acto III, 5, pp. 45-46.

visitas al calabozo de los cautivos cristianos, hacen percibir en su entendimiento la presencia de un bien hacia el cual se ve atraída: [8]

> que una vez que no piedad,
> sino la curiosidad,
> me llevó a ver su prisión,
> *aprendí cosas en ella*
> *con que infinitas me obligan*
> *a que los ame y los siga* [9].

Como se ve, este bien aprehendido por el entendimiento de Casilda
despierta su voluntad para que comience a moverse, si bien de manera
difusa, hacia el bien percibido. Pero esta aprehensión del entendimiento
¿es bastante para que la voluntad se lance tras el objeto (el bien)? Tirso
contesta con los tomistas, y más concretamente con Zumel [10], que la voluntad requiere más que la simple aprehensión de un bien para lanzarse
tras él y ser por lo tanto menos proclive al error. La voluntad requiere,
para mejor escoger, más iluminación o aclaración del entendimiento antes
de poder perseguir tal bien de hecho [11]. Las visitas al calabozo y el trato

---

[8] SANTO TOMÁS, *Suma teológica*, I, q. 82 a. 4 ad. 3.

[9] Acto I, 7, p. 22.

[10] De que Tirso conocía la doctrina teológica de Zumel no cabe duda, puesto
que «estaba legislada la enseñanza del tomismo, *según la exposición de Zumel*»;
MANUEL PENEDO REY, «Introducción» a su edición de TIRSO DE MOLINA, *Historia*
general de la Orden de Nuestra Señora de las Mercedes, vol I (Madrid, Estudios,
1973), p. LXXII. Lo subrayado es mío. Que Tirso tenía afinidad a la teología zumeliana lo atestigua él mismo al declararse en su *Historia de la Orden*, su discípulo: «la tubo [la suerte] nuestra Orden en goçarle de por vida, pues a sacar-
nosle de aquel colegio [Salamanca], *no vbiéramos logrado los varones célebres*
que, siendo sus discípulos, ilustraron nuestro háuito y oy día le autoriçan los
sucesores *de éstos, heredando, como de padres a hijos, el amor a los estudios,*
sus desuelos y doctrina, pues ningún maestro consumado tiene nuestra Orden...
que no se precie discípulo, por lo menos, de los que lo fueron suyos», vol. II,
p. 204. Lo subrayado es mío. Sabido es que Tirso llegó a Maestro y por lo tanto
tuvo que considerarse entre sus discípulos o «de los que lo fueron suyos», según
se afirma arriba. Y efectivamente, Tirso fue discípulo de Merino y éste a su vez
lo fue de Zumel. Tirso tampoco deja de precisar en su *Historia de la Orden* que
fue también discípulo de Merino y éste de Zumel: «fray Pedro Merino... chate-
drático de theología moral, en Salamanca, natural de Palencia y conterraneo de
el sapientíssimo Çumel, cuya hechura fue, cuya chátedra obtuuvo y cuyo retrato
vivo, en lo docto y observante, pudo consolar su pérdida. Está viuo y no permite
su modestia alabanzas merecidas de mí, que, *su discípulo*, por verdaderas que
sean, dirán que incurro en las ecepciones, que llaman generales», *ibíd..*, pp. 549-50.
Lo subrayado es mío. Es evidente, pues, que por legislación de la Orden y por
considerarse discípulo suyo, o por lo menos, del que lo fue suyo, Tirso tuvo que
conocer, si no aceptarla completamente, la teología de Zumel. Con razón llamó
Blanca de los Ríos a Tirso «nieto de Zumel».

[11] Según Zumel «el entendimiento no sólo presenta y propone el objeto, dispone e ilumina al mismo tiempo la operación de la voluntad; produce el objeto
iluminado y cura la ceguera de la potencia volitiva», P. VICENTE MUÑOZ, *El influjo*
del entendimiento sobre la voluntad según Zumel (Roma, ¿1950?), p. 75.

con los cautivos cristianos han iluminado ciertamente y abierto el entendimiento de Casilda, el cual a su vez ha despertado su deseo (la voluntad) de ayudarlos, y de hecho los ayuda, así como su ansia de aprender más sobre la religión de los cautivos. El proceso de conversión en Casilda no se da de repente, como si fuera llamada con los decretos divinos irresistibles e inimpedibles. Tirso nos hace ver y pone de relieve la primacía del entendimiento en su interacción con la voluntad. El obrar humano en el orden natural y en el orden sobrenatural, es decir, en relación a sí mismo y a Dios —la vida misma del hombre, su alcance total, es decir, la salvación y la gloria, o la condenación eterna— dependen de que se mantenga esta primacía y ordenación mútua entre el entendimiento y la voluntad. Como consecuencia lógica de esto, para Tirso conocer es no sólo amar [12], sino escoger bien y entender es elegir libremente.

Pero en el orden sobrenatural, o sea bajo el influjo de la gracia, ¿mantiene el hombre la situación de primacía del entendimiento sobre la voluntad o se tergiversa esta ordenación en favor de la voluntad, al abandonarse irresistiblemente ésta al impulso de la gracia y se destruirá, por lo tanto, su capacidad de juicio y elección? Como consumado teólogo responde Tirso, con Zumel, al tiempo contra los molinistas, defensores de la simple aprehensión [13], que los auxilios divinos no anulan el poder del alma, ni destruyen la interrelación de sus facultades (entendimiento —voluntad— vista) sino que, en su concepción, las agudizan y las afirman más para poder de este modo facilitar más irresistiblemente la elección del bien más conveniente a su salud (salvación). La gracia divina, según Tirso, es en palabras de Casilda:

> Una inmaterial limpieza
> que el alma llega a tener,
> ....
> una claridad que inunda
> potencias, que deja en calma,
> sobrándole tanto al alma
> que hasta en los cuerpos redunda [14].

La gracia es, pues, una «claridad» que confiere más luz al alma y a cuya lucidez responde también el cuerpo. De esto se sigue que la gracia obra inmediata y directamente en el hombre, en contra, al parecer, de la simultaneidad molinista y en contra de los bañeciano-tomistas y de

---

[12] El libro de P. Vicente Muñoz citado arriba se conoce también bajo el título de *Conecer es amar según Zumel.*

[13] «En todos estos puntos es sabido existían entonces controversias, que Zumel considera entre la escuela de Santo Tomás y los teólogos modernos, que sin duda son los jesuitas... Zumel refuta con vigor la sentencia de los recientes teólogos [jesuitas] que creen que basta la aprensión», P. Vicente Muñoz, *op. cit.*, p. 149.

[14] Acto I, 8, p. 24.

acuerdo con Zumel, para quien la gracia antecedente (suficiente) y la consiguiente (eficaz) no se distinguen real e intrínsecamente en el *posse agere* de aquélla y en el *agere in actu* de ésta [15]. Para Tirso la facultad del hombre, en el obrar sobrenatural, de escoger con mayor o menor certeza el bien conveniente a su salvación, depende del grado de «claridad» con que la gracia «inunda potencias», sea ésta suficiente o eficaz. Cuanto menor es el grado de eficacia de la infusión de la gracia, tanto menor es la lucidez del entendimiento del hombre para indicar a la voluntad el camino recto y, por tanto, más dispuesto está el hombre a errar (pecar). La disposición de Casilda en su deseo de ayudar a los cristianos y de aprender la doctrina católica, es indudablemente el resultado de la gracia, pues de lo contrario hubiera seguido con su religión. De aquí se sigue, que cualquier gracia que Dios decreta conferir —gratuitamente siempre— lleva su grado de eficacia y es eficaz *in sensu composito* en el grado decretado y no por disponer, de hecho, al hombre para que pueda escoger bien y quedar, sin embargo, corto en el efecto final, si no hay otra intervención divina. Casilda llega a entender y aceptar con el grado de lucidez conferido a su entendimiento casi todos los dogmas de la fe católica, pero no todos. Le queda un misterio que no llega a entender de manera clara para poderlo aceptar con seguridad y acierto:

> Sólo inquieta mi cuidado
> el persuadirme a entender
> que un sólo Dios pueda ser
> uno y tres, sin que ninguno
> de aquestos tres sea del uno
> distinto: ¡extraño creer! [16].

Sin entender este «extraño creer», Casilda queda con dudas de quién es el verdadero Dios. Si escoge mal y desiste de entenderlo, será por culpa suya, pues su entendimiento tiene el grado de lucidez *in sensu composito* para ello y esto no obstante, queda bastante oscurecido de modo que no puede entenderlo con toda seguridad y claridad y por lo tanto será más propensa a errar si no se esclarece más el problema:

> ¿Quién me dará claridad
> para no dudar después?
> Cielos, que mis ansias ves,

---

[15] El padre J. M. Delgado Varela O. de M., al contrastar las posiciones molinistas y bañeciana sobre el asunto con la zumeliana, afirma que Zumel «deshace la barrera que Báñez había levantado entre la gracia suficiente y la gracia eficaz, ya que la suficiente lleva algún grado de eficacia intrínseca y la eficaz, con plena eficacia por lo que a ello toca, puede ser frustrable, en el juego con la libertad» y, apunta el mercedario, «los grados intrínsecos de eficacia en la gracia es una de las características de la doctrina de Zumel», «Psicología y teología de la conversión en Tirso», *Estudios*, 5 (1949), pp. 361-62.
[16] Acto I, 8, p. 25.

> enséñame destos dos
> cuál es el verdadero Dios [17].

Casilda reconoce que le falta más «claridad» en su entendimiento para entender el misterio y con debida cautela y prudencia, se dirige al cielo para que se le aclare el problema. El enigma se le aclara al escuchar a los dos cautivos hablar de una fuente que al regar el jardín se divide en tres, sin cambiarse su sustancia. Este suceso hace que Casilda entienda el misterio y ahora puede escoger con mayor certeza y dirigir su voluntad hacia la nueva fe:

> En este ejemplo se fragua
> mi certidumbre [18].

El proceso hacia la conversión de Casilda ha sido, pues, rigurosamente escolástico-intelectual. Ha insistido en entender antes de elegir y, una vez llegada a la certeza que concede la fe, busca la unión con Dios:

> ¡Ay mi Dios!
> ¿Quién podrá unirme con vos
> para gozaros? [19].

Los auxilios divinos conferidos a Casilda para su obrar sobrenatural (ayudar a los cristianos, aprender la doctrina católica y creer en ella) fueron, como se ha visto, eficaces en el grado puesto por Dios para poder lograr los efectos propuestos por Él: la disposición para la conversión y sin embargo quedaron cortos para poder alcanzar la justificación sin otra infusión divina. Casilda se ha vuelto creyente por los auxilios recibidos —que son por tanto eficaces— y sin embargo no tuvieron el grado de eficacia para que, por sí solos y sin otra infusión divina, hubiera podido ella justificarse y perseverar, y por eso pide más ayuda:

> Agua que tiene eficacia
> de alcanzarme vuestra gracia
> ¿dónde la he de hallar? [20].

En este momento se le aparece milagrosamente San Vicente y le dirige a las aguas de los lagos de San Vicente, pues «si en ellos te bañas / de la enfermedad que tienes / sanarás» [21]. Esta subsiguiente infusión justificará, en el bautismo, a la Santa.

En el proceso de conversión y justificación, no deja de señalar Tirso la importancia del conocimiento y adherencia a la teología dogmática

---

[17] Acto I. 8, p. 25.
[18] Acto I, 8, p. 25.
[19] Acto I. 9, p. 25.
[20] Acto I, 10, p. 26.
[21] Acto I, 10, p. 26.

para percibir y concebir la fe y mantenerse en ella. La conversión de Casilda, por ejemplo, refleja los decretos de los concilios, los de Trento en particular. La Santa, por ejemplo, percibe y concibe la fe escuchando a los cautivos cristianos. Esto obedece al capítulo seis del decreto sobre la justificación del Concilio de Trento el cual confirma la concepción de la fe a través del oído [22]. Y en efecto, los misterios de la fe «el alma me han alumbrado» [23], confirma Casilda y para veneración de los mismos y para certidumbre de su entendimiento de ellos quiere recitárselos a Don Tello. La larga recitación doctrinal de Casilda consta de 363 versos de los 1066 que contiene el segundo acto y su situación en el acto, y en el drama, es central pues no sólo se da en la mitad del acto, escena sexta de las once del acto, sino que va del verso 330 al verso 693, en perfecto centro. Aunque su valor dramático es mínimo y hasta parece estorbar el fluir de la acción, pues ya sabemos que Casilda entiende toda la doctrina, Tirso quiere recalcar, creemos, su importancia teológico-dogmática, es decir, la necesidad de que el cristiano conozca las enseñanzas de la Iglesia. En efecto, en la recitación doctrinal, Casilda (Tirso) hace referencia a varios dogmas de la Iglesia, ratificados por varios concilios, como prueba, testimonio y necesidad de su conversión, pues repite en esta escena, en más de una ocasión, la importancia de oír y aprender los «preceptos que nos declaran / Pontífices y concilios» [24] como condición indispensable para la conversión a Dios y la jutsificación:

> Esto es lo que me enseñaste,
> esto adoro, *aquesto elijo*,
> corrígeme en lo que yerro
> y dame, Tello, el bautismo [25].

El conocimiento y la adhesión a las doctrinas de la Iglesia —secuela de la teología dogmática tridentina— recalcados por Tirso, sirven, por tanto, de base temática a la obra, puesto que en ella se dramatiza el proceso de conversión y de justificación de Casilda y hasta de Alí Petrán su hermano. Pero en este proceso, Tirso quiere recalcar también su relación con la providencia de la cual todo depende. El mismo Don Tello queda asombrado del conocimiento doctrinal de Casilda y, a pesar de que él mismo le ha instruido, lo atribuye a una infusión divina:

> No adquirida, no estudiada
> es la doctrina que has dicho,

---

[22] «Disponuntur autem ad ipsam iustitiam, dum excitati divina gratia et adiuti, fidem ex auditu concipientes, libere moventur in Deum, credentes, vera esse, quae divinitus revelata et promisa sunt...» en DENZINGER, *Enchiridiom Symbolorum* (Friburgi Brisgoviae, Herder, 1937), p. 286. En adelante las referencias a esta obra se indicarán con abreviatura *Denz.*

[23] Acto II, 6, p. 31.

[24] Acto II, 6, p. 34.

[25] Acto II, 6, p. 34.

ciencia infusa te dio el cielo
por su doctora te admiro [26].

Con esto se da el paso al nexo sobrenatural bajo el cual obra el hombre. Tirso ha puesto de relieve el esfuerzo humano y su deber de entender y escoger bien, o sea, hacer buen uso de su libre albedrío, aunque no deja de insistir en su dependencia de los impulsos previos y gratuitos de Dios. Casilda reconoce, en su búsqueda de las aguas justificadoras de los lagos de San Vicente, la mano divina:

impulsos más superiores
me sacaron de mi tierra
y al Rey, mi padre, inclinaron
el permitirme a la vuestra [27].

Pero si los «impulsos más superiores» empujaron a Casilda a buscar las milagrosas aguas ¿no se malogra su libertad? He aquí el problema *de auxilis* que preocupa a Tirso y al que se dirige en esta obra. ¿Cómo, pues, armoniza el mercedario el impulso divino y la libertad humana, y qué concepción se desprende de ello? Veamos.

Casilda responde infaliblemente, como ella misma atestigua, a los «impulsos más superiores» de la gracia, pero lo hace siempre con atención a su naturaleza y deber de ejercitar su facultad intelectiva. Aunque es verdad, insiste Tirso, que Dios propone y dispone, no por eso le quita al hombre su facultad de juicio y elección. Si la gracia obliga, lo hace no forzando la voluntad humana, sino iluminando, y con ello actuando las potencias intelectivas, para mayor, máxima o suma certeza de elegir, no en su daño, sino para su bien:

El cielo me dio sus señas
y él mismo inclina mis pasos
para que mis diligencias
sin pretensiones humanas
hallar su sitio [los lagos] *merezcan* [28].

Como se ve, si Tirso desvaloriza al parecer, toda iniciativa humana, «sin pretensiones humanas» afirma al mismo tiempo la participación propia del hombre en la labor sobrenatural, puesto que para ella ejercitarán también «mis diligencias». Además la Santa afirma también y contundentemente su propio mérito y valor: «*Yo*, prima, *me ganaré*» [29]. La desvalorización del mérito en el obrar sobrenatural en Tirso, más que una negación de su valor, pretende ser una afirmación o consejo edificante y reverencial para que la criatura no olvide su debida relación de de-

[26] Acto II, 6, p. 34.
[27] Acto III, 1, p. 40.
[28] Acto III, 1, p. 42.
[29] Acto I, 7, p. 24.

pendencia con Dios. Así que en esta obra y, como veremos, en las otras de nuestro estudio, Tirso no vacila en afirmar y mostrar dramáticamente que la gracia, gratuita siempre, es siempre anterior y necesaria, nunca simultánea y congrua como decían los molinistas, y también en contra de éstos, enseña que la gracia opera siempre inmediata y directamente en el hombre. Además, como ya hemos insinuado, y con valoración del libre albedrío, la gracia, suficiente o eficaz, es graduada de modo que puede ser, en efecto, frustrada con mayor o menor posibilidad por parte del hombre según su grado menor o mayor de eficacia, aunque sin negar por ello la existencia de un grado absoluto, inimpedible e infrustrable, si Dios así lo decreta.

Uno de los puntos más discutidos en la controversia, fue la anterioridad o simultaneidad del concurso divino. No cabe duda de la posición de Tirso sobre este particular. Casilda reconoce, a pesar de su gran deseo de convertirse —«yo, prima, me ganaré»—, su limitación para poder llegar a distinguir con certeza el verdadero Dios, sin una infusión divina:

> ¿Quién me dará claridad
> para no dudar después?
> Cielo, que mis ansias ves,
> enséñame destos dos
> cuál es el verdadero Dios [30].

Es evidente que las facultades humanas son incapaces de por sí solas de llegar a tal certeza de fe sin un auxilio divino, que ilumine las facultades con mayor o máxima «claridad». Pero, aun admitida la necesidad de la gracia para obrar ¿no puede ser ésta simultánea y congrua con la iniciativa humana, asegurando así su independencia y libertad? Tirso muestra una y otra vez con los tomistas que nada puede hacer el hombre sin los auxilios *previos* de Dios. La disposición de Casilda para la conversión, así como su quererla, ha sido efecto mismo de la gracia, pues afirma Casilda, «el cielo me dio sus señas / y él mismo inclina mis pasos: » [31]

> *Quien me ha traido*
> hasta aquí [Burgos] sin recelo
> de tanto inconveniente, *que es el cielo*
> *nunca*, prima, *se estrecha*
> *en límites humanos* [32].

La gracia es, pues, necesaria y antecedente a toda acción del hombre.

Otro punto de contienda en la Controversia *de auxiliis* fue el modo

---

[30] Acto I, 8, p. 25.

[31] Tirso sigue en esto a Santo Tomás, puesto que nada puede querer u obrar el hombre, según el Angélico, sin ser movido y ayudado primero por Dios: «liberum arbitrium non est sufficiens ad aliquid volendum, nisi moveatur et invetur a Deo.» (S. Th., I, q. 83, a. 1 ad. tertium.)

[32] Acto III, 2, p. .42.

de obrar de la gracia divina. Los bañeciano-tomistas sostenían que la gracia divina obra inmediata y directamente en el hombre determinándole, además, físicamente *ad unum*, y esto sin malograr o reducir el libre albedrío porque deja intacta la indiferencia de juicio y porque el hombre puede resistir, aunque tan sólo *in sensu diviso*, el impulso determinante divino [33]. Por el contrario, según los molinistas, para que la voluntad del hombre fuera real y verdaderamente libre, debería quedar indiferente al impulso divino y ser activa *per se* sin ninguna determinación previa. Para que esto se diera, los molinistas recurrían al concurso simultáneo de Dios en las acciones del hombre y a la ciencia media para sus infalibles previsiones [34]. La diferencia entre las dos posiciones es, como se puede apreciar, substancial. Para los bañeciano-tomistas la gracia recaía sobre el hombre física y directamente, causando en él un cambio intrínsecamente determinante, si bien sublime. Para los molinistas, el concurso divino recaía tan sólo marginalmente en el hombre, al obrar su eficacia más propiamente en el efecto. ¿Cuál de las dos posiciones compartió Tirso? Y si es que abrazó una de ellas, ¿hasta qué punto aceptó su sistema?

Tampoco en esto nos deja lugar a duda nuestro teólogo. Para el mercedario, los auxilios divinos obran también inmediata y directamente en el hombre, causando en él una transformación tan sublime como cualitativa que ilumina y agudiza las facultades del alma en orden de primacía entendimiento-voluntad, de manera que el influjo perfecciona con menor o mayor grado su facultad intelectiva para que ésta dirija a la voluntad con menor o mayor certeza al bien que más le convenga, cual es el bien honesto. La gracia, predica Casilda (Tirso), es «una inmaterial limpieza / que el alma llega a tener» y más bien que una fuerza es «una claridad que inunda / potencias, que deja en calma / sobrándole tanto al alma / que hasta en los cuerpos redunda» [35]. La gracia se infunde, pues, inmediata y directamente en el alma humana, cuya «limpieza» y «claridad» opera, «inunda potencias» es decir, sus facultades, y a cuyo efecto, tan suave y sublime como transformador, responde también el cuerpo. En la última escena del segundo acto, por ejemplo, Tirso dramatiza el efecto inmediato y directo de la gracia, cuando los manjares que Casilda quería llevar a los cautivos, se convierten en flores ante el rey moro. El perfumado olor que sale de ellos opera en el rey un cambio interior, tan radical y directo como sublime:

> La fragancia que me ofrecen,
> lo aromático que exhalan,

---

[33] Cfr. *supra*, pp. 32-38. Véase también ALBERTO BONET, *La filosofía de la libertad en las controversias teológicas del siglo XVI y primera mitad del XVII* (Barcelona, Subirana, 1932), pp. 192-196.

[34] Cfr. *supra*, pp. 32-38. Véase también ALBERTO BONET, *op. cit.*, pp. 211-230.

[35] Acto I. 3, p. 24.

> al paso que me regalan
> mis canas rejuvenecen.
> Del cielo vino este olor
> que aquí no los hay iguales;
> primaveras inmortales
> te han tributado su flor [36].

El especial olor que exhalan estas flores es, pues, un auxilio divino,
porque es este olor lo que impulsa al rey a obrar. De los varios personajes presentes en esta escena, sólo el rey moro es afectado por el olor;
éste sólo responde a él. El efecto de la gracia induce una transformación
cualitativa en el sujeto mismo, al que eleva a un estado tanto más enér-
gico cuanto más sereno y discernidor, propio de la concepción tirsiana.
Al inhalar la fragancia que emiten las flores, el rey moro no se siente
ni actúa como antes; se siente diferente. Hubo, pues, un cambio transformador:

> mi senectud remozaste,
> flores, *por vos me prometo*
> nuestra vida [37].

El vigor y vitalidad, tanto físico como intelectual y espiritual, que
de repente goza el rey, hacen que éste acceda inevitablemente al deseo
de Casilda de dejarla ir en busca de los lagos de San Vicente y recomen-
dar sus vidas. Es evidente que el rey accedió no por fuerza, sino por haber juzgado saludable el acceder: «por vos me prometo / nuestra vida».
¿A qué juicio llegó en efecto el rey? ¿Podía resistir si hubiera querido
al efecto emborrachador de la gracia? Hemos visto que para Tirso el
efecto de la gracia puede ser resistido de hecho, pero según el grado de
eficacia que lleva. En este caso, el auxilio divino lleva una evidente máxima o suma eficacia, lo cual hace que el rey acceda inevitablemente a su
efecto. De esto se sigue que el rey moro podía, si hubiera querido, resistir
de hecho al efecto de la gracia, pero con un mínimo grado de resistencia
y, cuando no hubiera podido resistir ni con un mínimo de eficacia, hubiera podido siempre —y en esto parece recurrir Tirso a la distinción
bañeciano-tomista— resistir *in sensu diviso*, propio esto de todo agente
y potencia [38]. Si el rey moro accedió inevitablemente al efecto de la gracia, lo hizo por haber juzgado conveniente seguir, si bien inevitable e in-

---

[36] Acto II, 11, p. 39.

[37] Acto II, 11, p. 39.

[38] En efecto Tirso reitera esta propiedad de todo agente y potencia en *El mayor desengaño*:

> BRUNO. Nuestro entendimiento humano
> entiende lo que sus fuerzas
> alcanzan, no más, que es propio
> de todo agente y potencia. (Acto III, 2, p. 1217.)

faliblemente, el impulso divino, pues tal impulso, piensa el rey, «*me prometo | nuestra vida*».

La insistencia de Tirso en afirmar que los auxilios divinos obran directamente en el hombre, es testimonio tanto de su postura teológica como de su concepción dramática, que irán integrándose en culminación artística en *El Condenado* y *El Burlador*. Veamos el caso de la conversión de Alí Petrán, hermano perseguidor de Casilda. En la escena V del tercer acto, en el momento en que Alí Petrán intenta matar a trescientos cautivos cristianos, se le aparece milagrosamente la Virgen, para reprocharle su acción. Ante la aparición «cae Alí asombrado e hinca la rodilla; quédase con la espada *como* amenazando a la imagen»[39]. La aparición divina hace que Alí, confuso y asustado por un inexplicable trastorno interior, reminiscente de Enrico y Don Juan, sienta directa e íntimamente y, además, en sensaciones contrarias, tanto el furor del cielo que le espanta, como una clemente luz que ilumina su camino y enciende su esperanza:

> Todo el cielo sea conmigo,
> ¿qué hielo es el que me abrasa?
> ¿qué fuego en nieve traspasa
> el alma que en él mitigo?
> ¿Quién eres, *luz milagrosa,*
> *formidable y apacible,*
> *suave cuando terrible*
> tierna cuando rigurosa?
> ¿Quién eres, que tal espanto
> has puesto en el alma mía
> que tiembla?[40]

Esta lucha interior y exterior de encontrados sentimientos, es significativa no sólo por su obvio dramatismo y teatralidad, constante y característico en Tirso, sino por la temática teológica que encierra. ¿Qué es, en efecto, lo que perturba el estado de ánimo del moro? Es, además de su intento homicida, un intento de resistencia a la voz divina, Si por una parte, tiene las inauditas sensaciones de que el hielo le abrasa y el fuego le enfría, por otra, su alma es mitigada por una «luz milagrosa» que aunque «suave» y «tierna» es también «terrible» y «rigurosa», que le hace temblar. De esto se sigue que el hombre puede resistir a los auxilios divinos, puesto que tal lucha implica oposición y resistencia a ellos. A la pregunta de Alí Petrán de quién es el que hace temblar su alma, responde la Virgen:

> Yo soy María
> a quien tu persigues tanto.
> *Contra estímulos del cielo*
> *vana resistencia haces*[41].

---

[39] Acotación. Acto III, 5, p. 45.
[40] Acto III, 5, p. 45.
[41] Acto III, 5, p. 45.

Es evidente que Tirso se atiene aquí a la posición bañeciano-tomista que afirma que una vez dada la moción divina, como sucede aquí, es imposible resistirla. Como se ve, Alí Petrán intentó de hecho, aunque sin resultado, resistir a la voz divina. ¿Es esto, cabe preguntar, una negación del libre albedrío y un completo abandono de las facultades humanas a la voluntad de Dios? Tirso, como teólogo versado en las sutilezas de la concordia entre el libre albedrío y las mociones divinas, muestra clara y dramáticamente que dado el influjo divino en grado sumo, como consta en este caso, el hombre accederá necesaria e infaliblemente al influjo, sin que por eso pierda su libertad e individualidad. Que el hombre puede resistir los influjos del cielo queda demostrado por las palabras mismas de la Virgen. Pero el resistir puede entenderse según la tesis tomista de dos modos distintos, resistir *in sensu composito*, o sea en realidad y de hecho, o *in sensu diviso*, o sea sólo en potencia, nunca en acto. Los tomistas en general y con ellos los mercedarios [42], habían apoyado y defendido la distinción *in sensu diviso* como esencial de la libertad humana. Pero si la resistencia a los impulsos de Dios es «vana», según afirma la Virgen, ¿se destruye entonces la determinación humana y con ella su libertad como afirman reiteradamente los molinistas? [43] Tirso rechaza de manera contundente en esta y en otras obras de nuestro estudio esta secuela molinista. Hemos visto que para Tirso, con Zumel y a diferencia de Báñez, el hombre puede de hecho resistir y frustrar los impulsos divinos, según el grado de eficacia de éstos. Esto implica para el mercedario una graduación de resistencia a los auxilios divinos, sean éstos suficientes o eficaces, que se extiende de resistir de hecho tales influjos con mayor y menor frustrabilidad, a resistirlos tan sólo *in sensu diviso*, según el grado de eficacia que Dios decide conferirles. Por este motivo, Alí Petrán por mucho que resista, accederá al influjo divino, puesto que su grado de eficacia es evidentemente máximo. Además —como hemos visto en el proceso de conversión de Casilda— para el fraile de la Merced los influjos divinos consisten no tanto en forzar el alma humana, cuanto en potenciarla con un grado de «luz milagrosa» y con un grado de «una claridad que inunda / potencias», de modo que las facultades del alma —y en Tirso siempre en ordenación de primacía entendimiento-voluntad como demuestra su insistencia en calificar siempre a la gracia de «luz» y «claridad»— adquieren un grado de más, mayor

---

[42] «No formaron los mercedarios escuela teológica con divisa peculiar. Siguieron en casi todo a Santo Tomás y a los tomistas..., se habría de interpretar a Santo Tomás 'prout explicatur a nostro Reverendissimo Patre magistro Zumel..., et justa mentem Reverendissimi Patris, bonae memoriae, Fr. Francisci Zumel'», P. A. PÉREZ GOYENA, «La teología entre los mercedarios españoles», *R y F*, 53 (1919), p. 62.

[43] Conviene repetir que los molinistas habían argüido que, para que la libertad humana quedara intacta, era necesaria la determinación de la voluntad misma, *ab intriseco sui*, es decir, con indeferencia activa y próxima al acto.

o máxima perfección y lucidez para escoger con más, mayor o máxima inevitabilidad el camino que le tiene elegido Dios, el cual será siempre el más conveniente, puesto que Dios quiere la salvación de todos [44]. Los influjos divinos son, pues, no una fuerza ciega y esclavizadora del libre albedrío, según la doctrina de Lutero [45], ni un don puesto por Dios gratuitamente pero a disposición del hombre y disponible para él, según los molinistas, sino una «luz» o «claridad» que obrando en el alma, le añade el grado de iluminación y perfección, según la voluntad y decreto de Dios, que le sea necesario para poder escoger y elegir bien y a la par que se cumplan infaliblemente los efectos decretados por Dios [46]. La intervención divina ante Alí Petrán obra en él un cambio interior cualitativo eficacísimo, que le hace tomar conciencia —ilumina— de sí mismo y de la oportunidad que se le presenta para un fin glorioso, que inevitablemente querrá alcanzar por quererlo Dios y por ser conveniente y saludable para su vida. Así que si la Virgen quiere hacer, inevitablemente, del moro «un Saulo segundo» [47], éste querrá corresponder, y de hecho corresponde, a la llamada divina por juzgarlo saludable a su fin último:

> En Ti [la Virgen]
> mi ventura se mejora [48].

Dios, pues, convierte al pecador escogiendo el modo y momento oportuno según su voluntad y designio. Si quiere convertirle paulatinamente, le envía los estímulos eficazmente graduados, y con frustrabilidad correspondiente, como en el caso de Casilda, y si quiere convertirle de

---

[44] «Si quis iustificationis gratiam non nisi praedestinatis ad vitam contingere dixerit, reliquos vero omnes, qui vocantur, vocari quidem, sed gratiam non accipere, utpote divina potestate praedestinatos ad malum: A. S. (Anatema sit)», Canon 17 sobre la justificación, del Concilio de Trento, en *Denz.*, p. 297.

[45] «El libre albedrío es muerto... Nosotros somos siempre esclavos o de la concupiscencia o de la caridad: ambas dominan nuestro albedrío», MARTÍN LUTERO, *Disputa de Leipzig*, citado por ALBERTO BONET, *op. cit.*, p. 18.

[46] La importancia que concede Tirso de Molina tanto a la naturaleza misma de la gracia como a su modo de obrar en el hombre, le une, con las divergencias sobre el asunto ya notadas, a la posición bañeciano-tomista: «Que con ser eficacísimos y cumplidores [los influjos] de la voluntad y eterno consejo de Dios, donde se decretó que el pecador se convirtiese a Dios, no hace agravio al libre albedrío del hombre, *antes levantan su naturaleza y le perficionan* [sic] *para que con mayor luz conozca y jusgue* [sic] *lo que le conviene y lo escoja con un dictamen de su entendimiento causado de la divina ilustración.* Y está tan lejos de Dios el quitarle la libertad, que antes la confirma y hace más semejante a la libertad de Dios, que misericordiosamente le mueve y quiere conformarse consigo.» Domingo Báñez, «Réplica del Padre Báñez al memorial difundido por el Padre Suárez 'En defensa de la Compañía cerca del libre albedrío'» en VICENTE BELTRÁN DE HEREDIA, *Domingo Báñez y las controversias sobre la gracia* (Madrid, C. S. I. C,. 1968), pp. 436-437. El subrayado es mío. Para los puntos de divergencia véanse las notas 11 y 15 de este capítulo.

[47] Acto III, 5, p. 45.

[48] Acto III, 5, p. 45.

repente y absolutamente, le envía los estímulos absolutamente eficaces y, como hemos visto, sin ningún detrimento del libre albedrío del hombre.

En resumen, Tirso cimienta en *Los lagos de San Vicente* una concepción personal —si bien dentro del ámbito institucional de su Orden y siempre dentro de un evidente sistema tomista— de la libertad humana y de la gracia divina, cuyas sutilezas revelan hondo conocimiento, penetración y preocupación por el problema más controvertido y, para Tirso, el de mayor transcendencia y el más dramático para el destino del hombre, ante el cual el mercedario quiso pronunciarse con la fuerza y vitalidad de drama. Así que Tirso integra en esta comedia y modifica y junta en concepción propia de la libertad y la gracia, varias posiciones vigentes en la Controversia *de auxiliis*. Contra los molinistas y con los bañeciano-tomistas acepta, modificado el obrar inmediato y directo de la gracia sobre el hombre y la distinción *in sensu diviso* —pero tan sólo bajo los influjos de suma eficacia— como lo único esencial de la libertad humana. Por otra parte, elimina y gradúa con Zumel, y a diferencia de Báñez, la distinción intrínseca entre gracia suficiente y gracia eficaz, haciéndolas eficaces y frustrables según el grado de eficacia propuesto por Dios. Rechaza no sólo por deducción, como se ha visto, sino por exclusión, las proposiciones molinistas de la gracia simultánea y la ciencia media, y realza, implícitamente en contra de los luteranos [49], el poder humano, elevando el valor de las facultades, y del entendimiento en particular, cuyo patrimonio es el alma, lo que confiere distinción y calidad intelectiva únicas a la persona humana.

---

[49] Las constantes referencias y alusiones a la autoridad de los concilios, la doble dramatización de la fuerza real y redentora del bautismo en esta obra, y de los otros sacramentos en otras, sugiere, creemos, una denuncia del luteranismo, pese al fondo morisco, el cual negaba el valor real y verdadero del bautismo y de los otros sacramentos para la salvación del hombre. Tampoco descontamos —al contrario la afirmamos— la posibilidad de una doble denuncia, dirigiéndose también contra los alumbrados, los cuales por su parentesco con los reformistas negaban aún más ferozmente los sacramentos. Sobre este tema y el nexo común entre los alumbrados y la reforma luterana, véase ANTONIO MÁRQUEZ, *Los alumbrados* (Madrid, Taurus, 1972), en particular los capítulos VIII y IX, pp. 137-176.

CAPÍTULO IV

LA SANTA JUANA

Primera Parte.

En esta primera parte de la trilogía de *La San Juana* [1] dramatiza Tirso la inclinación y vocación a una vida virtuosa y pura de la joven Juana y las dificultades y dilemas que ello implica: resistir las obligaciones y deberes sociales, sufrir y perdonar los rigores de la envidia ajena y humillarse ante la voluntad divina. Desde muy joven se comporta Juana de manera juiciosa y muestra profunda atracción a la vida religiosa. La fama de su prístina virtud, de su gran vocación por la Virgen de la Cruz de la Sagra de Toledo y el conocimiento de su leyenda, se extiende por toda la comarca. Al empezar la obra vemos a Juana, joven de trece años, de madrina en la celebración del matrimonio de Elvira y Gil, dos aldeanos de Azaña, pueblicito cerca de la Sagra de Toledo. En la fiesta de boda se le alaba a Juana de buena y virtuosa: «Juana es la virtud de España / tan buena como el buen pan» [2]. La Santa misma muestra desde muy temprano aversión a las cosas mundanas, al oponerse a que los festejantes en la boda hablen y definan el amor profano:

> SANTA. Padre, dejémonos de eso
> que es ocioso disparate.
>
> JUAN. ¿De qué quieres que se trate?

---

[1] No hay dudas sobre la fecha de *La Santa Juana* (primera parte), puesto que el mismo autor, en manuscrito autógrafo, le asigna la fecha de 30 de mayo de 1613. Véase BLANCA DE LOS RÍOS, «Preámbulo» a la trilogía de *La Santa Juana* en su edición de TIRSO DE MOLINA, *Obras dramáticas completas*, vol. I (Madrid, Aguilar, 3.ª ed., 1969), pp. 723-727. Para la fuente de la trilogía de *La Santa Juana*, véase SERGE MAUREL, *L'Univers Dramatique de Tirso de Molina* (Poitiers, 1971), pp. 67-94.

[2] TIRSO DE MOLINA, *La Santa Juana* (primera parte), acto I, escena 1, en *Obras dramáticas*, ed. Blanca de los Ríos, vol. I, p. 771. En adelante citaremos siempre de esta edición y tomo indicando el acto con números romanos, la escena con números arábigos y la página correspondiente. El subrayado es siempre mío.

SANTA.   De algún ejemplo o suceso
en que dos buenos casados
y santos nos entretengan,
y de ellos a aprender vengan
su virtud los desposados.
Este es lindo pasatiempo;
cuentos sé yo, no sé cuantos,
de algunos casados santos [3].

Mientras continúa el rumbo más bien mundano [4] y alegre de esta fiesta nupcial campesina, el deseo de Juana de pisar terreno más elevado, según su inclinación y devoción es amenazado con la llegada de Francisco Loarte, caballero aristocrático feudalesco, que ociosamente venía cazando unas liebres. Al ver a Juana se enamora de ella y alabando su belleza, pide su mano al padre, el cual incierto por la disparidad social y los pocos años de la joven [5], quiere, antes de consentir, consultar con su hermano Juan Mateo que vive en Toledo.

Entretanto y también como marco característico del arte dramático tirsiano, intercala Tirso, como hemos visto en *Los lagos de San Vicente*, un enredo de capa y espada que más tarde se enlazará, si bien marginalmente, con la vida de la Santa. En el regreso a Toledo, sin ser advertido, de Marco Antonio, caballero toledano, que había ido al Perú en busca de fortuna, el cual al llegar de noche a su casa, ve a dos hombres saltar el techo de su casa [6]. Creyéndose deshonrado por la aparente infidelidad de su mujer, Doña Leonor, Marco Antonio decide permanecer anónimo

---

[3] ¿Estaría Tirso trabajando o concibiendo por entonces su comedia *Santo y sastre*, al tratar esta comedia de San Homobono que fue casado y llegó a ser santo? Esta referencia parece confirmar la opinión de Blanca de los Ríos de que *Santo y Sastre* fue escrita en uno de los años entre 1611 a 1615, aduciendo para ello distintas razones. Véase su «Preámbulo» a *Santo y sastre* en su edición citada, vol. III, p. 49. Ruth Lee Kennedy fecha a su vez esta comedia en 1623. Véase su artículo «Studies for the Chronology of Tirso's Theatre», *Hispanic Review*, XI (1943), pp. 17-46.

[4] Acto I, 1, p. 773.

[5] Acto I, 9, p. 781:

JUAN [PADRE].   Dudoso estoy; no sé lo que os responda.
Por una parte los afectos miro
con que os obliga amor, y sé su fuerza;
por otro la notable diferencia
de vuestro estado y mío; vos hidalgo
premiado y estimado justamente
del César Carlos Quinto...
....
Yo, aunque cristiano viejo, en sangre limpio,
soy labrador...
....
Fuera de que mi Juana aún es muy niña
y no la siento ahora con deseos
de cautivar su libertad...

[6] Acto I, 4-5, pp. 778-779.

para informarse sobre el caso presenciado antes de vengarse. Los dos hombres libertinos, Melchor, hijo de Juan Mateo y primo de Juana, y su compañero, Julio, para escaparse de la justicia por intentar entrar en la casa de una mujer casada, vecina de Doña Leonor, habían saltado el tejado de la casa de Marco Antonio, dando origen a la sospecha de infidelidad de la mujer de éste. Al averiguar Juan Mateo que Melchor, su hijo, rondaba las calles de noche, habiendo reprochado muchas veces su conducta libertina, tal como hará el padre de don Juan, decide llevarle para su enmienda a Alcalá a estudiar. En Azaña, camino de Alcalá, su hermano y padre de Juana le advierte del error de enviar a Melchor a Alcalá, puesto que si no se enmienda con la presencia y tutela del padre, no se enmendará sin ellas, advirtiéndole, satíricamente, que en Alcalá se dan lecciones de vicios [7]. Juan Mateo concurre con su hermano y promete no sólo refrenar la conducta de su hijo, sino cautelar, mientras se arregla el casamiento, el honor de su sobrina Juana, llevándosela a Toledo:

> JUAN [MATEO].   Digo que el casamiento me parece
> honoroso para todos, y entre tanto
> que se conciertan, porque en una
>   (aldea
> no está segura de un violento gusto
> la honra frágil de una mujer moza,
> y un poderoso puede aprovecharse
> de la ocasión [8], la llevaré conmigo,
> pues en mi casa vivirá segura
> de esos peligros [9].

Pero la Santa, siguiendo su manifiesta preferencia por una vida religiosa en contraste con la que le tiene planeada su padre, es decir, una vida conyugal con Francisco Loarte, insiste en cumplir un voto hecho por su madre de llevarla a la vela de la Virgen de la Cruz de la Sagra de Toledo:

> SANTA.   Vamos a cumplir un voto.
>
> JUAN [PADRE].   Es su inclinación divina [10].

La oposición de Juana al deseo de su padre de casarla y su firmeza en seguir su inclinación religiosa, la llevan a la rebeldía paterna, despreciando las galas mundanas y anhelando refugiarse, al aparecérsele mila-

---

[7] Acto I, 12, p. 783.
[8] Anticipa aquí Tirso su furibunda sátira contra los abusos caballerescos de *El Burlador*. La génesis del tema y del carácter de Don Juan va cuajándose desde muy temprano en la creación dramática de Tirso de Molina. Véase BLANCA DE LOS RÍOS, «Génesis del 'Don Juan' en el teatro de Tirso», en su «Preámbulo a la trilogía de *La Santa Juana* en Tirso de Molina, edición citada, pp. 740-760.
[9] Acto I, 16, p. 785.
[10] Acto I, 12, p. 784.

grosamente el hábito de San Francisco, en el monasterio franciscano de
la Virgen de la Cruz de la Sagra de Toledo [11]. La resolución de seguir su
inclinación de entrar en el monasterio y la desobediencia a su padre que
de ello resultará, le causa a la Santa congoja e indecisión. Disfrazada de
hombre, con el traje que su primo Melchor tenía preparado para cortejar
otra vez a la vecina de la esposa de Marco Antonio, Juana pondera, indecisa, las consecuencias de escaparse al monasterio, vestida de hombre.
Al decidir no huir y volver atrás, interviene milagrosamente su Ángel
de la Guarda, quien la empuja adelante [12]. La huida de la Santa al monasterio desencadena todo el dramatismo de la comedia, puesto que toca
y afecta tanto a la salud física, psicológica y espiritual de los que la ro-
dean, como a sus propias tribulaciones y destino dentro del monasterio.
    La acción de la Santa de huir al monasterio disfrazada de hombre
tiene, desde el primer momento, efectos saludables, aunque se logran
por coincidencia. Al tomar Juana el traje de su primo Melchor, impide a
éste salir a la calle para cortejar a la vecina de Leonor cuando Marco
Antonio, creyéndole seductor de su esposa, le esperaba para matarle y
vengarse:

> FABIO. Dióle [a Melchor] la vida quien le hurtó
>   (el vestido.
>
> ....
>
> JULIO.   eso es [el vestido] sin duda,
>   y hale valido el dar al primo vida,
>   que a dejarle, ya estuviera muerto [13].

Y como censecuencia del desengaño y escarmiento que de ello resulta,
no sólo salva la vida Melchor, sino que se reestablece la armonía matri-
monial de Marco Antonio y su esposa así como la rectitud de la vida
libertina de Melchor y sus amigos. Para la Santa, perseguida por su
padre y querida por Francisco Loarte, buscar el refugio del monasterio
es cumplir tanto su voluntad de rechazar la vida conyugal mundana y
despojarse de las vanidades y presunciones del mundo, como seguir su
inclinación de ascender a ser esposa de Dios:

> JUAN [PADRE]. Señor Francisco Loarte:
>   aquí el más sano consejo
>   es ver que, si Juana os deja,
>   no es por otro hombre del suelo,
>   sino por Dios [14].

El encerrarse Juana en el monasterio al terminar el segundo acto

---

[11] Acto II, 3, p. 791.
[12] Acto II, 7, pp. 794-795.
[13] Acto II, 10, 11, pp. 797-798.
[14] Acto II, 19, p. 804.

y su victoria sobre el «mundo que me hizo guerra [15] representan no una rotura de la trama o del conflicto dramático central, sino una superación en la ascensión espiritual de la Santa. Si en el primer acto se alaba su virtud e inclinación religiosa, dentro del tema del matrimonio —es madrina en la boda de Elvira y Gil— y en el segundo su voluntad y devoción religiosa es amenazada directamente con un forzado matrimonio mundano, con Francisco Loarte, en el tercer acto triunfa precisamente con su desposorio con Dios, elevándose a El a la par que se gana a sí misma con humildad y amor al prójimo, que devuelve por los rigores y tormentos que le proporciona la envidiosa Maestra:

> SANTA.   yo quiero dar bien por mal,
> Vicaria quiero que sea [la Maestra]
> del convento [16].

A través del tercer acto la Santa pasa de un estado de humildad y pequeñez humanas:

> Ya ha dos años, mi Dios, que entré
> (contenta
> en vuestro real palacio por criada;
> ....
> Después que vuestro pan, mi Cristo,
> (como,
> os sirvo en la cocina, y no me ciega
> la bajeza y desprecio de este trato [17].

a una confianza y predilección divinas:

> su esposa soy [de Dios], este anillo
> me dio con su mano mesma,
> y los desposados suelen
> llevar el trabajo a medias [18].

Favorecida con dones divinos, la Santa interviene en su labor sobrenatural al exorcizar a la niña de Gil y Elvira [19], sus ahijados del primer acto: intercede, a petición de sus hermanas conventuales, por las almas del purgatorio [20]; y, al extenderse cada vez más su fama de santa y siendo visitada por el mismo Emperador Carlos V, pronostica sus hazañas y victorias mundanas y religiosas, y predice además su triunfo más grande, cual fue su renuncia al reino terrenal por el espiritual al retirarse a

---

[15] Acto II, 17, p. 802.
[16] Acto III, 15, p. 819. Como nos advierte Blanca de los Ríos «esta escena que debía ser XVI, es XV, repetida también en la Ed. Cotarelo», nota 1, p. 818.
[17] Acto III, 2, p. 808.
[18] Acto III, 15, p. 818.
[19] Acto III, 10, pp. 814-816.
[20] Acto III, 15-16, pp. 818-820.

Yuste [21]. Termina la comedia con la Santa en estado de arrobamiento, prometiendo Tirso una segunda parte.

Con la dramatización de la huida del mundo y la iniciación en la vida monacal de la joven Juana, Tirso de Molina procede en esta comedia a reconfirmar, como ha hecho en *Los lagos de San Vicente*, la doctrina católica reafirmada por el Concilio de Trento y a exponer con ella, una concepción tanto oficial como personal de la libertad humana y la gracia divina. Este doble propósito tiene, además de su función de fondo temático-dramático —la ascensión espiritual, y la lucha que ello implica, de la Santa Juana— fines más específicos y tal vez de mayor transcendencia institucional (la Iglesia) e individual (el hombre y su libertad). Tirso apunta a los dos aspectos más fundamentales y transcendentales de la época y, desde entonces, de siempre [22]; el cisma del cristianismo occidental, con el movimiento reformista luterano y su derivación, el problema de la libertad del hombre frente a la gracia divina, que marca y enciende la famosa contienda *de auxiliis*.

En el aspecto doctrinal, Tirso recalca en esta obra y defiende en contra de las herejías luteranas, tres dogmas de la Iglesia, sostenidos y explícitamente reconfirmados por el Concilio de Trento, a saber, la indisolubilidad del sacramento del matrimonio, la presencia real de Cristo —transubstanciación— en el sacramento de la eucaristía y el valor real y saludable de las indulgencias, concedidas tanto sobrenaturalmente —por milagro— como por el papa (la Iglesia). Conocida es, en la época en que transcurre el drama, época de Carlos V, el Emperador, la posición protestante-luterana sobre dichos dogmas y la amenaza que, a vista de muchos católicos, y de Tirso en especial, representaba para el mundo católico y para el destino del individuo. Al drama personal de la Santa Juana, une Tirso como fondo temático esta lucha doctrinal y el problema que de ella se desprende para la existencia del hombre. El proceder de la Santa en el drama es una constante lucha por afirmar su voluntad y libertad personal a la par que se cumple la voluntad de Dios.

En cuanto al matrimonio que, como hemos señalado, es el tema central de la obra, Tirso hace que la Santa declare en oposición a su propuesto matrimonio con Francisco Loarte, precisamente su indisolubilidad reafirmada por Trento:

> *Casarme quieren, mi Dios,*
> *siendo cosa reprobada*
> *el ser dos veces casada*
> *y siendo mi Esposo Vos* [23].

Sin la herejía luterana sobre el asunto, esta alusión de Tirso a la unicidad e indisolubilidad del sacramento según la reafirmación de Trento,

---

[21] Acto III, 20, pp. 821-823.
[22] Cfr., *supra*, pp. 5-38 de este estudio.
[23] Acto II, 7, p. 794.

—habida cuenta de la posibilidad de violarlo según la nueva herejía— [24] estaría exenta de fuerza dramática por no verse como posible tal sacrilegio. De que Tirso alude a la herejía luterana, no cabe duda, puesto que se menciona a Lutero expresamente. En la escena XX del tercer acto, al pronosticar las futuras hazañas del Emperador Carlos V, la Santa hace referencia al hereje y al mal que difunde:

> Vencerás [Carlos V] en Alemania
> los escuadrones soberbios
> del sajón que te amenaza,
> *pervertido con la seta*
> *de Lutero, cual él falsa* [25].

Como los reformadores luteranos habían negado los poderes santificantes reales de los sacramentos reduciéndolos a meros ejercicios de fe [26] y habían, además, prohibido la misa [27], no sorprende que Tirso insista en afirmar con Trento tanto sus poderes sobrenaturales reales, como su suntuoso ceremonial, dramatizando en escenas espectaculares los

---

[24] Para combatir la herejía protestante sobre el matrimonio, Trento se declara expresamente contra tal amenaza en su doctrina sobre dicho sacramento: «... adversus quam impii homines huius saeculi insanientes, non solum perperam de hoc venerabili sacramento senserunt, sed de more suo, praetextu Evangelii libertatem carnis introducentes, multa ab Ecclesiae catholicae sensu et ab Apostolorum temporibus probata consuetudine aliena, scripto et verbo asseruerunt, non sine magna Christifidelium iactura. Quorum temeritati sancta et universalis Synodus cupiens occurrere, insigniores praedictorum schismaticorum haereses et errores, ne plures ad se trahat perniciosa oerum contagio, exterminandos duxit», en *Denz.*, p. 340. La afirmación de la Santa parece también aludir al dogma tridentino sobre la preferibilidad del estado de virginidad sobre el matrimonio puesto que la Santa lucha para ello: «Si quis dixerit, statum coniugalem anteponendum esse statui virginitatis vel coelibatus, et non esse melius ac beatius manere in virginitate aut coelibatu, quam iungi matrimonio: A. S.», canon 10, en *Denz.*, p. 341. El problema de la preferibilidad del estado célibe sobre el matrimonio fue también punto de contienda contra los alumbrados, los cuales insistían en la proximidad a Dios más en estado casado que en estado célibe. Véase ANTONIO MÁRQUEZ, *op. cit.*, pp. 223-227.

[25] Acto III, 20, p. 822.

[26] «As to new theories [of the reformers] about the kind of thing sacraments are, the canons [of Trent] condemn those who say: that... the Sacraments are not a necessity of salvation, but *through faith alone and without the Sacraments at all, man can obtain from God the grace of justification; that the Sacraments were instituted for the purpose of nourishing only faith;* that the Sacraments do not contain and confer the grace they signify... that the Sacraments do not themselves confer grace by the very activity of the Sacraments (Ex opere operato), but that only faith in the divine promises is sufficient to obtain grace...» PHILIP HUGHES, *The Church in Crisis: The Twenty Great Councils* (London: Burns and Oats, 1961), p. 288. Véase también «Canones de sacramentis in genere» en *Denz.*, pp. 300-301.

[27] «The Lutheran movement had long since passed from the stage where it was a matter of preachers and writers and the mass they influenced... *the Mass was everywhere forbidden* and the new rites made obligatory...» PHILIP HUGHES, *op. cit.*, p. 268.

misterios que encierran y transmiten al fiel. Tal es el caso de la transubs-tanciación, otro punto de diversión entre católicos y protestantes. En la escena VI del tercer acto, la Santa, apartada del coro por sus quehaceres, oye tocar la campana que anuncia la misa. Anhelando presenciar el momento de la consagración (transubstanciación) de la misa, Juana pide ayuda a Dios:

> SANTA.   ... La campana
> (tocan una campana)
> toca a alzar; pues, ¿cómo, Juana,
> es bien que el ver vuestra vida
> en el altar os lo impide
> esta pared inhumana?
> ¡Ay quien pudiera partilla
> por ver alzar! ¡Ah, mi Dios!,
> todo es fácil para Vos.
>
> (*Rásgase la pared, y detrás está
> un cáliz con un niño Jesús*) [28].

La representación en escena del momento más grande y milagroso de la misa, subraya y atestigua tanto la realidad real de la consagración —transsubstanciación— como la importancia de la ceremonia. Con «un cáliz con un niño Jesús» en escena, Tirso ha dramatizado y reafirmado con Trento tanto el misterioso proceso de la transmutación y fusión real y verdadera del pan y vino eucarísticos en el cuerpo y sangre de Cristo, negado por Lutero, como la preeminencia de la eucaristía como sacramento, representando visualmente en escena «un símbolo de algo sagrado y una forma visible de la gracia invisible» [29]. Como hemos visto en *Los lagos de San Vicente* con el sacramento del bautismo, Tirso recalca en escenas espectaculares de gran fuerza afectiva, la presencia real y verdadera de la gracia en los sacramentos y los efectos saludables que comunica por virtud de los méritos de Cristo, *ex opere operato* al participante.

Otro punto de contienda y tal vez el que más escándalo popular causó, fue el problema de las indulgencias. Lutero había atacado fuertemente los abusos de las indulgencias papales y había, además, negado sus valores. En 1520, la Iglesia Católica había condenado en la famosa Bula *Exsurge Domine* del Papa León X, cuarenta y un errores de Lutero. Entre los errores de Lutero condenados en dicha Bula estaban, el negar el poder de la Iglesia (el papa), mediante los méritos de Cristo y los santos, de otorgar indulgencias [30] y negar los efectos saludables que ellas confie-

---

[28] Acto III, 6, p. 812.

[29] El capítulo tres del decreto de la santa eucaristía del Concilio de Trento define así la gracia que encierra el sacramento de la eucaristía: «Commune hoc quidem est sanctissimae Eucharistiae cum ceteris sacramentis, 'symbolum esse rei sacrae et invisibilis gratiae formam visibilem'...» en *Denz.*, p. 305.

[30] «Thesauri Ecclesiae, unde Papa dat indulgentias, non sunt merita Christi et Sanctorum», error 17, en *Denz.*, p. 276.

ren al pecador [31]. Unos cuarenta años más tarde, en 1563, el Concilio de
Trento reitera la condenación de estos errores, asignándoles censuras
doctrinales precisas y reafirma tanto su poder de conferir las indulgencias, como el valor de las mismas [32]. En el tercer acto de esta comedia,
Tirso arremete contra estos errores luteranos sobre las indulgencias,
dramatizando en escena viva precisamente el carácter sobrenatural de
las indulgencias, así como sus saludables efectos. La Abadesa del convento, por ejemplo, había pedido a la Santa en nombre de todas las
monjas que intercediese en la bendición de sus rosarios y cuentas por
Cristo para que tuvieran después poder de indulgencias:

ABADESA.   Las almas del purgatorio
....
nos causan pena sus penas
....
Pida a Cristo nos bendiga
nuestros rosarios y cuentas
y que con su mano propia
las toque y después conceda
por su amor e intercesión
perdones e indulgencias [33].

Y en escena sobrenatural, el Ángel de la Guarda le entrega a la Santa
unas peticiones de las almas del purgatorio para que intercediese en
sus favores, especificando además que, en el caso de una penitente, la
causa de su condena al purgatorio fue un pecado venial, reprobado por
Lutero: [34]

ÁNGEL.   Las almas del purgatorio
te dan esas peticiones
....
Sus penas tu Esposo aplaca
por ti, y a tal favor llegas,
que a las por quien tú les ruegas
de entre sus llamas las saca.
Esta es de una que ha veinte
años que está en su fuego mortal
por un pecado venial
que uno sólo hace estos daños [35].

---

[31] «Seducuntur credentes indulgentias esse salutares et ad fructum spiritus
utiles», error 20, en *Denz.*, p. 277.

[32] «Cum potestas conferendi indulgentias a Christo Ecclesiae concessa sit...
eosque anathemate damnat, qui aut inutiles esse asserunt, vel eas concedendi in
Ecclesiae potestatem esse negant», decreto sobre las indulgencias, en *Denz.*, p. 344.

[33] Acto III, 15, p. 819.

[34] «Sex generibus hominum indulgentiae nec sunt necessariae nec utiles: *vi-
delicet mortuis seu morituris*, infirmis, ligitime impeditis, his, *qui non commiserunt crimina*, his, qui crimina commiserunt, sed non publica, his meliora operatur», error 22, en *Denz.*, p. 277. Lo subrayado es mío.

[35] Acto III, 16, pp. 819-820.

Es evidente, pues, que el fraile de la Merced al mismo tiempo que agranda y realza la santidad de Juana —es su drama— subraya y defiende también la verdad doctrinal de que el valor de las indulgencias y su poder de remitir el castigo del alma en pena, también negado por Lutero [36], son reales y verdaderos, por efectuarse bajo los méritos de Cristo y la intercesión de los santos, y, por tanto, eficaces y valiosas para las almas pecadoras. A las almas del purgatorio, además, no sólo se les remite el castigo, «sus penas tu Esposo aplaca», sino que se les libera de entre las llamas para conseguir después la salvación, en oposición a la enseñanza luterana.

Con la ascensión espiritual de la Santa se entrelazan y encarnan, pues, los puntos doctrinales expuestos. Estos llegan a tener en el drama tanto rigor teológico-dogmático como fuerza dramática, lo cual subraya el propósito de Tirso y su maestría dramática, de asentar la doctrina de la Iglesia frente a las herejías y hacer ver y sentir en dramatización viva la misma realidad milagrosa divina. Como en el caso de la eucaristía, Tirso presenta en escena, para mayor precisión teológico-doctrinal y fuerza dramática y mayor efectividad emocional y espiritual, el proceso mismo por el cual se le confiere a la Iglesia y a los santos el poder de las indulgencias y a éstas su eficacia. En la última escena de la comedia, y sólo dos escenas después de mencionarse a Lutero y sus herejías, cuando las monjas piden los rosarios y cuentas que habían entregado a la Santa para que Dios las bendijera, Tirso no se limita a presentar una afirmación verbal de la Santa en el sentido de que Dios había accedido a su bendición, sino que presenta —para que resalte con mayor precisión teológica y afectividad dramática y fuerza visual— la misma acción divina por lo cual adquieren las indulgencias sus poderes y eficacias:

> ABADESA.   Aquí está [la Santa]; lleguen hermanas,
> y hablémosla. Más ¿qué es esto?
> (Todas de rodillas, suena música, ábrese
> una apariencia de la Gloria. *Cristo senta-
> do en un trono; el Ángel de rodillas, dán-
> dole los rosarios, y muchos ángeles al-
> rededor*).
>
> ÁNGEL.   Autor eterno de gracia:
> estos rosarios suplica
> vuestra esposa y tierna Juana
> que bendigáis
> (*Échalos Cristo la bendición*) [37].

La intervención de Cristo por intercesión de la Santa, además de realzar la figura de Juana, sirve para asentar la base sobrenatural de las

---

[36] «Indulgentiae his, qui veraciter eas consequuntur, non valent ad remissionem poenae pro peccatis actualibus debitae apud divinam iustitiam», error 19, en *Denz.*, p. 276.

[37] Acto III, 23, pp. 823-824.

indulgencias que la Iglesia defendía, así como la eficacia de su dispensación. Tirso teólogo tan versado en la materia, como cauteloso en su presentación, no deja de precisar que si estos rosarios y cuentas tienen poder de indulgencias por intercesión directa de Cristo —es una dramatización— también las que dispensa el papa llevan el mismo poder y eficacia. Y efectivamente, concluye el drama confirmando este poder del papa:

> ÁNGEL.   *Todo lo concede Cristo,*
> *con tal que las que da el Papa*
> *se estimen como es razón* [38].

Esta aclaración de Tirso o, mejor dicho, intercalación, por no integrarse en realidad en el drama de la Santa, tiene el objeto de enseñar la doctrina y contradecir las herejías. Tirso apunta, como hemos visto aquí, y como veremos en la segunda parte de *La Santa Juana*, a Lutero y sus herejías y es de pensar, por tanto, que esta aclaración tiene ese propósito [39].

Si a la ascensión espiritual de la Santa acopla Tirso la doctrina oficial de la Iglesia frente a las herejías, en el drama personal de Juana encarna el problema más trascendental —muy discutido y vigente en ese entonces y hasta hoy día— del hombre: la libertad humana frente a la voluntad divina (*de auxiliis*). El proceder de la Santa en el transcurso de la comedia es una constante lucha por afirmar su voluntad y libertad personal, tanto en el orden natural, como en el sobrenatural. En la esfera natural, la voluntad de la Santa de no querer contraer matrimonio para dedicarse a la vida religiosa, es contrariada y amenazada por la voluntad de su padre, que trata de imponerle el matrimonio con Francisco Loarte. La oposición de Juana a ello no es una desobediencia o rebelión arbitraria, arrogante y libertina como la de Don Luis de *La Santa Juana* (tercera parte) y de Don Juan, y que Tirso condena con la amenaza de las penas eternas. La obediencia y respeto y su contrario, desobediencia y falta de respeto, son temas muy queridos de Tirso, y tienen en sus obras fuerza y belleza dramática y no menos transcendencia moral. Recordemos que la obediencia paterna no implica en Tirso ninguna violación de libertad personal. El amor al padre, por ejemplo, es en *El Condenado* una fuerza liberatriz y redentora para Enrico, mientras que la desobediencia paterna desencadena la condena infernal de Don Juan y, en el caso de Don Luis, (*La Santa Juana*, tercera parte) se le amenaza con la misma condena infernal si no cambia su vida y respeta a su padre:

---

[38] Acto III, 23, p. 824.
[39] No descontamos la posibilidad de que esta aclaración final sea también para satisfacer a la Inquisición. De ser cierto esto último, tampoco afectaría a nuestra afirmación sobre el propósito de Tirso, puesto que también la Inquisición se preocupaba por las herejías, y la postura de Tirso no es, claro está, contraria a la cautela de la Inquisición sobre el asunto.

Voz. [un alma del purgatorio a Don Luis]
Allí estoy por atrevido,
por libre, *por descortés*
a mi padre [40].

La Santa resiste a su padre y se opone al matrimonio por violar su voluntad y libertad personales, así como la voluntad divina, ambas inviolables y esta última infalible. No se trata pues de falta de respeto, arrogancia satánica y libertinaje, como en los casos de Don Luis y Don Juan, sino de afirmación de la voluntad propia y de acuerdo con la divina, cuyo llamamiento a la vida monacal de la Santa, se efectuó antes de que naciera:

ÁNGEL. ....
la Reina, nuestra señora,
a su Hijo soberano
pidió que al mundo enviase
quien su casa gobernase:
y su poderosa mano
te crió para este fin [41].

Con esto Tirso enfoca otra vez este problema de grave importancia existencial para el individuo: su albedrío en el contexto personal y cósmico a la vez; problema grave también para las instituciones religiosas cuyas disputas y sistemas controversiales trataban de integrar el ser y proceder del nuevo hombre con la voluntad suprema de Dios, y añadieron fuerza y angustia a la ya crecida conciencia del hombre. En efecto, si con el Renacimiento la conciencia del hombre adquiere cada vez más autonomía y con ésta su libertad se hace suprema e inviolable ¿cómo relacionarla y reconciliarla con la voluntad de Dios de la cual depende? ¿Es la resistencia de Juana al deseo de su padre de contraer matrimonio con Francisco Loarte para dedicarse a la vida monacal, una expresión de la libertad personal auténtica de acuerdo con la resolución de su propia voluntad, y de Dios, o un inevitable acceder al designio y decreto de Dios puesto que la «crió para este fin» destruyéndose, al parecer, necesariamente su libre albedrío? Tirso, católico ortodoxo, tiene que rechazar y en efecto rechaza esto último, por ir en contra del dogma de la Iglesia, el cual, reafirmado últimamente por Trento, otorga el libre albedrío al hombre [42] y por ser herejía protestante. Al dramatizar lo primero, o sea el proceder de la Santa como expresión y afirmación de su propia voluntad así como la de Dios, Tirso pisa el terreno mismo de la Controversia *de auxiliis*.

Como hemos visto en *Los lagos de San Vicente*, Tirso continúa insis-

---

[40] TIRSO DE MOLINA, *La Santa Juana* (tercera parte), acto III, escena 17, en *Obras dramáticas completas*, edición citada, vol I, p. 906.
[41] Acto III, 4, p. 810.
[42] Véanse los canones 4, 5 y 6 sobre la justificación en *Denz.*, pp. 295-296.

tiendo, con los bañeciano-tomistas, que la gracia es siempre anterior y necesaria al acto saludable del hombre y, además, opera inmediata y directamente en el hombre y no tan sólo en su efecto, según argüían los molinistas. En el caso de la Santa Juana, el problema es aún más directo y complicado, en cuanto que Tirso afirma en no menos de dos ocasiones que el fin de la Santa fue efecto y previsión de Dios, desde antes que naciera, con lo que toca el meollo mismo de la controversia. En la escena IV del tercer acto, el Ángel le comunica a Juana que el fin que Dios le tenía preparado era el de gobernar y proteger el convento de la Sagra de Toledo: «su poderosa mano / te crió para este fin.» Y en la escena XV reitera Tirso la idea central de la Controversia *de auxiliis*, es decir, que Dios causa y conoce de antemano el fin que infaliblemente le espera a cada hombre. Al temer perderse Juana, por creerse flaca e incapaz de hacer todo lo que se le pide, el Ángel le revela el amor que Dios le tenía a ella:

> No harás, [perderse] porque la clemencia
> de tu Esposo y Nuestro Rey
> *te amó antes que nacieras* [43].

Si, pues, Dios causa y conoce el fin de cada hombre y, además, lo hace obrando directamente sobre el hombre determinándole, al parecer, físicamente *ad unum*, como hemos visto en los casos de Santa Casilda y Alí Petrán de *Los lagos de San Vicente* y como parece ser el caso de Santa Juana, la cual hará infaliblemente —los decretos de la voluntad divina, como enseña Santo Tomás, nunca se malogran— lo que Dios determinó que hiciera desde «antes que nacieras», ¿cómo, cabe preguntar, es posible salvaguardar la libertad también «inviolable» del hombre? ¿No suena todo esto a determinismo luterano, que niega toda iniciativa y libertad al hombre, lo que reprochaban también los molinistas al bando bañeciano? Tirso es tan directo al expresar el problema, como sutil y dramático para reconciliarlo. Sin salirse de la controversia, sirviéndose más bien de ella como de base temático-dramática, Tirso aporta sutiles distinciones, con las cuales nos permite entrever, no sólo una rigurosa preparación teológica —y de la controversia misma— sino que delinea su propia concepción sobre el libre albedrío y la gracia divina.

Como hemos notado ya en *Los lagos de San Vicente* y según demuestran las citas anteriores, Tirso acepta con los bañeciano-tomistas que Dios causa y conoce de antemano —*ante praevisa merita*— lo que será de cada individuo. También hace suya una de las proposiciones bañeciano-tomistas más discutida por los molinistas, a saber, que la gracia divina recae siempre y directamente sobre la voluntad del hombre. También en esta comedia presenta Tirso una y otra vez, en escenas tan dramáticas y conmovedoras como teológicas, precisamente el profundo

---

[43] Acto III, 15, p. 818.

y sublime efecto que la gracia obra en el hombre mismo. En la escena VII del segundo acto, por ejemplo, Tirso nos hace ver claramente el efecto de la gracia sobre la Santa, cuando el Ángel de la Guarda le impide volver atrás en su plan de huir para evitar el matrimonio con Francisco Loarte:

> ÁNGEL. Tente, Juana. ¿Dónde vuelves?
> Esfuérzate no desmayes.
>
> SANTA. ¡Jesús! *Qué notable fuerza*
> *sin ver a nadie he sentido*
> *que la vuelta me ha impedido.*
> La voz sonora me esfuerza:
> Ánimo cobro ya nuevo.
> Eterno Esposo, ya os sigo,
> que, pues os llevo conmigo,
> suficiente guarda llevo [44].

La intervención del Ángel representa, como es notorio, una infusión de la gracia. Pero ¿qué es lo que nos revela la reacción de Juana sobre la naturaleza y modo de obrar de la gracia? Es evidente que Tirso propone y acepta la proposición bañeciano-tomista de que la gracia obra directamente, a priori y gratuita, sobre el alma humana. A Juana le ha pasado algo inaudito e inexplicable, puesto que ha experimentado una «notable fuerza / sin ver a nadie» y de la cual «ánimo cobro ya nuevo,» es decir, nunca antes experimentado. Además, y como consecuencia, esta «notable fuerza» operó un influjo tan poderoso, que la empujó hasta físicamente, no sólo porque «la vuelta me ha impedido», sino también por dirigirla en dirección opuesta: «Ya os sigo». La nueva sensación o «fuerza» que ha experimentado Juana, asegura que la gracia no recae en el efecto, o sea en el acto de seguir adelante, ni se concede simultáneamente con el momento de la resolución de la voluntad humana, según proponían los molinistas. Recordemos que Juana había decidido ya por su cuenta volver atrás y desistir de su intento de huida; su cambio de idea en su plan de escaparse, fue claramente efecto de la gracia y, por lo tanto, anterior a su decisión de seguirla. Todo esto confirma pues la afinidad de Tirso a la posición bañeciano-tomista y su contrariedad a la molinista.

Pero si la Santa obedece infaliblemente a la voluntad y designio de Dios, ¿cómo puede salvaguardar, hay que insistir con los molinistas, su libre albedrío? Con Báñez y Zumel, Tirso hace de la gracia una fuerza tan sublime e iluminadora, que obrando en las facultades del hombre, le añade más y más claridad [45] para que por sí mismo escoja el camino que más «honestamente» le conviene. Que la fuerza determinante de la gracia no anula ni impide el proceso volitivo auténtico del libre albe-

[44] Acto II, 7, pp. 794-795.
[45] Cfr. nota 46 del capítulo III, p. 55.

drío sino que, al contrario, lo fortifica, nos lo hace ver Tirso en una escena de gran tensión dramática, cuando el padre, el tío y el pretendiente de Juana, se obstinan en su designio de apartar a Juana, no sólo de su propia voluntad, sino de la de Dios:

> SANTA. Padre: a Dios por padre tengo;
> tío: Dios sólo es mi tío;
> Francisco Loarte: aquí [convento]
> determino morir; esto
> os tengo que responder.
> *Dios lo quiere y yo lo quiero* [46].

Esta firme oposición de Juana a la voluntad y designio de su padre, tío y pretendiente, revela, como es patente, no una personalidad o voluntad pusilánime, sumisiva o esclava, sino una auténtica afirmación de su propia voluntad e integridad personales. Si bien es cierto que Dios la escogió y lo hizo infaliblemente para un fin sobrenatural determinado, no por eso se anuló su libertad, puesto que si «Dios lo quiere» también «yo lo quiero», atestiguando así su propia aportación y cooperación a la voluntad divina. En efecto, la libertad de Juana se habría malogrado si hubiera accedido al designio y voluntad de su padre por haber violado, tanto su voluntad como la de Dios: luego, la libertad, y con ella la salvación, es algo que hace perder el hombre mismo por error de su propio e imperfecto entendimiento e intención y no Dios, que perfecciona las facultades del alma humana «para que con mayor luz conozca y juzgue lo que le conviene y lo escoja con un dictamen de su entendimiento...» [47]

Aunque todos los bandos *de auxiliis* coinciden en admitir la necesidad de la gracia para el obrar sobrenatural del hombre, no todos están de acuerdo en su naturaleza, ni en el grado o modo de resistirla, para salvaguardar la voluntad humana. Es en este punto donde Tirso se desvía de la posición bañeciano-tomista, la cual consideraba sólo necesaria y suficiente la posibilidad de resistencia a la gracia *in sensu diviso*, o sea sólo potencialmente y nunca de hecho o en acto. Esto, además, implica en el sistema bañeciano una distinción intrínseca entre la gracia suficiente y la gracia eficaz. Según esto, Dios concede a todos los hombres la gracia suficiente, por la cual se les confiere tan sólo el *posse agere* y no el *agere* del acto sobrenatural necesario para la salvación. Sin la infusión de la gracia eficaz por tanto, el hombre nunca podrá obrar el acto meritorio y consiguientemente no llegará a la salvación. Al otorgar Dios la gracia suficiente a todos los hombres, pero no a todos la eficaz, se efectúa en cierto modo una reprobación *ante praevisa deme-*

---

[46] Acto II, 18, p. 803.
[47] Domingo Báñez, «Réplica del Padre Báñez al memorial difundido por el Padre Suárez 'En defensa de la Compañía cerca del libre albedrío'», en VICENTE BELTRÁN DE HEREDIA, *op. cit.*, p. 436.

rita, posición negativa y rígida, que deja al hombre completamente indefenso y desnudo. Tirso rechaza con Zumel este aspecto negativo del sistema bañeciano y hace suya la indiferenciación zumeliana entre la gracia suficiente y la eficaz [48]. Eliminando la diferencia intrínseca entre la gracia suficiente y la gracia eficaz, Tirso confiere, con Zumel, a la gracia suficiente siempre un grado de eficacia, por mínimo que sea, con el cual el hombre, todos los hombres, puede de hecho obrar, haciendo buen uso de ella, siquiera en grado mínimo, los actos meritorios y encaminarse, con la continua ayuda de Dios, a la salvación. Si escoge mal, pudiendo de hecho no hacerlo por tener el poder real y no tan sólo el potencial, será por culpa suya, y esto sin detrimento de la gracia, puesto que Dios la otorga en grado menor o mayor de eficacia o resistencia. Al contrario, el hombre no podrá de sí mismo continuar obrando más o mayores actos meritorios sin más o mayores infusiones de la gracia por parte de Dios. Tirso, pues, formula su propia concepción de la gracia divina y la libertad humana, integrando, modificando o rechazando ciertas proposiciones bañecianas con otras zumelianas. Su concepción no deja al hombre completamente desnudo e impotente ante el acto sobrenatural, ni con iniciativa primordial como los molinistas.

Los acontecimientos en el proceder de la vida de la Santa evidencian y confirman la concepción tirsiana del problema de la libertad y la gracia. La primera manifestación de la gracia es cuando se le ofrece milagrosamente a Juana un hábito de monja para evitar el matrimonio y escaparse del mundo [49]. Esta primera intervención sobrenatural es sin duda un auxilio de la gracia. Pero como tal ¿qué eficacia tiene? En el sistema bañeciano todo concurso o es de índole *suficiente* y universal o es de índole *eficaz* y particular. Si es suficiente, no puede el hombre realizar de hecho y en realidad (*in sensu composito*) el acto meritorio; si es eficaz no puede frustrarlo y resistirse. En nuestro autor, no acontece ni el uno ni el otro. Este primer influjo de la gracia que recibe Juana, lleva sin duda algún grado de eficacia, puesto que con ello se le concede a Juana el cómo, hábito franciscano, y el dónde, el monasterio de la Cruz, para huir del rigor mundano:

> SANTA.   ¡Ay Cielos! ¿Qué es lo que he visto?
> una voz divina oí
> y un saco pobre está aquí.
>
> ....
>
> El monasterio sagrado

---

[48] Para una sucinta exposición de la posición teológica zumeliana frente a la bañeciana y la molinista, véanse: R. P. Fr. J. M. DELGADO VARELA, «Psicología y teología de la conversion en Tirso», *Estudios*, 32 (1949), pp. 359-362; R. P. MARTÍN ORTÚZAR, «*El condenado por desconfiado* depende teológicamente de Zumel», *Estudios*, 32 (1948), pp. 20-26; *Ibíd.*, «Teología del Condenado», *Estudios*, 32 (1949), pp. 322-327.

[49] Acto II, 3, p. 791.

> de la Cruz, Francisco mío,
> es vuestro y en él confío
> escapar del mundo a nado:
> ya el cómo y cuándo he pensado,
> aseguradme el camino,
> Seráfico peregrino,
> que dándome vos favor
> un disfraz a lo divino [50].

Como se ve, la Santa recibe de hecho el modo (hábito) y el lugar (monasterio) y además se le asegura el camino «aseguradme el camino», y, sin embargo, este influjo fue de hecho (*in sensu composito*) frustrado. La Santa, a pesar de esta comunicación divina, la resiste y escoge no seguirla:

> Santa, vestida de hombre.
> ....
> Juana, volvamos a casa.
> Poco importa que te ensayes,
> amor, pues no te resuelves.
> *(Quiere entrarse y detiénela*
> *el Ángel de la Guarda)* [51].

Que este primer influjo tuvo su debida eficacia en el grado propuesto por Dios es, como hemos visto, indiscutible. La Santa además se prepara de hecho con el vestido de su primo para emprender el viaje al monasterio. Pero es también indiscutible que este primer auxilio fue en cierto modo y grado frustrado, puesto que la Santa decidió por sí misma no llevar a cabo «el cómo y el cuándo he pensado», pudiendo hacerlo por «asegurándome el camino» el Seráfico Santo, y se volvió atrás para volver al mundo de donde había querido escaparse. Y, sin embargo, no por eso se malogra el decreto a priori y determinante de Dios. La consiguiente intervención del Ángel de la Guarda imparte a la Santa un nuevo auxilio, una nueva virtud, evidentemente superior al primero, pues no sólo impide físicamente, como hemos visto, su vuelta atrás, «Quiere entrarse y detiénela el Ángel de la Guarda» sino que le infunde en su interior una sensación y energía del todo nueva e inaudita que le da una «notable fuerza» y le hace cobrar «ánimo ya nuevo», que la empujan a continuar su camino y entrar en el monasterio:

> SANTA.   Eterno Esposo, ya os sigo,
> que pues os llego conmigo,
> suficiente guarda llevo [52].

Es evidente por el efecto que ejerce sobre la Santa, que esta segunda intervención sobrenatural lleva más eficacia que la primera. ¿Quiere

---

[50] Acto II, 3, p. 791.
[51] Acto II, 7, p. 794.
[52] Acto II, 7, p. 795.

Tirso decir con esto que el primer auxilio fue del tipo *suficiente,* el cual imparte sólo el *posse agere* mientras que el segundo fue *eficaz* según la distinción bañeciana? Como hemos comprobado, el primer auxilio divino llevó cierto grado de eficacia y por tanto no pudo ser *suficiente* según la distinción bañeciana. El segundo auxilio, aunque más fuerte y sublime, cuya virtud obró una «notable fuerza» e infundió «ánimo ya nuevo» en la Santa, tampoco se puede clasificar estrictamente de *eficaz* según los bañecianos. Efectivamente, este segundo auxilio fue eficacísimo en orden a alcanzar lo propuesto por Dios, es decir, salvaguardar el camino y asegurar la entrada en el monasterio. A la Santa se le confiere más y mayor gracia cada vez que se encuentra necesitada para realizar los propuestos designios divinos. Si el segundo auxilio hubiera sido *eficaz* a lo bañeciano —notemos que obró interiormente en la Santa: «el alma me ha renovado»— [53] ésta no habría necesitado más y mayores influjos de la gracia, cosa que continúa recibiendo a través de la obra, ni hubiera resistido los impulsos divinos. Pese a su «notable fuerza» y a su extraordinario efecto, la segunda infusión que recibe la Santa fue del tipo «suficiente» según la definición zumeliana puesto que alcanzó, infaliblemente, su grado de eficacia propuesto por Dios, es decir, asegurar la entrada en el monasterio, y sin embargo, quedó deficiente para la continuación de los actos meritorios que obra la Santa en el monasterio. Además, nuestro teólogo mismo es el que califica en boca de la Santa, esta aparente eficacísima infusión de «suficiente»:

> Eterno esposo, ya os sigo,
> que, pues os llevo conmigo
> *suficiente* guarda llevo [54].

Por lo que sucede después en el transcurso del drama, el calificar de «suficiente» a esta segunda infusión, no es, creemos, gratuito ni arbitrario. El término lleva una evidente connotación teológica precisa, que obedece a la concepción teológica de Zumel [55] y a la temática de Tirso. Con esta «suficiente guarda» la Santa podrá llevar a cabo, y de hecho lo hace, su designio de escaparse del mundo y refugiarse en el monasterio para dedicarse a una vida religiosa. Por el contrario, no podrá hacer más de lo que esta infusión disponía que hiciera, quedando necesitada de otras infusiones para continuar obrando los actos sobrenaturales y perseverar en la virtud. Esta concepción de una gracia «graduada» se nos hace más aparente cuando Tirso presenta a la Santa en condición de resistir o de no querer continuar el camino propuesto por las previas infusiones. Al revelársele a la Santa, por ejemplo, que Dios la había escogido para abadesa del convento, ésta ruega al Ángel de la Guarda

---

[53] Acto II, 21, p. 805.
[54] Acto II, 7, p. 795.
[55] Cfr. nota 15 del capítulo III, p. 46.

que no se le dé tal cargo, por no sentirse capacitada para ello [56]. Esta
petición de renuncia al cargo de abadesa es, en efecto, una resistencia
al decreto divino, lo cual indica la frustrabilidad de los previos auxilios.
Es precisamente esta resistencia lo que el Ángel de la Guarda lamenta y
reprocha a la Santa:

> ÁNGEL.   ¿Por qué lloras?
> Juana: ¿es esa tu obediencia?
> ¿es bien que la voluntad
> de Dios resistas, que ordena
> que gobiernes esta casa?
> ¿No te crió para ella?
> ¿No puedo ayudarte yo? [57].

A pesar de la «notable fuerza» y «ánimo nuevo» que le infundió a la
Santa el segundo auxilio, el cual, por el efecto que obra en ella, hubiera
debido ser inimpedible e infrustrable, según la definición bañeciana,
resulta, como demuestra el pasaje, frustrable en Tirso. La Santa sigue,
es verdad, en el impulso del segundo auxilio, pero al asegurarle el Ángel
su continua ayuda «¿no puedo ayudarte yo?» lo cual renueva en la Santa
su ardor y energía hacia el decreto divino: «¿no te crió para ella?»:

> SANTA.   No haya más, Ángel, no sea
> lo que quiero; su hermosura
> me anima, conforta, alegra
> y me quita mis pesares:
> bien es que a Dios obedezca [58].

Cada infusión de la gracia, sea ésta suficiente o eficaz, asegura pues,
infaliblemente, el grado de eficacia puesto por Dios. Este grado de eficacia no implica ninguna violación de la libertad del hombre, puesto que
cada influjo hace que el hombre quiera de sí mismo lo que tal influjo
decreta (proposición bañeciano-tomista) [59] y, además, en virtud de la graduación del influjo, el hombre puede de hecho resistir a frustrar la
continuación de su impulso (proposición zumeliana-tirsista) [60], como demuestran los pasajes citados, sin otras sucesivas infusiones. Una vez
recibida la infusión de la gracia, necesaria, anterior y gratuita siempre
—concepto plenamente tomista— el hombre obra en virtud de ella y
con ella, en armónico tándem, los actos sobrenaturales. Al insistir en la
necesidad, anterioridad y gratuidad de la gracia, Tirso asegura la omnipotente voluntad de Dios. Al vincular la cooperación humana en el obrar
sobrenatural, añade valor y autenticidad personal a su colaboración.

---

[56] Acto III, 15, p. 818.
[57] Acto III, 15, p. 818.
[58] Acto III, 15, p. 818.
[59] Cfr. nota 46 del capítulo III, p. 55.
[60] Cfr. nota 15 del capítulo III, p. 46.

Atento a la amenaza de las herejías protestantes vigente en la época y consciente de la polémica *de auxiliis,* Tirso insiste en este drama, como en los otros, en este armónico tándem de la gracia con el hombre, pero siempre desde la debida primordialidad divina. Si bien es, pues, verdad teológica, que «sobre la desnudez humana opera la divina gracia» [61], pues sin ella nada puede hacer el hombre —punto básico este de toda la teología cristiana en general y agustiniano-tomista en particular— nuestro mercedario no niega, sin embargo, el valor propio de la colaboración humana en el obrar sobrenatural. Ante la omnipotencia y bondad divinas, la Santa Juana se siente, efectivamente, frágil y desnuda. Pero su flaqueza tiene que entenderse, más que como verdad teológica, como una consecuencia psicológica y moral que marca su carácter y personalidad y rige su comportamiento humano. Cuando el Ángel le entrega a la Santa las peticiones de las almas del purgatorio para que interceda por ellas, ésta contesta que en ellas «ningún mérito hay en mí» [62]. A nivel puramente teológico, lo que la Santa afirma es que cualquier favor que las almas del purgatorio alcancen, será siempre un don total y gratuito de Dios. Pero esto no quiere decir que su participación sea completamente pasiva y vacía de valor humano propio. Como consecuencia de tantos extraordinarios favores como recibe de Dios, es lógico y natural que la Santa reaccione con total encogimiento y humildad, lo cual acentúa aún más su carácter virtuoso. Su continua humildad sirve más para caracterizar su estado y su proceder moral que su verdadero valor y función en el obrar sobrenatural. La desconfianza que la Santa pone en sí misma y en sus obras, no niega el mérito y valor propio, por mínimo que sea el de su cooperación en la labor sobrenatural. La maestría dramatúrgica con la cual desarrolla Tirso el comportamiento psicológico, moral y espiritual del personaje —la Santa Juana en este caso— hace que se nos escape su verdadero dictamen teológico. Tirso es dramaturgo primeramente y siempre. La Santa Juana misma no es inconsciente, pese a su grande y profunda humildad, de la importancia de su cooperación y colaboración en los actos sobrenaturales. Si en un primer momento confiesa su flaqueza y pequeñez humanas, «ningún mérito hay en mí», en otro afirma su participación en las obras sobrenaturales:

SANTA. ....
bien es que a Dios obedezca.
Su esposa soy, este anillo
me dio con su mano mesma,
y los desposados suelen
llevar el trabajo a medias [63].

―――――――――

[61] J. M. DELGADO VARELA, *op. cit.,* p. 365.
[62] Acto III, 16, p. 820.
[63] Acto III, 15, p. 818.

La función de la Santa, como la de toda persona, es, nos dice Tirso, como la de una desposada, la cual como miembro integral del matrimonio, añade su parte en el obrar. El hombre, pues, una vez recibido de Dios el don de la gracia, se hace cónyuge y partícipe en los actos sobrenaturales. El menosprecio de la Santa de sí misma, y sus obras, es pues más para encuadrar y recalcar su perfil psicológico, moral y espiritual, que para marcar y afirmar la total desnudez de su poder o de su mérito. Al desarrollar el perfil psicológico, moral y espiritual del personaje, cada vez más marcado con las repetidas aserciones de autodesprecio, debilidad y hasta de impotencia, se nos pierde de vista la función y aportación del hombre en el obrar, con la gracia, los actos meritorios, y con ello se confunde y tergiversa el verdadero dictamen teológico que implica. Tirso, repitamos, escribe dramas y no tratados teológicos. La Santa Juana misma, por ejemplo, por débil y sin mérito que se sienta, no deja de afirmar el valor propio en su intervención para con las almas del purgatorio:

> SANTA. ....
> ¡Venturoso el desposorio
> donde me ha llegado a dar
> Dios tanto! Voy a rogar
> por las que en el Purgatorio,
> siendo mejores que yo.
> *de mi intercesión se valen* [64].

Parece evidente que Tirso reclama para la cooperación humana con la fuerza previa de la gracia divina un valor activo propio, aunque para mayor fuerza y salud moral y seguridad espiritual conviene siempre, aconseja y predica Tirso, poner toda la confianza en la providencia misericordiosa de Dios y muy poca en sí mismo, problema que profundizará en magnífica dramatización en *El Condenado* y en *El Burlador*. El menosprecio del propio mérito, lleva por tanto a la humildad, la cual, como virtud, confiere fuerza y salud moral y firmeza espiritual al hombre. Este es el caso de la Santa Juana. Al contrario, la confianza excesiva en sí mismo y el asomo de orgullo personal y de los propios méritos, llevan a la arrogancia, la cual, como vicio, lleva a la irresponsabilidad, cobardía y soberbio atrevimiento, que termina en la reprobación eterna. Tal es el caso de Paulo en *El Condenado* y así es el caso de Don Juan en *El Burlador*. La lucha para conseguir y mantenerse en un estado de humilde virtud, mediante el menosprecio y la desconfianza de sí mismo, que todo hombre debiera procurar, nos aconseja Tirso, es lo que indica y mide la talla moral y espiritual —o su falta— del personaje. Y mientras su dramatización domina necesariamente el desarrollo de la acción argumental, el dictamen estrictamente teológico, fondo del drama, es

---

[64] Acto III, 17, p. 820.

presentado a primera vista deliberadamente velado, ambivalente y hasta contradictorio, lo cual refuerza y mantiene la perplejidad y el suspenso del drama, así como el conflicto dramático en los personajes. Esto eleva la obra a altura tanto más dramática y artística, cuanto menos rigidez teológica *aparenta* tener. El verdadero dictamen teológico que Tirso se propone presentar y que de hecho, como vamos comprobando, presenta, surge debidamente después de un detenido análisis. Tirso, no nos cansemos de repetirlo, es dramaturgo primeramente y siempre.

En resumen y según lo expuesto, surge en *La Santa Juana* (primera parte) una clara delineación del concepto tirsiano de la libertad humana y la gracia divina. Con el tomismo en general y con Báñez en particular, Tirso acepta la prioridad, necesidad y eficacia *ab intrinseco sui* de la gracia divina, así como su obrar inmediato, directo y determinante en el hombre. Esto separa claramente a Tirso de las nociones molinistas del concurso simultáneo y la ciencia media, lo cual es manifiesta indicación de su rechazo del sistema molinista. Con Zumel y en contra de Báñez, Tirso acepta y hace suya la indiferenciación entre gracia suficiente y gracia eficaz, así como la frustrabilidad, *in acto composito*, graduada según el grado de eficacia de la infusión divina. También con Zumel sigue Tirso la noción tomista de la ciencia de visión, con la cual Dios prevé lo que fue, es y será [65], pero se separa de Zumel al recurrir también al decreto predeterminante de la voluntad divina, con el cual Dios conoce en su causa el fin de todos los hombres: «te crió para este fin» [66]. También con Zumel y desviándose de Báñez, Tirso da primacía activa, con la gracia divina, al entendimiento sobre la voluntad [67]. La integración de todas estas nociones forman y delinean la concepción de Tirso sobre la libertad humana y la gracia divina, que irá confirmándose en las obras que sucesivamente iremos analizando.

---

[65] La Santa, por ejemplo, prevé y pronostica las victorias de Carlos V el Emperador, lo cual indica su previsión con la noción tomista de la ciencia de visión:

Carlos, hijo...

....

Vencerás en Alemania
los escuadrones soberbios
del sajón que te amenaza.

(Acto III, 20, p. 822)

[66] «No acude Zumel... al decreto predeterminante con el que Dios decide dar una gracia suficiente o eficaz a *natura sua*, para declarar el conocimiento *ab eterno* que Dios tiene de los predestinados o precitos, sino a la ciencia de visión...» J. M. DELGADO VARELA, *op. cit.*, p. 362.

[67] «*Zumel... no pierde ocasión de exaltar la parte motiva y dinámica del entendimiento... Báñez y otros tomistas enemigos de la moción activa en el entendimiento...* [dicen] que el entendimiento mueve a la voluntad en cuanto, a modo de instrumento de la misma voluntad, ha recibido la moción activa de la potencia volitiva, y en este sentido se podría admitir la moción activa por parte del entendimiento..., pero toda esa virtud motiva es recibida de la voluntad, que es el primer motor in genere causae efficientis...» P. VICENTE MUÑOZ, *op. cit.*, p. 185. Lo subrayado es mío.

Segunda parte.

Si en la primera parte de *La Santa Juana* se dramatiza la lucha personal de Juana, su inclinación religiosa contra la vida mundana, en la segunda parte [1] se acentúan sus tribulaciones, sufrimientos físicos y espirituales y se extiende su preocupación por la salud espiritual ajena, así como por el estado de la religión católica. En esta segunda parte, la lucha espiritual es, por lo tanto, a la vez más personalmente intensa y el alcance religioso más amplio y, en cierto modo, más mundano. Las dos primeras escenas del primer acto subrayan la intención de Tirso de exponer y combatir la herejía protestante. Al empezar el primer acto el Ángel nos anuncia que la Santa:

> llorando estabas el estrago horrible
> que al mundo anuncia confusión y espanto
> por la ponzoña del dragón terrible
> de las siete cabezas que en Sajonia
> niega la ley católica infalible.
> Llorabas que con falsa ceremonia
> y hipócrita apariencia el vil Lutero
> imitase a Nembrot en Babilonia,
> y que el rebaño del Pastor cordero,
> este lobo, en oveja disfrazado,
> despedazarse con estrago fiero.
> Llorabas que se hubiese dilatado
> su blasfemia y pestífera doctrina [2].

Para ablandar el dolor que la Santa siente por el peligro de la expansión de la herejía, el Ángel le presenta en visión la cristianización del Nuevo

---

[1] «La segunda *Santa Juana*, cuyo manuscrito no es autógrafo, ni lleva la firma de Fray Gabriel, es anterior al 1 de diciembre de 1613, puesto que en esta fecha fueron remitidas a la censura los dos primeras partes de esta obra...» Tiene que ser, claro está, posterior al 30 de mayo, fecha autógrafa de la primera parte. Véase BLANCA DE LOS RÍOS, «Preámbulo» citado, p. 726. Continuamos citando siempre de su edición. Lo subrayado es siempre mío.

[2] Acto I, 1, p. 825.

Mundo por Hernán Cortés, la de Asia por el portugués Alonso de Alburquerque y la defensa del catolicismo por Felipe II, lo cual consuela a la Santa [3]. El desvelo espiritual de ésta ante la amenaza de la herejía protestante, prenuncia la preocupación sentida ante el avance de la misma por el Emperador Carlos V, el cual, al emprender la campaña contra los herejes, viene al monasterio para solicitar la bendición de la Santa:

> CARLOS. La guerra, madre, publico
> contra el hereje que ampara
> el duque Juan Federico
> de Sajonia y se declara
> contra el imperio. Es muy rico
> y poderoso, y también
> quiere el Landgrave de Hesén
> defender las falsedades
> de Lutero y cien ciudades
> rebeldes...
> ....
> Por esto antes de partirme,
> madre, en tan ardua ocasión,
> de vos vengo a despedirme,
> porque vuestra bendición
> nuestras victorias confirme [4].

La visita del Emperador Carlos V, además de atestiguar dramáticamente la amenaza protestante que tanto hace sufrir a la Santa, y comprobar la preocupación de Tirso por el asunto, da la ocasión que precipita toda la acción dramática. Esto se ve cuando el Emperador al despedirse, deja a Don Jorge, su sobrino, el encargo de proteger el monasterio de la Cruz y de tomar posesión de los lugares alrededor de él. A pesar de la advertencia que le hace el Emperador, de que se comporte justa y rectamente con los aldeanos [5], Don Jorge, con Lillo, su criado, se mofa de tal advertencia y exalta su proclividad amorosa y libertina, que anuncia, como ha indicado Blanca de los Ríos [6], una primeriza fisonomía de Don Juan, el burlador:

> Malo soy para cartujo
> y loco en seguir mi tema.
> Verdad es que estoy casado;
> pero ¿por eso he de estar
> privado de otro manjar? [7].

En la escena V del primer acto, Don Jorge es recibido festivamente, en escena impecablemente tirsiana y de gran encanto popular por su

---

[3] Acto I, 1, pp. 826-827.
[4] Acto I, 2, p. 828.
[5] Acto I, 3, p. 829.
[6] Véase su «Preámbulo» a esta trilogía, op. cit., p. 732 y ss.
[7] Acto I, 4, p. 829.

color y sonido locales, por los aldeanos de Cubas. La atención de Don Jorge se torna no al pueblo en gratitud por el júbilo que le muestran, sino a Mari Pascuala, zagala hermosa, para gratificación inmediata de sus deseos sexuales:

> LILLO.   ¿Agrádate?
>
> JORGE.   Sí.
>
> LILLO.   Échola calza.
>
> JORGE.   Vení
> la de los ojos morenos [8].

El empeño que pone Don Jorge en perseguir a Mari Pascuala termina en su encuentro cerca de una fuente. El diálogo vivo y ambiental, salpicado de respuestas intencionadas, convierte este encuentro en un graciosísimo cuadro de desafío de amor y seducción, que señala claramente la magistral impronta del arte dramático de Tirso, al mismo tiempo que va delineándose la figura del futuro Don Juan:

> JORGE.   Escuchad.
>
> MARI [PASCUALA].   No se me acerque,
> porque le remojaré.
> ....
>
> JORGE.   ¿Quiéreme bien?
>
> MARI.   Un poquillo.
>
> JORGE.   Paga mi amor.
>
> MARI.   No hay con qué.
>
> JORGE.   ¿Qué te falta?
>
> MARI.   No ser mía.
>
> JORGE.   Pues ¿cúya?
>
> MARI.   De un Locifer
> que hasta los pasos me cuenta.
> ....
>
> JORGE.   ¿Al fin me quieres?
>
> MARI.   El diabro
> en esos ojos tenéis
> que me reconcome el alma
> desde el punto que os miré [9].

---

[8] Acto I, 5, p. 832.
[9] Acto I, 11, pp. 836-837.

La intención de Don Jorge, precursora de la malicia lasciva de Don Juan,
se convierte, tal como la vio Mari Pascuala, tanto en arrogancia personal,
como en abusos de su posición y cargo público. Al intentar robar a Mari
Pascuala [10], Don Jorge hace valer en favor propio, prenunciando otra
vez el verdadero Don Juan, su preeminente posición social y política y
así disculpa su infamante acción contra la honra personal de Mari Pascuala y el honor colectivo de los aldeanos:

> JORGE.   ¿Qué más honra
> que amarla el Comendador?
>
> CRESPO [ALCALDE]. ¿Eso es justicia?
>
> JORGE.   Villanos:
> no me enojéis, que yo soy
> Señor de Cubas, y ansí
> todo es mío [11].

El *crescendo* de los abusos e injusticias que el Comendador comete contra los aldeanos, se entrelaza con las dificultades que la Vicaria levanta
en contra de la Santa y corre paralela con ellas. La arrogancia e injusticia
de Don Jorge tiene una réplica dentro del mismo monasterio, en la figura
de la Vicaria, cuya envidia persigue a la Santa:

> VICARIA. Madres: bien puede ser santa,
> pero no lo he de creer;
> privarla tengo del oficio [de Abadesa] [12].

El esconder a Mari Pascuala en el monasterio, bajo la protección de la
Santa, después de librarla los aldeanos de las garras lascivas del Comendador, da ocasión para que la Vicaria pueda unir su pretensión de ser
Abadesa, al deseo carnal de Don Jorge, que quiere gozar a Mari Pascuala.
La osadía de los aldeanos al esconder a Mari Pascuala en el convento
para salvaguardar su honor e integridad, es tomado por el Comendador
como afrenta y rebeldía, y para su castigo arremete contra ellos, en
escena furiosa que testimonia la mano dramática de Tirso por repetirse,
como indica Blanca de los Ríos [13], en escena parecida en *La dama del
Olivar*:

> JORGE. Pegad a todo el lugar
> fuego, sin que dejéis casa
> que no convirtáis en brasa.
> Villanos: no ha de quedar
> piedra en Cubas sobre piedra [14].

---

[10] Acto I, 21, p. 841.
[11] Acto I, 21, p. 841.
[12] Acto I, 7, p. 832.
[13] Véase su «Preámbulo» a esta trilogía, *op. cit.*, p. 747.
[14] Acto II, 1, p. 842.

La lascivia del Comendador alcanza el límite de la perversidad cuando les declara a Berrueco y Crespo, padre y novio de Mari Pascuala respectivamente, que ésta no era la única a quien pensaba gozar, y para consuelo de sus disgustos y deshonor les advierte, con descaro donjuanesco,

> ... que no seréis
> sólos los que de hijos míos
> seáis abuelos y tíos,
> que con todos me veréis
> emparentar [15].

Y con insolencia que asienta las huellas del futuro Don Juan [16], Don Jorge rehúsa poner freno a sus lascivos deseos y licencioso proceder contra los aldeanos de Cubas, prometiendo ejecutar todo lo que dice, y rechazando igual que Don Juan, toda advertencia de justicia y castigo real:

> BERRUECO. Mira que al Emperador
> ofendes, y cuando venga,
> y destos agravios tenga
> noticia, ha de hacer, señor,
> el castigo que tu sabes,
> de su justicia y enojo.
>
> JORGE. Pocos consejos escojo,
> por más que el César alabes,
> pues cuando él volviese acá
> ya yo por diversos modos
> os tendré muertos a todos,
> y nadie se quejará [17].

Al averiguar que Mari Pascuala había sido llevada al monasterio y puesta bajo la tutela de la Santa, la impertinencia e irresponsabilidad del Comendador se convierte en atrevimiento sacrílego por cuanto su furor amenaza también en terreno sagrado:

> Cuando me llego a enojar
> no miro yo en santidades [18].

Y al ser informado falsamente por la envidiosa y ambiciosa Vicaria de que la Santa tiene alborotado todo el convento y a Mari Pascuala, Don Jorge ordena que quiten a la Santa de Abadesa, y jura que:

> ....
> Su eterno perseguidor

---

[15] Acto II, 1, p. 842.

[16] BLANCA DE LOS RÍOS vio acertadamente en Don Jorge de Aragón de *La Santa Juana* (segunda parte) y Don Guillén de Montalbán de *La dama del Olivar* dos señores feudalescos anticipos del Don Juan. Véase su «Preámbulo» citado, p. 732.

[17] Acto II, 1, p. 843.

[18] Acto II, 1, p. 844.

tengo de ser desde aquí.
Al convento voy [19].

Con esta amenaza y desafío Don Jorge traspasa, como hará Don Juan, el límite de su poder y pisa terreno sagrado, donde la conducta humana se juzga irrevocablemente por la rectitud moral y la responsabilidad personal. La vida del Comendador se entrelaza, pues, con las de la Santa y Mari Pascuala y de ellas dependerá el juicio final. La desenfrenada arrogancia del Comendador y la injusticia que de ello se desprende, alcanzan, pues, al monasterio de la Cruz mediante la ambiciosa Vicaria, la cual conspira en favor del Comendador [20] y en contra de la Santa, en contínua persecución y descrédito.

Mari Pascuala, que había experimentado un renacimiento espiritual con la tutela y presencia de la Santa y quiere quedarse en el monasterio para resistir las insinuaciones amorosas del Comendador, pierde su protección al quitársele a la Santa de Abadesa y se ve forzada a salir del convento y enfrentarse al Comendador:

> MARI. Pues ¿cómo? ¿No veis vos, madre,
>   que al lobo la oveja echáis?
>
> SANTA. No puedo más; la ocasión
>   suele dar fama notoria,
>   y Dios, por ver la vitoria
>   permite la tentación.
>   Si de vos misma salís
>   vitoriosa, buen padrino
>   os será el amor divino,
>   por cuyo amor combatís.
>   Yo haré por vos oración
>   a Dios [21].

Para Mari Pascuala la inminente confrontación con sus enemigos, ésta con la Vicaria y aquélla con el Comendador, adquiere más dramatismo y dimensión humana y consecuencia psicológica y espiritual, puesto que la lucha se despliega también dentro de sí mismas. El peligro y dificultades a que son sujetas aumentan a la par que crece la alevosía de Don Jorge y la envidia y ambición de la Vicaria. Sus firmezas de carácter y sus fortalezas espirituales, son puestas a prueba en la confrontación con los enemigos y consigo mismas. La humildad de la Santa ante la furia de la nueva Abadesa (la Vicaria) y su aceptación del castigo como allanamiento de su presunción y orgullo, agrandan su dimensión humana y cristiana y su fortaleza espiritual:

---

[19] Acto II, 2, p. 844.
[20] Acto II, 2, p. 844.
[21] Acto II, 3, p. 846.

ABADESA [VICARIA]. ....
ya se vengará mi envidia
desta hipócrita; contenta
voy en extremo. ¡Oh que vida
la pienso dar! No habrá afrenta,
castigo ni menosprecio
que no he de probar con ella [22].

SANTA. A fe, Juana, que os conocen;
alegre estoy de que os tengan
por lo que sois; desta vez
nadie os juzgará por buena.
Quien tal hace, que tal pague [23];
pagad, Juana, vuestras deudas,
que, pues, todos os persiguen
a todos hacéis ofensa [24].

La promesa de Mari Pascuala, al salir del convento, de apagar sus pasiones y resistir los asaltos amorosos de Don Jorge y peregrinar en terreno espiritual para no ofender a Dios «que cobrará con rigor / si no paga la deudora» [25] se ve sacudida en su encuentro con el Comendador:

MARI. A Don Jorge quiere bien;
pero ya en ceniza fría
sus torpes brasas se ven.
¡Ay Cielos!, ¡éste es!

....

¡Ay, confianza habladora!

....

Prometí de no ofender
a Dios...

....

¿Estas las cenizas son
frías? Mas dejó una brasa
escondida la afición,
y quemaráse la casa,
porque sopla la ocasión [26].

La resolución espiritual de Mari Pascuala sucumbe ante la alevosía don-juanesca del Comendador, que con prepotencia caballeresca y perversidad moral abusa de ella y tiraniza su persona:

JORGE. Echa, con la maldición
esta mujer, en quien veo

---

[22] Acto II, 7, p. 850.
[23] Este verso en boca de la Santa se convierte en *El Burlador* en juicio profético cuando Don Gonzalo le declara a Don Juan su condenación: «'Esta es justicia de Dios: / quien tal hace que tal pague'», TIRSO DE MOLINA, *El burlador de Sevilla*, Acto III, 20, en *Obras dramáticas completas*, ed. cit., p. 684.
[24] Acto II, 8, p. 850.
[25] Acto II, 10, p. 851.
[26] Acto II, 10, pp. 851-852.

> que es la esperanza y deseo
> mejor que la posesión [27].
> ¡Que lo que pretendí tanto,
> tánto me llegue a enfadar! [28].

Privada de su pureza física y de su honor e integridad personales, Mari Pascuala, embebida en un desesperado dolor personal y vacío existencial, lanza un feroz grito satírico contra la nobleza española con que se asienta el tema socio-moral y político en las obras de Tirso y se inicia la creación del ambiente en el que opera la figura de Don Juan:

> MARI. ¿Aquesto es ser caballero?
> ¿En esta nobleza estriba
> el valor que España ensalza
> y estimaron mis desdichas?
> ....
> ¿Esto es ser hombre, de quienes
> tantas virtudes se afirman,
> tantas noblezas se alaban,
> tanta firmeza publican?
> Si así los hombres son que España cría,
> ¡mal haya la mujer que en hombres fía! [29].

Sin esperanza de vengarse, ni de justicia personal o convencional —lo cual presagia la corrupción e impotencia de la justicia en *El Burlador*—

---

[27] Esta reacción de Don Jorge después de gozar a Mari Pascuala, es indiscutiblemente semejante a la de Don Guillén de *La dama del Olivar* al gozar a Laurencia lo cual certifica la dramaturgia de Tirso:

> GUILLÉN. Échala de aquí, Gallardo.
> ¡Jesús, y que mala cosa!
> Juzgábala antes hermosa;
> ya morir, viéndola aguardo.
>
> (Acto II, 7, p. 1195)

Como indica Doña Blanca de los Ríos en su «Preámbulo» a la trilogía de *La Santa Juana*, esta escena se repite también en *La venganza de Tamar* de donde derivan. Véase pp. 732-733.

[28] Acto II, 12, p. 852.

[29] Acto II, 14, p. 853. Este desesperado grito satírico que lanza Mari Pascuala tiene su equivalente en *El Burlador* cuando Aminta lamenta también la falta de virtud y honor personal de la nobleza:

> AMINTA. ¿Dí, que caballero es este
> que de mi esposo me priva?
> La desvergüenza en España
> se ha vuelto caballería.
>
> (Acto III, 4, vol. II, p. 685)

Con esto se establece un evidente lazo entre las dos obras, así como la condición y situación de donde surge y opera el Don Juan. La maldición« mal haya mujer que en hombre fía» que Mari Pascuala evoca tres veces se repite también tres veces en *¿Tan largo me lo fiáis?* y en *El Burlador*, lo cual evidencia la mano de Tirso. Sobre esto véase BLANCA DE LOS RÍOS, «Preámbulo» citado, pp. 740 y ss.

Mari Pascuala lanza otro saetazo satírico mientras apela de su agravio a la justicia divina:

> MARI. ....
> ¿Cómo, Cielos rigurosos,
> si es verdad que la justicia
> desterrada de la tierra
> vuestro tribunal habita,
> no castigáis este ingrato
> pues no valen allá arriba
> las dádivas ni el poder
> que tantas varas derriban?
> Justicia os pide mi agravio
> de un traidor que famas quita [30].

La violación y abuso sufridos por Mari Pascuala de manos del Comendador, lleva consigo, además del deshonor personal, una caída espiritual, puesto que había prometido vencer sus pasiones y resistir a Don Jorge. El vacío y la angustia espiritual que siente Mari Pascuala le llevan a examinar su vida y existencia:

> MARI. ....
> ¿Tendrán perdón mis pecados?
> No; que es la ofensa infinita.
> ¿No puede Dios perdonarme
> si le llamo, arrepentida?
> Sí, puede, mas no querrá;
>
> ....
> Pues ¿quitaréme la vida?
> Sí, que ya estoy condenada,

---

[30] Acto II, 14, p. 853. Para poner una vez más de manifiesto el lazo entre este drama y *El Burlador*, compárese el citado discurso de Mari Pascuala con el de Don Diego, padre de Don Juan:

> DON DIEGO. ....
> ¿En Palacio Real
> traición, y con un amigo?
> Traidor, Dios te dé el castigo.
>
> ....
> y que castigo ha de haber
> para los que profanáis
> su nombre, que es fuerte
> Dios en la muerte.
> (Acto II, 11, vol. II, p. 658)

Que la justicia divina se cumplirá irrevocablemente, lo había declarado también Mari Pascuala, si bien refiriéndose a sí misma, con análoga expresión:

> MARI. ....
> Y Dios severo acreedor
> que cobrará con rigor
> si no paga la deudora.
> (Acto II, 10, p. 851)

> y el Ángel que en compañía
> y guarda el Cielo me dio
> me ha dejado, porque escrita
> ha visto ya mi sentencia,
> por mi mal, definitiva [31].

Este examen que Mari Pascuala hace de su vida, le lleva a la errónea conclusión de que está ya irrevocablemente condenada, —y así preludia Tirso el tema de la desesperación de Paulo en *El Condenado*— [32] y recurre al suicidio, intentando ahorcarse. La intervención sobrenatural de la Santa le detiene y le reprocha su desconfianza en la misericordia de Dios. Arrepentida, Mari Pascuala hace voto de hacerse monja, recobrando la esperanza en la misericordia divina.

Si el deshonor sufrido por Mari Pascuala de manos de Don Jorge la empuja para su venganza y justicia a la apelación divina y a la desesperación espiritual, los abusos que impone la Vicaria a la Santa llevan a ésta, en contraste con ello, a aceptarlos como justa prueba para allanar su orgullo y fama de santa:

> SANTA.   Presa estoy por mi Abadesa,
>   y en esta celda reclusa,
>   que, a quien tan mal del bien usa,
>   justo es que la tengan presa.
>   Castigado el loco asesa;
>   el contento me provoca
>   desta pena que, aunque es poca,
>   los que me reverenciaban
>   y «la santa» me llamaban
>   ya me llamarán «la loca» [33].

---

[31] Acto II, 14, p. 854.

[32] Compárese este discurso de Mari Pascuala con el diálogo entre Enrico y Paulo de *El Condenado:*

> ENRICO.   Aunque malo, confianza
>   tengo en Dios.
>
> PAULO.   Yo no la tengo
>   cuando son mis culpas tantas.
>   Muy desconfiado soy.
>
> ENRICO.   Aquesta desconfianza
>   te tiene de condenar.
>
> PAULO.   Ya lo estoy; no importa nada.
>   ¡Ah Enrico! Nunca nacieras.
>   (Acto II, 17, vol. II, p. 487)

Sobre el parentesco de la trilogía de *La Santa Juana* con *El Condenado, El Burlador* y otras obras de Tirso de Molina, véase BLANCA DE LOS RÍOS, «Preámbulo» al *Condenado por desconfiado* en su edición citada, vol. II, pp. 448-453.

[33] Acto III, 1, p. 855. ¿Quería aludir Tirso a la Reina Juana la loca, madre del Emperador Carlos V y esposa de Felipe el Hermoso? Sabido es que la Reina Juana, hija de los Reyes Católicos, fue recluida por «loca» en Tordesillas por su esposo e hijo.

Al contrario que Mari Pascuala, la Santa no pide venganza ni justicia para su perseguidora, sino que muestra gratitud por el bien que de su castigo cobra. Y en escena sobrenatural, cuando el Niño Jesús le informa de que la Vicaria está moribunda y que por perseguirla «con castigo inmortal / lo ha de pagar» [34], la Santa, en gesto de verdadera enseñanza cristiana, devuelve bien por mal e intercede por su alma:

> SANTA. No es paga esa
> digna del bien que confiesa
> mi alma haber recibido
> por su causa, que si he sido,
> mi Dios, presa y castigada,
> soy mala, y es mi Prelada,
> bien lo tengo merecido.
> Habéisla de dar perdón
> por mi ruego, Esposo santo;
> dalda doloroso llanto
> y muera con contrición [35].

La intercesión de la Santa por la salud eterna de la Vicaria atestigua tanto la doctrina católica sobre la utilidad, mérito y milagros de los santos y de las indulgencias («y en estas cuentas benditas / espera [Mari Pascuala], que Dios en ellas / tus cargos y cuentas libra») [36], que los reformistas negaban, como la naturaleza y función de la gracia divina en la disposición del libre albedrío del hombre. Gracias a la intercesión de la Santa, ignorada por la Vicaria, ésta experimenta un verdadero dolor interior, una verdadera contrición, claro efecto de la gracia, que convierte su envidia en caridad y temor y la lleva a un sincero arrepentimiento:

> MARI. Muestras de extraño dolor
> tiene [la Vicaria].
>
> SANTA.   Gracias al Señor,
> que su pecho ha vuelto tierno [37].

La gracia que la Vicaria recibe por intercesión de la Santa es, como es notorio, eficacísima, anterior y gratuita, puesto que hace que la Vicaria llegue a la contrición y penitencia, y a la gloria, sin ninguna otra prueba e iniciativa por parte suya:

> SANTA. Hijas: demos muchas gracias
> a mi soberano Esposo,
> pues goza nuestra prelada
> de su presencia divina
> en su celestial alcázar [38].

---

[34] Acto III, 2, p. 857.
[35] Acto III, 2, p. 857.
[36] Acto II, 15, p. 854.
[37] Acto III, 3, p. 858.
[38] Acto III, 13, p. 863.

La repentina contrición de la Vicaria, cuyo proceso no se dramatiza en escena, pues todo ello es relatado, estaría exento de valor y unidad dramáticas y temáticas si no sirviera como preludio y preparación para la conversión de Don Jorge, aliado de la Vicaria en las persecuciones contra la Santa y Mari Pascuala, el cual amenaza otra vez la pureza física y la salud espiritual de Mari Pascuala y la profanación del monasterio:

MARI.   ....
           Mas de Don Jorge recelo
           porque de nuevo porfía
           a perseguirme después
           que sabe que monja soy;
           temo mi flaqueza, que es,
           al fin, de mujer [39].

La caridad de la Santa y su preocupación por las almas débiles y pecadoras, se extienden también a Don Jorge, el cual no fue menos perseguidor que la Vicaria: «yo he de dar bien por mal / si fue mi perseguidor» [40]:

SANTA.   ....
           ha de volverse este día
           en devota pena y llanto.
           Don Jorge ha de ser un santo.

MARI.   Pedildo a Dios, madre mía [41].

Don Jorge, en su obstinación sacrílega de gozar otra vez a Mari Pascuala, hace llegar a manos de ésta una cesta de fruta —tentación bíblica— con una carta, en que le comunica que la piensa arrancar del monasterio [42]. Esto reenciende sus pasiones, las cuales sacuden su estado psicológico y moral y ponen en peligro otra vez su salud espiritual:

MARI.   ....
           ¿Otra vez el corazón
           rendís, mudanzas livianas?

           ....
           ¿Persuadiréme y creeré
           que Don Jorge pagará
           segundas prendas de amor
           con promesas lisonjeras,
           si despreció las primeras,
           de más estima y valor?
           No; mejor es excusar
           el rigor de la justicia
           de Dios. Mas ¿no soy novicia?
           Segura puedo dejar
           el hábito... [43].

---

[39] Acto III, 3, p. 858.
[40] Acto III, 3, p. 858.
[41] Acto III, 3, p. 858.
[42] Acto III, 6, p. 859.
[43] Acto III, 6, p. 859.

Esta lucha interior, que clama por la ayuda de la Santa, «Amparadme, Juana, vos» [44], se convierte en viva lucha, dramática y de gran transcendencia, en Don Jorge. Éste en el momento de asaltar el convento para arrebatar a Mari Pascuala, tiene por primera vez en sentimiento de temor interior y una duda sobre lo que está a punto de emprender:

> JORGE. ....
> ¿Qué me acobarda?
> No está la pared muy alta
> para las alas de amor;
> pero no, que si es traidor
> quien del Rey la casa asalta,
> ¿Qué será quien la de Dios
> quiere escalar?

Este temor, primer desvelo moral del libertino Comendador, que sacude su personalidad, es excusado, erróneamente, en el mismo soliloquio, como hará luego Don Juan que racionaliza su miedo y la amenaza divina después de la visita de Don Gonzalo de Ullóa, como un eclipse de amor:

> mas dejemos,
> alma, temores y extremos,
> porque no digan de vos
> que amáis poco. Alto, cuidados,
> subid, que no hay que esperar [45].

«No hay que esperar», palabras irónicamente proféticas para el «tan largo me lo fiáis» del Burlador.

El asalto al convento es momentáneamente interrumpido por un discurso-diálogo, entre sueños, de Lillo, oculto para Don Jorge, que le hace reflexionar más sobre su inminente acción: «Quién mi daño pronostica» [46]. Su conciencia empieza a hacer sentir su peso. Pero tan ardientes son sus lascivos deseos, que porfía en seguir sus pasiones y arriesgarse al fuego infernal:

---

[44] Acto III, 6, p. 859.
[45] Acto III, 8, p. 860. Compárese este soliloquio con el de Don Juan:
> ¡Válgame Dios! Todo el cuerpo
> se ha bañado de un sudor,
>
> ....
> Pero todas son ideas
> que da la imaginación:
> el temor y temer muertos
> es más villano temor,
>
> ....
> Mañana iré a la capilla
> donde convidado soy,
> porque se admire y espante
> Sevilla de mi valor.
>   (Acto III, 15, vol. II, p. 678)
[46] Acto III, 8, p. 860.

> JORGE.   Déjame gozar
> a Pascuala, y venga luego
> los que en el eterno fuego
> se abrasan [47].

Su habitual prepotencia, apetito carnal y su atrevimiento no siguen, como antes, incontestados, aunque tampoco arredran su recién despertado temor, el cual en vez de apagarse, al averiguar que las voces amenazadoras, aunque proféticas, eran nada más que barbulladas de su emborrachado criado, le inquietan aún más:

> JORGE.   Lillo es, por Dios, que, dormido
> mi amor ha puesto en cuidado,
> pues todo lo que ha soñado
> de mi mal presagio ha sido.
> Aumentado ha mi temor
> por lo que durmiendo acierta [48].

Este desvelo psicológico humano tiene su correspondiente consecuencia moral. Don Jorge es llamado a considerar la rectitud de su inminente acción. La responsabilidad (o irresponsabilidad) de su acción, pasa de un plano pasional, social y político que él controla y abusa a voluntad, a un plano moral, que inevitablemente mide y acredita (o desacredita) tal acción. También lucha en su interior Mari Pascuala que, en el otro lado de la pared del convento, se esfuerza en mantener su rectitud moral y su salud espiritual, invocando la ayuda de la Santa para poder resistir a Don Jorge; éste, por su parte, se obstina en hacer precisamente lo contrario y, presagiando otra vez al Burlador, clama, también en un soliloquio, en demanda de ayuda al amor:

> JORGE.   Las monjas que con Pascuala
> están, no pondrán en duda
> mis violentos pareceres,
> que huirán como mujeres
> viendo una espada desnuda.
> *Mal hago; pero al fin sigo*
> *mi inclinación; della espero*
> *mi contento; subir quiero.*
> *Amor: venid en mi ayuda* [49].

Este soliloquio, por su sentimiento de furor romántico, por la palpitación existencial, por la gravitación cósmica y la tragedia que potencialmente encubre, emparenta a Don Jorge con Don Juan en quien la tragedia se derrama y alcanza, con estrepitosa fuerza y belleza dramática, su fulgurante conclusión [50].

---

[47] Acto III, 8, p. 861.
[48] Acto III, 8, p. 861.
[49] Acto III, 9, p. 861.
[50] Compárese el soliloquio citado de Don Jorge con el de Don Juan antes de ir a la cabaña de Aminta:

Para Don Jorge «ha de volverse este día / en devota pena y llanto», según ha prometido la Santa, lo cual, le servirá para salvarse de las penas eternas. Al asaltar otra vez el convento se le aparece la Santa a cuya «voz se retira y estremécese, temeroso de lo que dice:»

> SANTA.   Don Jorge: ¿dónde vas? ¿Qué es lo que intenta
> tu juventud liviana?
> Ten cuenta que mañana has de dar cuenta
> a Dios, severo Juez, y que mañana
> te espera, cuando todos te hacen cargo,
> larga cuenta que dar de tiempo largo [51].

La intervención divina representada en el teatro de Tirso el momento clave en el despliegue personal del individuo; ella determina la personalidad de cada personaje y decide sobre su destino, sin dejar de establecer o reestablecer el orden moral que Dios ha conferido al mundo y al hombre ya que por ello ha sacrificado a su Hijo. La humanación de Cristo, se personifica en la Santa Juana que, en dolorosas llagas y gran caridad, se une y se identifica en escena de gran belleza afectiva y trascendencia alegórica con Cristo [52] y por cuya intercesión se salva Don Jorge y adquiere sentido y unidad moral la obra:

> SANTA.   ....
> Pero Esposo de mi vida,
> no es hoy día de negar nada;
> Don Jorge se está acabando
> no permitáis que su alma
> se condene.
>
> CRISTO.   Ya murió,
> y por amor de ti, Juana,
> padece en Purgatorio [53].

Con la advertencia que la Santa hace a Don Jorge en el momento en que éste se obstina en escalar el convento, llega su momento decisivo. ¿Hará caso a la Santa o excusará su advertencia en aras de otro eclipse

> DON JUAN.   ....
> gozarla esta noche espero;
> la noche camina, y quiero
> su viejo padre llamar.
> *Estrellas que me alumbráis,*
> *dadme en este engaño suerte*
> *si el galardón en la muerte*
> *tan largo me lo guardáis.*
> (Acto III, 3, vol. II, p. 667)

Lo subrayado es mío.
[51] Acto III, 10, p. 861.
[52] Acto III, 17, p. 864.
[53] Acto III, 17, p. 864.

de amor, o de «ideas que da la imaginación» que desviarán a Don Juan
a rebeldía satánica? Hasta aquí las semejanzas de Don Jorge con el Burlador. La reacción de Don Jorge ante la advertencia de la Santa es un
profundo y asombroso reflexionar sobre su vida pasada, yuxtapuesta a
una nueva visión de la vida —su existencia— que de repente se despliega
ante él en tiempo y espacio, no como algo aislado y exclusivamente suyo,
sino regido por Dios y pendiente de Él:

> JORGE. ¿Larga cuenta que dar de tiempo largo?
> ¿Y hasta mañana vivo?
> ¿Tan corto el plazo, tan probado el cargo?
> ¿Tan poco el gasto de tan gran recibo,
> y que me aguarda, cuando más vicioso,
> término breve, tránsito forzoso?
> Alma: ¿sois de diamante?, ¿sois de piedra?
> Si en la muerte el gusano
> de Jonás, que la vida como hiedra
> derriba, ¿qué esperáis, intento vano,
> si mañana he de ver a lo más largo
> terrible tribunal, juicio amargo? [54].

Su vida libertina y profana se presenta de repente ante Don Jorge cargada de sentido religioso y transcendencia y, claro está, de retribuciones
morales que reclaman pronta satisfacción. La misma premura que Don
Jorge había puesto en su libertino y sacrílego proceder para gozar a Mari
Pascuala, «alto, cuidados, / subid, que no hay que esperar», tiene aquí
aplicación ahora, pero con sentido y consecuencia totalmente distintos.
En efecto, para el mudado y reflexivo libertino «no hay que esperar»,
si quiere evitar el castigo infernal:

> JORGE. ....
> ¿Qué espera, pues, un alma tan perdida?
> Sin juicio viví, pues el juicio
> no temí...
> ....
> Todos son contra mí, todo me culpa;
> no tengo cosa buena
> que poder alegar en mi disculpa,
> ni vale aquí el favor contra la pena,
> porque es en tribunal tan espantoso
> recto el Juez, y entonces riguroso.
> Pues, alma demos vuelta; si hasta agora
> de vicio sois trasumpto
> que Dios perdona al pecador que llora;
> no perdáis punto, porque en sólo un punto
> ganaréis si lloráis contrito y tierno [55].

Este cambio radical que ha experimentado Don Jorge por efecto de la

---

[54] Acto III, 11, pp. 861-862.
[55] Acto III, 11, p. 862.

gracia, ha conferido lucidez, carga y responsabilidad moral a su persona. El libertino Comendador se siente ya ante el final de su existencia, donde es preciso desnudarse de su pasado mundano para poder entrar en lo eterno sagrado:

> JORGE. ....
> Alma: en tu mano está, o el premio eterno
> o el penar para siempre en el infierno [56].

Tirso de Molina dramatiza, pues, el momento sumo, crítico, del drama humano, cuando por infusión de la gracia, el hombre toma conciencia de su verdadera condición y existencia, y su correspondiente nexo con el absoluto eterno, y como consecuencia de ello y de acuerdo con su libre albedrío, es llamado a acreditar su vida. Don Jorge la acredita, como han hecho la Vicaria y Mari Pascuala, con un verdadero sentido de arrepentimiento y remisión a la misericordia y bondad divina:

> JORGE. ....
> Por un 'pequé' perdona de improviso
> Dios al salmista hebreo [57].

Ante el vestíbulo de la eternidad, Don Jorge se siente, pues, totalmente diferente que antes (efecto de la gracia) y como consecuencia de tal transformación, es capaz de recurrir, en amplio sentido cristiano, en demanda de perdón y ayuda, a la que había perseguido:

> JORGE. Mortal estoy, yo siento que me muero.
> Juana: si quien os ha cual yo ofendido
> merece que por vos perdón alcance,
> imitad vuestro eterno y santo Esposo,
> que por sus enemigos a su Padre
> rogó en la cruz; pedilde que no muera
> sin dolor perfecto de mis culpas;
> no permitáis que para siempre pene,
> ni permitáis que mi alma se condene [58].

El mercedario nos hace ver una y otra vez el extraordinario efecto que la gracia divina obra en el hombre. La personalidad de Don Jorge se transforma precisamente con la infusión de la gracia. Su arrogancia y prepotencia de antes, que lo asemejan a Don Juan en alevosía e impío atrevimiento, se desvanecen con asombro y desconcierto primero, y con serena reflexión después: por ello puede romper con su condición prístina y reordenar su vida según un sentido moral y fin sobrenatural. El nuevo ser y proceder y la humildad de Don Jorge, que lo asemejan ahora a Enrico, y que lo han de salvar del tormento eterno, contrastan

---

[56] Acto III, 11, p. 862.
[57] Acto III, 11, p. 862.
[58] Acto III, 12, p. 862.

radicalmente con su proceder anterior, que causa duda en la mente de Lillo, su criado, si está sirviendo al mismo dueño:

> LILLO.   ¿Tú eres Don Jorge?
>
> JORGE.   Soy mortal, que basta [59].

«Soy mortal, que basta», ¡palabras proféticamente trágicas para el futuro Don Juan! La temática del teatro religioso de Tirso es la trayectoria, el drama, en la conciencia del personaje, de esas cuatro palabras. El cobrar aviso de que él, Don Jorge, el hombre, es en última instancia mortal, hace que cambie su modo de ser en verdadero arrepentimiento y en proceder moral. El desdoblamiento de la personalidad de Don Jorge tendrá su plena dramatización en Don Juan, que se obstina en desafiar a lo eterno, y en Enrico que, como el Don Jorge posterior, accederá al reconocimiento de sus culpas y de su condición de mortal. Don Jorge, pues, reconociendo que tiene «larga cuenta que dar de tiempo largo» y que «mañana pagaré el común tributo» [60] se dirige humilde y penitente a la Santa, para implorar su intercesión.

Con la conversión de Don Jorge nuestro autor dramatiza y reestablece el nexo del hombre y del mundo con un orden moral regido por Dios y pendiente de Él. El hombre puede transgredir impunemente, nos hace ver Tirso, un orden social-mundano y hasta puede manipular y escapar de su justicia en cuanto temporal, pero no puede evitar su consecuencia ultramundana o sea la confrontación con la justicia eterna hacia la cual el hombre está inevitable e irrevocablemente dirigido:

> CARLOS QUINTO.   A no atajalle la muerte
>   vuestras injurias vengara [61].

Lo mundano, pues, está siempre sujeto a lo eterno y regido por ello, de ahí que la aparición de lo sobrenatural en el drama no sea un capricho o un mero recurso dramático del autor, sino que causa y da unidad, sentido y orden a la obra [62]. El drama termina presentando al Emperador Carlos V en reverencia ante la aparición milagrosa de la Santa con Jesucristo, con lo cual se une y entrelaza lo humano a lo divino y por lo cual es redimible el hombre:

---

[59] Acto III, 12, p. 862.

[60] Acto III, 12, p. 862.

[61] Acto III, 20, p. 865.

[62] Visto de este modo el aparente contraste o desconexión entre el tema marcadamente profano y el sagrado, lejos de chocar, explica y da unidad y transcendencia dramática a la obra: «... plus qu'une juxtaposition du profane et du sacré, c'est leur intime fusion qu'il [Tirso] réalise dan son théâtre», SERGE MAUREL, op. cit., p. 264.

MONJA. ....
En manos, pies y costado
impresas tiene las llagas
de su soberano Esposo,
en quien está transformada [63].

Dentro del orden cristiano, la verdad, su doctrina, es, en el teatro de Tirso, indispensable para la salvación del hombre. Las herejías protestantes implicaban para Tirso, como para todo católico postridentino, un desvío doctrinal de graves consecuencias para los destinos nacionales, institucionales y, lo que es más importante, para los individuales. Mucho hubo de preocupar e inquietar a nuestro mercedario la expansión tanto política como religiosa de las herejías. Además, su avance afectó directamente a la Orden de la Merced cuando hacia el año de 1590 la secta calvanista hugonote aceleró su marcha tomando varios monasterios mercedarios en Francia. Años más tarde y todavía con vivo dolor, anotará Tirso de Molina este secho en su *Historia de la Orden de Nuestra Señora de las Mercedes* [64]. No sorprende, pues, que nuestro fraile viera el problema de las herejías como realidad dramática y dramatizable por lo que ello implicaba para el destino del hombre.

En la primera parte de *La Santa Juana*, Tirso ya había introducido el tema de las herejías con la profecía que la Santa hace al Emperador Carlos V de que vencería al Duque Juan Federico de Sajonia, «pervertido con la seta / de Lutero, cual él falsa» [65]. En esta segunda parte de *La Santa Juana*, la profecía adquiere más realidad y concreción en tiempo y espacio, puesto que se nos presenta al Emperador, al principio de la comedia, pidiendo la bendición de la Santa precisamente para emprender esa campaña militar-religiosa y política, y reverenciarla al final del drama, lo cual supone su regreso. La continuación del tema de las herejías en esta segunda parte es más palpable y directa en su exposición, tanto que es un poco recargada, pero no desconectada del conjunto en su función temática y dramática. Tirso dedica toda la escena primera, 189 versos, larguísima por el influjo dramático que ejercerá en la obra, a la expansión de la herejía luterana, lo cual atestigua tanto su preocu-

---

[63] Acto III, 21, p. 865.

[64] «...El padre maestro fray Juan de Aubespin, vicario prouincial de Francia, en el cappítulo próximo passado de Calatayut [1593] afirmó a toda la congregación capitular, no con pocas y lastimosas lágrimas de los oyentes, acerca de la destruición que en aquel —antiguamente— reyno cristianíssimo, hicieron los descomulgados hugonotes, cauiéndole la mayor parte de esta calamidad a nuestra religión...

En efecto... executaron su frenética passión en nuestros monasterios asolándolos casi todos y martirizando los más de nuestros frayles...», TIRSO DE MOLINA, *Historia General de la Orden de Nuestra Señora de las Mercedes*, ed. cit., vol. II, p. 207. Tirso enumera varios monasterios mercedarios franceses y los daños sufridos en manos de los hugonotes. Entre ellos cuentan el de Cahors, Carcasona y Montpelier. Véase p. 208.

[65] Acto III, 20, p. 822.

pación por el asunto como la importancia en su teatro. En esta primera escena, pues, el Ángel de la Guarda nos revela la inquietud de la Santa por el avance y la amenaza luteranos:

> ÁNGEL.   ....
>   Lloras el ver que tanto cáncer pase
>   tan adelante y su infernal blasfemia
>   que lo mejor de vuestra Europa abrase.
>   El católico Rey de Bohemia
>   la verdadera ley de Dios destierra,
>   y al apóstata falso sirva y premia.
>   Flandes le sigue ya, y Inglaterra
>   sus desatinos tiene por ganancia,
>   desamparando a Dios su gente y tierra.
>   Polonia, Hungría y la cristiana Francia
>   frenéticas aprueban los errores
>   que el vicio trajo al mundo y la ignorancia;
>   por eso lloras, y es razón que llores
>   pérdida tan notable [66].

Para consuelo de la Santa, le revela el Ángel en visión profética, como para refrenar y contrarrestar la expansión protestante, la catolización del Nuevo Mundo por Hernán Cortés y la defensa del catolicismo por Carlos V y Felipe II: «Aquí la cristiandad está segura» [67]. Pero la preocupación de Tirso va más allá de lo estrictamente geográfico-político. La herejía es de más importancia y transcendencia, cuando se trata del valor del dogma mismo. Es la negación protestante del valor sobrenatural de las indulgencias, lo que Tirso combate en esta segunda parte:

> ÁNGEL.   ....
>   enjuga, pues, el llanto y desconsuelo,
>   pues que tan dilatada, Juana, has visto
>   la ley divina, que respeta el Cielo,
>   que si el Sajón, apóstata anticristo,
>   *la potestad del Cielo a Roma niega,*
>   *y a quien es en su silla Vice-Cristo,*
>   *y con malicia y pertinacia ciega*
>   *las indulgencias de las cuentas santas*
>   *contradice* y blasfemias loco alega,
>   por eso Dios ha dado gracias tantas
>   a las sagradas cuentas que su Hijo
>   te dio, con que su ceguedad quebrantas;
>   para contradecirle las bendijo [68].

La intención de Tirso estriba, como demuestra el pasaje, en dejar asentado en contra de las aserciones reformistas, que las indulgencias otorgadas por la Santa Sede, tal como se dramatizó en la primera parte [69],

---

[66] Acto I, 1, pp. 825-826.
[67] Acto I, 1, p. 827.
[68] Acto I, 1, p. 827.
[69] Acto III, 23, pp. 823-824.

llevan poder sobrenatural. Si el «Sajón, apóstata anticristo / ...las indulgencias de las cuentas santas / contradice», el drama se propone mostrar que Dios, para contradecir tal herejía «ha dado gracias tantas / a las sagradas cuentas», que la Santa Juana las dispensará para la salud de las almas pecadoras. Pero esta diatriba y defensa del dogma de las indulgencias ¿tiene alguna relación temática y alguna función dramática con la obra o es una intercalación caprichosa y sermonal del mercedario? La primera escena de la obra, que trata exclusivamente del problema de la herejía luterana, por su larguísima extensión, por su tono fuerte y sermonal y por su recargado contenido doctrinal, puede aparecer a primera vista como inconexa con el tema marcadamente profano que sigue con la introducción del lascivo y libertino Don Jorge. Pese a su aparente desconexión, esta primera escena doctrinal, además de continuar el tema de las indulgencias de la primera parte —en la última escena de la primera parte Jesucristo bendice en escena las cuentas de las monjas— y de anunciar temáticamente la llegada del Emperador al monasterio de la Cruz, pues viene a pedir bendición para su campaña militar contra los herejes alemanes, y cuya visita ocasiona la precipitación de la acción del drama con la presencia del libertino Don Jorge, tiene una conexión más profunda y abarcadora que rige y controla la acción del drama y da unidad y sentido a la obra. Este es el aspecto sobrenatural que se desprende de ella, es decir, la gracia sobrenatural que llevan consigo las indulgencias. En la cuarta escena del segundo acto, por ejemplo, el Ángel en conversación con la Santa y también en largo parlamento (97 versos) enumera las virtudes sobrenaturales de las indulgencias que la Santa había recibido en la primera parte y cuyo valor era negado por los reformadores:

ÁNGEL. ....
Las virtudes de los Agnus
que el Vice-Dios en la tierra
concede, *esas mismas dio
Cristo,* tu Esposo, *a tus cuentas.*
Gracia de sacar demonios;
*contra tempestades fieras;
contra enfermedades varias;
contra tentaciones ciegas,*
y otros muchos privilegios
que son sin número y cuenta
....
Todas estas maravillas
ha de hacer Dios, porque entiendan
lo mucho que te ama, Juana [70].

Esta insistencia de Tirso en el asunto de las indulgencias y el cuidado que pone en precisar, como hemos visto en la primera parte, la virtud

_____

[70] Acto II, 4, pp. 847-848.

que tienen, confirma claramente su intención de defender y reafirmar con Trento, no sólo su valor, sino la potestad del papa para concederlas.

La enumeración de sus virtudes y la dispensación posterior [71] de ellas por la Santa, establecen el nexo temático y dramático que regirá el destino último de los protagonistas y con ello dará unidad y sentido al drama. Veamos. La violación de Mari Pascuala y su subsiguiente desprecio por parte de Don Jorge le causan un estado de desesperación que la llevan al precipicio del suicidio:

MARI. ....
Matad, pues, cuerda, una loca
desesperada y precita [72].

En el momento del suicidio, interviene la Santa e interrumpiendo su sacrílego intento le da unas cuentas (indulgencias) para remediar su desesperación:

SANTA. ....
y en estas cuentas benditas
espera, que Dios en ellas
tus cargas y cuentas libra [73].

Si la intervención de la Santa salva la vida corporal de Mari Pascuala, las «cuentas benditas» le prometen su resurrección espiritual y la guardan «contra tentaciones ciegas»:

MARI.   ¡Oh mil veces santas cuentas;
milagrosa medicina
de precipitadas almas!
Por vosotras reducida
confieso y tengo por fe
que a un «pequé» del alma, olvida
Dios infinitas ofensas.

....
Juana: por vuestra oración
me ha dado el Cielo dos vidas,
la del alma y la del cuerpo [74].

En efecto, el renacimiento espiritual de Mari Pascuala hace que entre en el monasterio para hacerse monja, lo cual despierta de nuevo en la voluntad de Don Jorge sus lascivos deseos de gozarla otra vez. Pero, en vez de clamar venganza, pide a la Santa que mude «las tentaciones ciegas» de Don Jorge:

---

[71] En la primera parte, la Santa ya había dispensado la «de sacar demonios» cuando exorciza a la hija de Gil, su ahijado. Véase, Acto II, 10, pp. 814-816.
[72] Acto II, 14, p. 854.
[73] Acto II, 15, p. 854.
[74] Acto II, 16, p. 854.

> SANTA.   yo os doy
>   palabra que el interés
>   de su torpe amor, María,
>   ha de volver este día
>   en devota pena y llanto.
>
> MARI.   Pedildo a Dios, madre mía [75].

Y que la proteja a ella de las tentaciones carnales:

> Amparadme, Juana, vos [76].

Las «mil veces santas cuentas; / milagrosa medicina / de precipitadas almas» que llevaron a Mari Pascuala al arrepentimiento, convertirán, en virtud de su amor y petición, al libertino Comendador:

> JORGE.   ....
>   Pues, alma, demos vuelta; si hasta agora
>   de vicios sois trasumpto,
>   que Dios perdona al pecador que llora [77].

Y en virtud de las «cuentas benditas» podrá aliviar Mari Pascuala los cargos y cuentas de sus pecados, haciendo valer las cuentas benditas, en oración, por la salvación de Don Jorge:

> MARI.   ....
>   Don Jorge se está muriendo;
>   quísele bien, madre amada,
>   sentiré que se condene
>   por mí, que he sido la causa
>   de los desatinos suyos.
>
> SANTA.   ....
>   lloremos todas, que alcanzan
>   las lágrimas cuanto pueden,
>   Todas al coro se vayan
>   a rogar a Dios por él [78].

Lo doctrinal de la primera escena, pues, si bien recargado y episódico, no está desconectado e independiente respecto al resto de la obra. Allí se contiene el artificio y la temática por los cuales se introduce el tema mundano-profano, con Don Jorge, que precipitará la acción dramática, y contiene también el tema sobrenatural (gracia-indulgencia), que rige y entrelaza el destino último de los protagonistas [79]. Las herejías

---

[75] Acto III, 3, p. 858.
[76] Acto III, 6, p. 859.
[77] Acto III, 11, p. 862.
[78] Acto III, 14, p. 863.
[79] Sobre el tema de la conexión y estructura de lo profano y lo sagrado en la trilogía de *La Santa Juana*, véase SERGE MAUREL, *op. cit.*, pp. 311-321.

y los dogmas que afectan a la acción dramática funcionan como fondo y son elementos integrantes de las comedias de Tirso.

La Iglesia y los concilios —Trento en nuestro caso— se limitan tan sólo a declarar los dogmas que han de regir la Iglesia, por ejemplo, la idea de que el hombre está dotado real y verdaderamente de libre albedrío en contra de Lutero [80]. Ni la Iglesia ni los concilios dictaminan sobre el modo como esto sucede en el hombre. La concordancia entre la gracia divina y el libre aldebrío del hombre se deja a los teólogos para que lo exploren y lo expongan [81]. Esto vale también para la Controversia *de auxiliis*, que sin desviarse de los dogmas de la Iglesia elaboró varios sistemas para concordar la gracia y la libertad, cuidando de no quitar a ninguno su parte. Recordemos también que después de acérrimas contiendas sobre el asunto entre el sistema bañeciano y el molinista, y previo dictamen de varias comisiones universitarias y papales, el Papa Paulo V admite en 1607 los dos sistemas, con tal que los dos bandos se atengan a los decretos del Concilio de Trento [82]. Si la labor de los teólogos, labor intelectual-científica, consiste en elaborar y explicar los dogmas en sistemas coherentes y sostenibles, la labor de los dramaturgos [83], labor creadora, será, si no explicarlos con rigor científico, sí encarnarlos y hacerlos vivir en un mundo también preestablecido según su concepción, pero dentro del orden cristiano y de acuerdo con sus dogmas. La doctrina y la herejía, la teología, son en el teatro religioso de Tirso algo más que la dramatización de «vérités quotidiennes, comme l'est le péché» [84]; son la dramatización de los problemas y angustias más complejos y trascendentales de la «nueva» alma humana, surgidos con la toma de conciencia renacentista y que afecta a todo cristiano cuando éste pondera su existencia a la luz de su destino. Tirso fue el primero en

---

[80] «Si quis dixerit, liberum hominis arbitrium a Deo motum et excitatum nihil cooperari assentiendo Deo excitanti atque vocanti, quo ad obtinendam iustificationis gratiam se disponat ac praeparet, neque posee dissentire, si velit, sed velut inanime quoddam nihil omnino agere mereque pasive se habere: A. S. (anathema sit)», can. 4 de la justificación, en *Denz.*, pp. 295-296.

[81] «Le concile de Trente rétablit sur ce point la croyance catholique et les théologiens s'efforcent de découvrir le *modus vivendi* entre la grâce et la liberté», GEORGE L. FONSGRIVE, *Le libre arbitre* (París, 1887), p. 132.

[82] Sobre el tema Cfr., *supra*, pp. 19 y ss. «Ante la Reforma y su ideología, España reacciona defendiendo la esencia del Catolicismo, una de las cuales [Sic] era inconfundiblemente la teoría de la gracia y de la salvación... Frente al determinismo [luterano] que ahogaba el concepto de la libertad, la unión de la doctrina del libre albedrío, con la necesidad de la gracia. No ya sólo frente al Protestantismo. En torno a la apasionada discusión «de auxiliis», que encarnaron como figuras capitales Báñez, el dominico, y Molina, el jesuita, el pueblo español, y nuestro teatro, eco de él... abrazan y reflejan el concepto de la concordancia de la libertad humana con la gracia divina», ÁNGEL VALBUENA PRAT, *El sentido católico en la literatura española* (Zaragoza, Ediciones Partenón, 1940), p. 129.

[83] Limitamos esta aplicación a la creación dramática religiosa.

[84] SERGE MAUREL, *op. cit.*, p. 521.

darse cuenta y el que supo captar mejor que ningún otro dramaturgo de la época y de siempre, incluido Calderón [85], en profundidad y belleza dramáticas, la trascendental importancia trágica que los recientes problemas teológicos, implicaban para el hombre. Vistas las cosas así y las referencias explícitas e implícitas al dogma y a las herejías, y a la Controversia *de auxiliis* que de ellas se desprendió, el teatro religioso de Tirso de Molina es más que una expresión dramática de lección moral, aunque ésta puede perfectamente derivarse; es, ante todo, un teatro que refleja y apunta hacia el drama existencial del hombre moderno (Paulo y Don Juan): su conciencia y congoja ante el infinito eterno, hacia donde está, inexorablemente, encaminado [86]. ¿Cuál es, pues, la concepción de la libertad y la gracia que Tirso va asentando en lo que llevamos visto de su teatro?

En esta segunda parte de *La Santa Juana*, tres son los personajes a quienes se confiere la gracia por intercesión de la Santa. Ninguno de los personajes tiene obra buena a su cuenta para contar con el don de la gracia. Los tres, la Vicaria, Mari Pascuala y Don Jorge sólo pueden alegar pecados en su favor. Además uno de ellos, Mari Pascuala, llega a considerarse, como Paulo de *El Condenado*, réproba: «Matad, pues, cuerda, una loca / desesperada y precita» [87]. Otro, la Vicaria, también parece ser reprobada, puesto que el mismo Niño Jesús nos dice que por sus maldades y persecuciones contra la Santa pagará con la pena eterna: «Siempre

---

[85] No es pues «sólo Calderón, el único intelecto de nuestro teatro, [que] ha concebido una serie de obras en que el estudio, la reflexión y duda conducen a los hombres a la verdad», según VALBUENA PRAT (Clásicos españoles, *Mira de Amescua*, I, p. 59). Véase RAFAEL M. HORNEDO, «*El condenado por desconfiado:* su significación en el teatro de Tirso», *R y F*, 120 (1940), pp. 181 y ss.

[86] No se trata, pues, de un teatro que toma de «vérités quotidiennes, comme l'est le péché» y de «vérités élémentaires de la doctrine chretiénne» para dar lecciones morales a un «humble public» según la opinión de SERGE MAUREL, *op. cit.*, p. 521. Más acertada e ilustrativa es la afirmación de que «... un dramaturgo teólogo, que trata en sus comedias asuntos estrictamente teológicos y no sólo morales, difícilmente dejará de decirnos, al menor indirectamente, cuál es su concepción en tan central y espinoso problema. De hecho, nuestros teólogos del siglo XVII —hablo sólo de los comediantes— son no sólo teólogos, sino específicamente teólogos escolásticos, como vemos palpablemente en el caso de Calderón... En *El Burlador* es preciso ver ante todo un drama teológico de enfoque antropológico y humanista, por cuanto Tirso nos presenta a su héroe no desde la perspectiva de los eternos designios de Dios, sino como un ser cuyas acciones sobrepasan —como el propio héroe— los linderos de lo humano y se adentran y afirman en el mundo de lo eterno. Se trata del hombre en lucha con el más allá, y más concretamente del hombre enfrentado con su destino...», F. FERNÁNDEZ-TURIENZO, «*El convidado de piedra:* Don Juan pierde el juego», *H R*, 45 (1977), pp. 58, 59, 60. Véanse también R. M. HORNEDO, «*El condenado por desconfiado:* su significación en el teatro de Tirso», *R y F*, 120 (1940, pp. 170-191; «La tesis escolástica-teológica de *El condenado por desconfiado*», *R y F*, 138 (1948), pp. 633-646; J. M. DELGADO VARELA, «Psicología y teología de la conversión en Tirso», *Estudios*, 5 (1949), pp. 341-377.

[87] Acto II, 14,, p. 854.

te ha querido mal, / y con castigo inmortal / lo ha de pagar»[88]. Y Don Jorge momentos antes de su conversión también se considera condenado: «Todos son contra mí; todo me culpa / no tengo cosa buena / que poder alegar en mi disculpa»[89]. Esto quiere decir, en primer lugar que la gracia, don gratuito siempre, se concede, de acuerdo con los bañecianos *ante praevisa merita*, es causa de los méritos y opera inmediata y directamente en el alma humana, como se demuestra por las conversiones de los tres pecadores a la penitencia y la salvación. Segundo, que la gracia lleva siempre, de acuerdo con Zumel, algún grado de eficacia, sea ésta del tipo suficiente o eficaz, y que su eficacia es, por lo tanto, graduada con menor o mayor fuerza y frustrabilidad, según lo quiere la voluntad divina, como se demuestra por la repentina conversión de la Vicaria, la conversación relativamente repentina de Don Jorge y la paulatina de Mari Pascuala. Tercero, que la gracia, aunque es siempre *ante praevisa merita* y causa de los méritos, tiene en cuenta, en cotnra de la herejía protestante, las obras buenas, como se demuestra por el amor y las oraciones e indulgencias de la Santa Juana, cuyas buenas obras contarán para los tres personajes. Veamos. Que la gracia es un don gratuito simplemente por voluntad y misericordia de Dios *ante praevisa merita* lo afirma Tirso y lo repite constantemente, contra Molina, en sus obras dramáticas religiosas. En la escena XIV del segundo acto, Mari Pascuala desesperada a causa de la violación y desprecio de Don Jorge y por no cumplir su promesa de «no ofender / su majestad infinita» decide matarse. Reconoce su pecado, pero no la misericordia de Dios y, erróneamente —error luterano— concluye que está reprobada: «Sí; que estoy condenada / ...por mi mal, definitiva»[90]. Pero la intervención de la Santa (la gracia) la salva, sin ninguna preparación o iniciativa por parte suya, pues estaba a punto de suicidarse. Mari Pascuala recibe, por lo tanto, el don divino completamente gratuito, y su paulatina resurrección espiritual es, pues, causa del mismo auxilio y por lo tanto anterior a su conversión y penitencia.

En la escena II del tercer acto, el Niño Jesús le comunica a la Santa que la Vicaria por sus persecuciones pagará «con castigo inmortal». A petición de la Santa Juana, se le concede a la Vicaria, sin ninguna iniciativa suya, pues la exigencia de la justicia divina quiere condenarla, el don de la gracia, sin el cual no hubiera podido emprender la contrición y penitencia para salvarse. Esto atestigua claramente que para Tirso la reprobación no se verifica *ante praevisa demerita,* pues la sentencia condenatoria es cabiada a salvación. Sólo después de acceder Cristo, «Digo que sí»[91], a la petición de perdón de la Santa experimenta la Vicaria la fuerza para la contrición:

---

[88] Acto III, 2, p. 857.
[89] Acto III, 11, p. 862.
[90] Acto II, 14, p. 854.
[91] Acto III, 2, p. 857.

MARI. Muestras de extraño dolor
       tiene [la Vicaria].

SANTA.   *Gracias al Señor*
       que su pecho ha vuelto tierno [92].

En el momento en que Don Jorge intenta escalar el convento para gozar de nuevo a Mari Pascuala, interviene la Santa advirtiéndole y amonestándole que «mañana has de dar cuenta / a Dios, severo juez, y que mañana / te espera» [93]. Don Jorge cambia de repente su intención y se apresura a remediar su culpa:

JORGE. ....
       Pues, alma, demos vuelta; si hasta agora
       de vicios sois trasumpto
       que Dios perdona al pecador que llora;
       no perdáis punto... [94].

Es evidente que la transmutación de los tres personajes es siempre resultado de la gracia y, consiguientemente, ésta es siempre anterior, y es su causa. Pero una vez conferida la gracia ¿cómo obra para conseguir su efecto? ¿Recae inmediata y directamente en el hombre determinando su voluntad, incluso físicamente (posición bañeciana) u opera tan sólo con respecto a la operación (posición molinista)? Tirso sigue inequívocamente la concepción de que la gracia obra siempre inmediata y directamente en el alma humana. Tan primordial y central es este punto, que Tirso basa su concepción de la libertad humana en él y, lo que es más para su dramática, hace depender también de esto el despliegue psicológico, moral y espiritual que ha de fijar la personalidad y fuerza de carácter de sus personajes dramáticos y con ello sus destinos. En el caso de la Vicaria, personaje secundario, no se nos muestra a lo vivo, en escena, el proceso de conversión como efecto de la gracia, pero sí se trasluce la concepción de Tirso de que la gracia opera directamente en el interior del personaje, puesto que de repente la Vicaria siente algo nunca experimentado antes: «Muestras de extraño dolor / tiene.»

La dramatización de este proceso se nos da con la conversión de Don Jorge. Ante el convento para escalarlo, el valor y la intrépida gallardía de Don Jorge empiezan a fallar: «¿Qué me acobarda?» [95] Al racionalizar su miedo, Don Jorge insiste en su intento de escalar el lugar sagrado. Al aparecérsele la Santa para reprobar su acción, el libertino Comendador experimenta también algo inaudito. La acotación de Tirso a esta escena no deja dudas respecto a su concepción: «Al querer subir, se aparece la Santa, arriba, de rodillas y a su voz se retira y *estremécese temeroso*

---

[92] Acto III, 3, p. 858.
[93] Acto III, 10, p. 861.
[94] Acto III, 11, p. 862.
[95] Acto III, 8, p. 860.

de lo que dice» [96]. Como se ve toda la persona de Don Jorge reacciona ante la aparición (la gracia). Desde este momento, el libertino y lascivo Comendador deja de ser impulsivo y arrogante y empieza a reflexionar, a razonar, sobre su vida pasada y a considerar su destino futuro:

> JORGE. ¿Larga cuenta que dar de tiempo largo?
> ¿Y hasta mañana vivo?
> ¿Tan corto plazo, tan probado el cargo?
> ....
> ¿Qué espera, pues, un alma tan perdida?
> Sin juicio viví, pues el juicio
> no temí...
>
> ....
> Alma: en tu mano está, o el premio eterno
> o el penar para siempre en el infierno [97].

La aparición de la Santa, claramente una infusión de la gracia, hace que Don Jorge cambie su habitual modo de ser. Pero la transformación de su modo de ser se verifica en él mismo, y su modalidad última sale también de él mismo. Tan otro y transformado es el libertino Comendador, que su propio criado, Lillo, duda si es el mismo amo a quien servía:

> LILLO. ¿Tú eres Don Jorge? [98]

Pero si la gracia obra sobre el alma humana determinándola o afectándola, ¿no se destruirá —como querían los molinistas— su libertad, puesto que accede inevitablemente a su impulso? Tirso responde que el libre albedrío no sólo no sufre con la gracia, sino que la supone, para la deliberación y ejecución de su libertad, puesto que la gracia activa y agudiza las facultades del alma —el entendimiento en particular, según Tirso, siguiendo a Zumel— [99] y hace que el hombre mismo delibere con poder y debida rectitud de perspectiva: «Soy mortal, que basta» [100]. La gracia pues, potencia e ilumina el entendimiento mismo del hombre para que pueda considerar mejor la rectitud y «honestidad» de sus acciones y comportamiento, «Sin juicio viví, pues el juicio / no temí», y, por lo tanto, puede rectificar, si quiere, y querrá por ser más «honestamente» conveniente a su vida:

> Pues, alma, demos vuelta...
> ....
> Alma: en tu mano está, o el premio eterno
> o el penar para siempre en el infierno [101].

---

[96] Acto III, 10, p. 861.
[97] Acto III, 11, pp. 861-862.
[98] Acto III, 12, p. 862.
[99] Cfr. notas 11 del capítulo III, pp. 44, y 67 del capítulo IV, p. 78.
[100] Acto III, 12, p. 862.
[101] Acto III, 11, p. 862.

Don Jorge, sin la gracia, no sólo no hubiera podido salvarse, pues la gracia es, de acuerdo con el dogma, absolutamente necesaria, sino que nunca hubiera llegado por sí mismo, con su entendimiento, a reconocer su habitual, (condición de las causas segundas no libres) equivocado y pecaminoso proceder y a rectificar su vida:

> JORGE. ....
> Juana: si quien os ha cual yo ofendido
> merece que por vos perdón alcance,
> ....
> Pedilde [a Dios] que no muera
> sin dolor perfecto de mis culpas [102].

Es evidente, pues, que en la concepción de Tirso de Molina, no aparece ninguna indicación o señal de afinidad con la posición molinista del concurso simultáneo y la ciencia media, mientras que continúa afirmando mediante la dramatización, que la gracia es siempre anterior y causa inmediata de los actos meritorios del hombre. En cuanto a la naturaleza misma de la gracia, Tirso continúa afirmando aquí —si bien no con tan palpable y explícita dramatización como hemos visto en la primera parte— la indiferenciación intrínseca de la misma, con lo cual se elimina la barrera establecida por Báñez, entre la gracia suficiente y la gracia eficaz [103], haciendo que una y otra difieran tan sólo en su menor o mayor grado de eficacia. En el momento en que Mari Pascuala intenta suicidarse, por ejemplo, se le concede, como hemos visto, el auxilio divino por intervención de la Santa. Y esta infusión divina es eficacísima, puesto que la salva de una segura muerte y reprobación. Además, es eficaz, según la definición zumeliana que Tirso hace suya, es decir, eficaz sólo en el grado propuesto por Dios y como tal frustrable. En efecto, gracias a este influjo divino, Mari Pascuala podrá evitar la muerte y entrar en el monasterio y hacerse monja, por lo tanto es eficaz; pero no podrá guardarse, y de hecho no puede, de no caer otra vez en el pecado de la carne en manos de Don Jorge, sin otros auxilios divinos. Cuando el Comendador le pide a Mari Pascuala en carta que le espera en la parte más baja del monasterio, su resolución de firmeza virtuosa es sacudida y de hecho hubiera caído si la gracia que había recibido fuera sólo suficiente, según la definición bañeciana, sin otra ayuda divina. En el momento en que Mari Pascuala está otra vez a punto de caer en las garras de Don Jorge, se dirige a la Santa e invoca su ayuda: «Amparadme, Juana, vos». Los auxilios divinos llevan siempre, por tanto, un grado de eficacia para que el hombre pueda de hecho, sea el influjo suficiente o eficaz, obrar o frustrar el acto sobrenatural, según el grado de eficacia que lleva el auxilio. Si el auxilio lleva mayor o el máximo grado de eficacia, el acto sobrenatural será difícilmente frustrado o totalmente inimpedible, como

---

[102] Acto III, 12, p. 862.
[103] Cfr. nota 15 del capítulo III, p. 46.

demuestran la conversión repentina de la Vicaria y la de Don Jorge. Si lleva menor grado de eficacia, puede ser más fácilmente frustrado, sin otro y mayor auxilio, como demuestra el caso de Mari Pascuala.

A través de todo esto, se puede apreciar el deseo de Tirso de sustraer al hombre de la rigidez demasiado determinista de la solución bañeciana —ésta fue atacada, como es sabido, precisamente por determinista y luterana— aunque quedándose, en lo esencial, dentro de ella, al conceder al hombre siempre un grado potencial, mínimo o máximo, de resistencia en relación al grado de eficacia que Dios imparte, según su voluntad, sus auxilios, y al rechazar por exclusión y deducción la solución molinista, la cual concedía, al parecer de los bañecianos y, evidentemente, del mismo Tirso, demasiada iniciativa al hombre, al hacer que de éste dependiera la eficacia de la gracia. Tirso pone mucho cuidado en dar valor a las obras buenas, contra la herejía protestante. En cuanto a esto último, Tirso recalca tanto la gratuidad, prioridad y necesidad de la gracia, como la importancia de las obras buenas, al insistir no sólo en una verdadera contrición y penitencia, sino en el saludable efecto de las oraciones y las indulgencias, las cuales constituyen en sí mismas obras buenas, y en las buenas obras de la Santa Juana por cuyas virtudes y méritos se salva la Vicaria, se torna virtuosa Mari Pascuala y se escapa del fuego eterno Don Jorge. Además, Tirso afirma textualmente el valor de las buenas obras en el designio providencial divino:

ÁNGEL. ....
Dios los trabajos amó
en el mundo, de tal suerte;
jamás, Juana, los dejó.
¿Qué santo no los pasó?
Ninguno; que son favores
de Cristo, y en sus amores
son su escogida librea,
a quien amalle desea
justo es traiga sus colores [104].

Las consideraciones teológicas en todas sus ramificaciones y en particular la concepción sobre la gracia divina y la libertad del hombre, son en conclusión, el fondo último y además un elemento integrante del teatro de Tirso.

_____
[104] Acto III, 9, pp. 833-834.

Tercera parte

En esta última parte de la trilogía [1], la lucha interior de la Santa, los sufrimientos y tribulaciones, que constituyeron su drama en la primera y segunda partes, dan paso a un estado de paz y felicidad espirituales que anticipan las que gozará después de su subida al cielo:

> SANTA.   ¡Ay, mi custodio Santo!
>   ¡Ay mi Laurel divino,
>   mi guarda, compañero y mi padrino!
>   Del contento que encierro
>   pedí albricias: alzáronme el destierro.
>   Mañana, Ángel, mañana,
>   veré con vos la patria soberana
>   rotos los grillos del pesado hierro
>   que Adán echó a los hombres, de tal suerte
>   que no hay rompellos otro que la muerte [2].

Esto aparta un tanto a la Santa de la intriga estricta y marcadamente mundana, que marcará la pieza con las travesuras amorosas y libertinas de Don Luis, joven irreverente y desperdiciador [3]. En la primera y segunda partes, la vida de la Santa corría estrechamente ligada a la intriga mundana, de la cual quería triunfar; en la primera, huyendo del amor de Francisco Loarte y en la segunda resistiendo, con humildad santa, la furia perversa y sacrílega de Don Jorge y de la Vicaria, aliada ésta del Comendador dentro del monasterio. En esta tercera parte, la Santa, habiendo logrado un plano espiritual superior, opera más bien como una fuente y guía espiritual de donde emana el don divino de la gracia, cuyas virtudes entrelazan y rigen las vidas de los personajes de la tri-

---

[1] El manuscrito de esta tercera parte de la trilogía «es también autógrafo, van fechadas y firmadas por Téllez las tres jornadas en agosto de 1614; la primera el día seis; la segunda el 12, y la tercera el 24», BLANCA DE LOS RÍOS. «Preámbulo», en *Obras completas*, ed. cit., p. 726.

[2] Acto III, 7, p. 900.

[3] «... l'intrigue sacrée fait place aux aventures de don Luis, l'adolescent dissipé et irrespectueux», SERGE MAUREL, *op. cit.*, p. 317.

logía —es este el propósito de Tirso— para llevarlos y dirigirlos a su destino último y, con ello, dar unidad y sentido a la obra entera [4]. Paralela a la progresión ascendente de la vida de la Santa, pues, se da como contraste, la trayectoria descendente de la trama profana con la sucesión de las intrigas, cada vez más abyectas de Melchor (primera parte), Don Jorge (segunda parte) y Don Luis (tercera parte) los cuales, gracias a la virtud y fuerza salvíficas de la Santa, son reportados a la recta vía y a la salvación reanudándose el lazo mundano con el divino, de lo cual todo depende y reestableciéndose con ello el orden moral del mundo. Las múltiples y diversas intrigas (acción) avanzan siempre regidas por lo tanto, por un mismo tema [5], que en el teatro de Tirso es el orden divino del cual todo hombre depende y hacia el cual éste se encamina inexorablemente pero libremente. Así que la divergente diversidad de las acciones dramáticas no se despliega sino por un mismo hilo o motor que las rige todas, cual es la gracia salvífica divina que encarna la Santa.

Ya en el primer acto presenciamos tal divergencia de acción con el rumbo cada vez más detestable que toma la conducta del libertino e irreverente Don Luis y la inminente ascensión al cielo de la Santa. De las 18 escenas que constituyen el acto, sólo en 4 interviene la Santa y dos de ellas, la VII y VIII, —escenas sobrenaturales donde se le anuncia su elevación al cielo— no tienen relación directa alguna con las intrigas mundanas de la obra. Y sin embargo, la posición central de estas dos escenas [6] destaca su elevada espiritualidad, cuyo efecto compenetra el acto todo. Veamos. Don Luis, joven libertino dado a los desvaríos amorosos, reclama el amor de Doña Inés, prometida de César, el cual le desafía [7]. La intervención del padre del libertino, Don Diego, enfada al hijo, el cual irrespetuosamente le reprocha su vejez:

LUIS.   ¡Oh, qué importuna vejez!

DIEGO.   Ténme respeto.

LUIS.   No quiero [8].

El extremado amor paterno que Don Diego siente para con su hijo, le

[4] Para un estudio de la unidad estructural de la trilogía de La Santa Juana, véase SERGE MAUREL, op. cit., pp. 311-321.

[5] La aserción de A. A. Parker de que en la comedia española del Siglo de Oro son la primacía del tema sobre la acción y la unidad dramática del tema y no de la acción las que gobiernan el drama, queda confirmada una vez más en esta trilogía. Véase su estudio The approach to the Spanish Drama of the Golden Age (London, The Hispanic and Luso-Brazilian Councils, 1957).

[6] En cuanto al desequilibrio estructural de este acto, Serge Maurel hace notar que «au total, ces deux scènes occupent 90 vers sur les 1126 que compte l'acte; mais leur place dans l'ensemble est central: du vers 541 au vers 630», op. cit., p. 318.

[7] Acto I, 1, pp. 866-867.

[8] Acto I, 2, p. 868.

impide poner freno a su falta de respeto y en vez de castigar su conducta imponiéndole más disciplina, da riendas sueltas a sus desvaríos:

> DIEGO. ....
> Mil travesuras consiento
> a Don Luis y aunque siento
> que lo hago mal, el amor
> de las manos de el rigor
> quita el castigo violento [9].

En la escena siguiente, Don Diego coge a Don Luis en su intento de pelear con Don César por la mano de Doña Inés y al reprender otra vez su locura, le recuerda, con sorpresa suya, que a pesar de haber sido criado en su tierna edad por la Santa Juana, no sacó más juicio y virtud de ella. El nexo dramático entre los dos protagonistas queda, pues, establecido, así como la función de la Santa en cuanto fuente y guía espiritual a cuya fuerza se remitirá el destino de Don Luis:

> DIEGO. ....
> En cuantas cartas me escribe
> esta santa me apercibe
> el riesgo y peligro en que anda
> quien como tú se desmanda
> y tan sin prudencia vive.
> Dice que no te consienta
> tanta libertad, que impida
> con tus locuras mi afrenta,
> y tema el dar de tu vida
> a Dios rigurosa cuenta [10].

Pero las admoniciones amorosas del padre son descartadas por Don Luis como pesados sermones y jurándole falsamente, presagiando al verdadero Don Juan, que no verá más a Doña Inés, prosigue en ello:

> LUIS. ¿No juré? Déjame pues.
>
> DIEGO. Dios te libre de ocasiones.
> ¿Dónde vas, que es la una?
>
> LUIS. A jugar unos doblones.
> (aparte).
> A ver voy a Doña Inés [11].

Don Luis continúa en su imprudente proceder jurando matar a Don César para satisfacer el honor de Doña Inés [12]. Pero mientras el enredo amoroso avanza con la aparición en escena de Aldonza, joven campesina

---

[9] Acto I, 4, p. 870.
[10] Acto I, 5, pp. 870-871.
[11] Acto I, 5, p. 872.
[12] Acto I, 10, pp. 875-876.

a quien Don Luis había dado palabra de casamiento [13], lo cual desengaña a Doña Inés y es causa de que reanude su amor con Don César en desprecio de Don Luis [14], se liga de manera más real y concreta el nexo dramático entre la Santa y Don Luis cuando Don Diego, no pudiendo ni queriendo contrariar la voluntad y deseos de su hijo, pide su protección a la Santa para que el hijo mude de conducta:

> DIEGO.   De la santa Juana espero
> el remedio de Luis,
> que, si cuanto pide alcanza
> de Dios, en quien su esperanza
> pone, teniendo afición
> a Luis, de su oración
> se ha de seguir su mudanza.
> La carta a escribille voy [15].

Al recibir la carta de Don Diego, llevada por Lillo, la Santa lamenta en escena la demasiada licencia que para su daño le permite a su hijo, y amonesta también a Lillo por su propia conducta, ya que no escarmienta a pesar de haber desviado a dos amos (Francisco Loarte y Don Jorge) anteriormente, con lo cual se reanuda y continúa el nexo con las dos primeras partes y se prepara el desenlace definitivo de Don Jorge:

> SANTA.   Algún mal le ha de venir [a Don Luis]
> notable por consentir
> que viva tan descompuesto.
> Y el hermano [Lillo], ¿no escarmienta
> en dos amos que ha tenido,
> a quien tan mal ha servido?
> ¿No sabe que ha de dar cuenta
> delante el tribunal mismo
> de Dios? [16].

La limitada aparición en escena de la Santa Juana en este primer acto queda compensada, pues, por la presencia de su virtud, cuya fuerza forja la unidad temática y rige la dramática.

El segundo acto nos hace ver una aceleración del drama de la Santa [17]

---

[13] Acto I, 9, p. 875.
[14] Acto I, 13, p. 877.
[15] Acto I, 6, p. 873.
[16] Acto I, 15, p. 879.
[17] Serge Maurel precisa otra vez el desequilibrio estructural de este acto: «Au total, 309 vers, sur les 931 que compte ce seconde acte, son réservés au drame sacré», pero pone de relieve la posición central de 4 escenas sagradas (II, 4, 5, 6, 7) que constan de «165 vers, du vers 1480 au vers 1644, au centre de cet acte II», op. cit., p. 318. Este desequilibrio no perjudica, creemos, el equilibrio y la unidad, dramáticos y temáticos, puesto que la fama y la virtud de la Santa, y su efecto, compenetran y rigen el acto. Además, en este acto la Santa aparece en dos escenas más que en el primero, 6 en total de las quince de que consta, con 81 versos más, lo cual indica una aceleración estructural que se fundirá con la

a la par que crece la tensión del drama de Don Luis, el cual desesperado por el repentino desprecio de Doña Inés, conspira con la ayuda de su padre y abusando otra vez de su amor y extremada e irresponsable liberalidad, que la Santa condena a través de la obra [18], para hacer encarcelar a César, dejándole a él libre para engañar y gozar a Doña Inés. La furia pasional de Don Luis repudia una vez más las admoniciones amorosas de su padre, el cual sucumbe a sus quejas y hace encarcelar a César a pesar de las nuevas advertencias que le hace, en carta, la Santa en el sentido de que vigile más y ponga freno a su hijo:

> LUIS. ¡Oh mal haya mi vida, pues en ella
> cuando yo rabio tu sermón escucho!
> ....
> soy bueno y malo ajeno de artificio,
> tendré alguna virtud como algún vicio.
> No mida más la monja por su gusto
> los de mi edad, que puede ser que sea
> desta mi injusta vida el fin tan justo
> que ella le envidia cuando en mí le vea;
> *y si no se pretende mi disgusto*
> *ni se reciba cuenta ni se lea*
> *carta de Santa Juana, que es lisonja*
> *llamarla santa cuando sobra monja.*
>
> DIEGO. Vence, aunque no fuera justo,
> el amor a la conciencia.
> Yo voy [19].

La precipitación pasional y la imprudencia personal de Don Luis de los que se hace cómplice el amoroso padre, avanza, pues, sin ningún freno personal ni sanción humana [20]. Es Lillo quien presiente un castigo ultramundano:

> LILLO. Pienso que tu mal gobierno
> nos va llevando al infierno
> como recua a todos tres [21].

Con esto se ligan su conducta y su destino y se remiten a la esfera so-

---

dramática en *crescendo* vertiginoso en el tercer acto. El movimiento estructural, dramático y temático, es pues un *crescendo* que obedece y sigue la ascensión espiritual final de la Santa y la salvación de los protagonistas.

[18] La extremada e irresponsable licencia paterna es un tema sostenido a través de la obra y llega a su descarga punitiva en la primera escena del tercer acto, cuando Don Luis humilla a su padre derribándole en tierra. Por su parte, Agustín del Campo expresa la opinión de que «se reiteran un tanto las escenas entre padre e hijo, las moralidades y admoniciones...» *La Santa Juana*, edición, prólogo y notas de Agustín del Campo (Madrid, Editorial Castilla, 1948), p. 29.

[19] Acto II, 3, pp. 885-886, 887.

[20] «Il ne fait aucun doute que la conduite de Don Luis échappe à une sanction humaine», SERGE MAUREL, *op. cit.*, p. 319.

[21] Acto II, 3, p. 887.

brenatural de donde depende todo juicio del hombre. En efecto, en las 4 siguientes escenas, la Santa promete su intercesión sobrenatural, a petición de María (Mari Pascuala de la segunda parte), por la salud de Ana Manrique, esposa de Don Jorge (segunda parte) y también que averiguará el destino ultramundano de Don Jorge, el cual, apareciéndose en penas «por un costado» de un «toro echando fuego» se dirige, aunque agradecido por sus previas oraciones, otra vez a la Santa para que intervenga para aplacar más sus penas:

> JORGE. ....
> En el Purgatorio estoy
> por su favor y merced;
> pues de mí te acuerdas hoy
> y es tan terrible mi sed,
> piadosas voces te doy...
> Madre Juana: la ocasión
> tienes de pagar agravios
> con piadoso galardón;
> recrea mis secos labios
> con agua de tu oración [22].

Esta visión de ultratumba de Don Jorge en pena, además de llevar a conclusión su destino todavía pendiente y anunciado en la segunda parte, «Don Jorge ha de ser un santo» [23], con lo cual se completa su desenlace, nos da en dramático contraste la verdadera realidad y consecuencia del engaño y traición que Don Luis está a punto de cometer contra Don César y Doña Inés [24], y prepara y presagia el destino último de Don Luis, puesto que la Santa en la última escena del acto, la XV, junta su vida con la redención del alma de Don Jorge al interceder por los dos pecadores: [25]

> SANTA.   Pido
> dos cosas no más, mi Dios;
> ....
> Un muerto y un vivo son
> los que por intercesora
> me han puesto, y de Vos agora
> tienen de alcanzar perdón.
> El alma, Esposo divino,
> de Don Jorge está penando
> y entre llamas apurando...
>
> NIÑO JESÚS.   ¿Quién es
> el segundo?

---

[22] Acto II, 6, p. 888.
[23] Acto III, 3, p. 858.
[24] Acto III, 8-9 pp. 889-891.
[25] «Juana unit, d'alleurs, les deux pécheurs dans ses prières», SERGE MAUREL, op. cit., p. 318.

SANTA.   Un muerto vivo:
muerto en vicios vino al mundo.
Es, mi Jesús, Don Luis,
y si Vos le redimís
tendréis un Saulo segundo [26].

La traidora y viciosa acción de Don Luis al gozar a Doña Inés enmascarado de César [27], es reflejo, pues, como anticipo, de la visión ultramundana de Don Jorge, cuyo penoso estado y sufrimiento le esperaría como justa consecuencia de su mala vida, si no fuera por el auxilio divino que se le impartirá por intercesión de la Santa: «C'est Juana qui épargnera à Don Luis ce châtiment que Dieu se devait de lui infliger» [28], tal como perdonó a Don Jorge el castigo eterno:

SANTA.   Sí, sí mi Dios,
que es mi devoto su padre;
pues sois su divina Madre,
Virgen, pedídselo Vos.

NIÑO JESÚS.   Yo haré que cual otro Saulo,
si a la virtud hace guerra,
caiga Don Luis en tierra
y imite después a Paulo.

SANTA. ¿Y de Don Jorge, Señor?

JESÚS.   Por ti, Juana, le perdono [29].

El aparente desequilibrio estructural [30] que registra también este acto, con sólo 309 versos de las seis escenas en que aparece la Santa (tema sagrado) de los 931 que contiene el acto, como precisa Serge Maurel [31], se desvanece pues, ante la fuerza dramática que se desprende de la cada vez más elevada virtud de la Santa, hacia la cual apunta y a la que se dirige la intriga profana y de la cual depende el destino de los dos pecadores:

JESÚS.   Hoy a mi eterno favor
subirá [Don Jorge].
SANTA.   Qué ¿por los dos
tal favor se me concede? [32]

---

[26] Acto II, 15, p. 895.
[27] Este episodio anticipa y delinea claramente al futuro Don Juan, el cual repite la traición al engañar a Doña Isabel pasando por el Duque Octavio. Sobre el asunto, véase BLANCA DE LOS RÍOS, «Génesis del 'Don Juan' en el teatro de Tirso», en su «Preámbulo», en Obras completas, ed. cit., pp. 747-749.
[28] SERGE MAUREL, op. cit., p. 319.
[29] Acto II, 15, p. 895.
[30] «Les deux premiers actes font donc apparâitre un flagrant déséquilibre entre le profane et le sacré», SERGE MAUREL, op. cit., p. 318.
[31] Op. cit., p. 318.
[32] Acto II, 15, p. 895.

El drama de la Santa, su ascensión hacia el cielo, así como la fuerza salvífica que de ella irradia para fundirse con la intriga mundana que rige, se acentúa y avanza en *crescendo* vertiginoso hacia el final. Efectivamente, en el tercer acto se consigue un equilibrio estructural exterior perfecto, tanto en el número de escenas en que aparece la Santa, 11 de las 22 de que consta el acto, como en el número de los versos de las once escenas, 443 —descontando 86 versos que se dan en dos escenas en que habla la Voz de ultratumba— de los 949 del acto, lo cual es clara y deliberada indicación de una aceleración triunfal del tema sacro-teológico hacia el cual va dirigido el drama con la conversión de Don Luis y la ascensión definitiva al cielo de la Santa. La estructura de la tercera parte obedece, pues, al movimiento ascendente del drama espiritual de la Santa y de la virtud salvífica que ella incorpora y derrama, y en virtud de la cual se salva el alma de Don Jorge, y que además ocasiona la transformación de la personalidad de Don Luis, lo que le permite convertirse y salvarse. Y en cuanto al movimiento dramático, el tema sacro-teológico no «fait place aux aventures de Don Luis, l'adolescent dissipé et irrespectueux» [33], sino que las coteja y las supone para transcenderlas triunfalmente, con lo que resplandece más vivamente en los

---

[33] SERGE MAUREL, *op. cit.*, p. 317. En su valioso estudio sobre la estructura de la trilogía de *La Santa Juana* (*op. cit.*, capítulo III). Serge Maurel, comentando la segunda parte hace notar, y precisa acertadamente, el riguroso equilibrio estructural de la pieza y afirma que «Toute la pièce est construite en fonction de l'alternance de deux actions dramatiques en apparence parallèles et commandées respectivement pour Juana et Don Jorge... un tel schéma révèle un propos dramatique... Il révèle la volanté de réaliser leur [lo sagrado y lo profano] intime fusion grâce à une aliance désormais indissoluble que est la traduction de l'unité du propos édifiant». Y añade: «Non seulment... le thème profane s'est soumis aux exigences du thème sacré, mais des liens directs sont établis entre eux» (pp. 311-314). También en la tercera parte se dan, como hemos demostrado, nexos directos entre lo profano y lo sagrado, y en particular, entre Don Luis y la Santa: «Casi en brazos te criaste, / Luis, de la Santa Juana» (I, 5). Pero aquí la unidad dramática no depende de «l'alternance de deux actions dramatiques» con que se estructuran las primeras dos partes. En la tercera parte, el drama personal de la Santa sigue paralelo pero no entrelazado, y apartado de las intrigas profanas. Es su fama y virtud, el orden divino, que hace sentir su fuerza y que, en efecto, rige la obra. El tema profano sigue inalterado, si bien en sucesión, con Melchor (primera parte), Don Jorge (segunda parte) y Don Luis (tercera parte), mientras el tema sagrado, la vida personal de la Santa, y su ascensión al cielo, se separa, necesariamente, de la intriga profana, no, sin embargo la fuerza que se derrama de su virtud que, como hemos visto, compenetra la obra y la rige. El propósito de Tirso es demostrar que hay un orden superior, divino, con que contar y que ningún hombre, ni el mismo Don Juan —y Melchor, Don Jorge y Don Luis son pequeños Don Juanes— puede evitar. El propósito es más bien teológico-psicológico, y esto sí edifica. El *crescendo* hacia el dominio de lo sagrado concuerda con la aceleración estructural del mismo, de esta suerte: Acto I: 4 escenas sagradas (en que aparece la Santa) con un total de 228 versos de los 1126 del acto; Acto II: 6 escenas sagradas con un total de 309 versos de los 931 del acto; Acto III: 13 escenas sagradas (con las dos en que habla la Voz de ultratumba) con un total de 539 versos de los 949 del acto.

corazones de los espectadores, tanto la voluntad salvífica de Dios como la fuerza sublime de sus auxilios con los que el hombre puede transmutarse y salvarse:

> Don Luis, solo
>
> Mano de fuego [del alma], esperad
> no os apaguéis; mas por Dios,
> que con la luz que dáis vos
> descubro yo una verdad.
> ....
> *Dios mío: este fuego labra*
> *nueva vida;* desde luego
> pondré la mano en un fuego
> que he de cumplir mi palabra.
> Vuestro tesoro se abra
> de gracia, a quien llevó aquellos
> pecados por los cabellos,
> que yo no puedo, mi Dios,
> ir con ellos, yendo a Vos,
> ni sin Vos librarme dellos [34].

Esto apunta a un propósito mucho más amplio, rico e intrínsecamente dramático que a «préoccupations d'un dramaturge qui n'accueillerait le vice dans son théâtre que pour rendre plus amène son propos édifiant, et n'aurait d'autre objet que de divertir son public» [35]. Más que esto, el propósito de Tirso es, como venimos demostrando a través de sus obras, dramatizar la lucha y la angustia de la conciencia del hombre cuando éste se enfrenta con su destino, con su fin eterno:

> Voz.   ¡Hombre: que os avisa un alma!
> Mudad el vicioso extremo [36].

El rico contenido doctrinal dramatizado, como hemos visto en las dos primeras partes, no se continúa de manera explícita en esta tercera parte. No hay, por ejemplo, ninguna referencia directa a la herejía protestante, ni se dramatizan como partes integrantes del drama los dogmas de la Iglesia. Sin embargo, la obra no está exenta de tal contenido y hay elementos doctrinales que indican un intento de asentar la recta doctrina frente a la herejía, y esto, como derivación, continúa dando cuerpo a la concepción de Tirso sobre la libertad y la gracia. Se repite y continúa, por ejemplo, el tema del valor sobrenatural de las indulgencias, que tanto combatieron los reformadores. Don Diego remite a la Santa el corregir la vida pecaminosa de Luis, la cual le complace con una indulgencia:

---

[34] Acto III, 18, p. 906.
[35] Serge Maurel, *op. cit.*, p. 320.
[36] Acto III, 17, p. 906.

DIEGO. ....
Una cuenta santísima me envía
porque en el nombre de tan alta cuenta
me acuerde que he de darla cada día
desa tu edad y libertad violenta [37].

También asienta Tirso la doctrina de la Iglesia, en contra de la herejía luterana, sobre el valor y necesidad de las obras buenas para la salvación del hombre justificado [38]. La Santa misma nos lo confirma en un soliloquio:

....
Quien quiere tener caudal
cuando el alma se despida
en el día de la vida
ha de ganar el jornal
que en la noche de la muerte,
como el jornalero, cobra [39].

Una demostración dramática de que el hombre, todos los hombres, nace para ser salvado, doctrina católica, reafirmada por Trento [40], de que Dios quiere con llamamiento universal salvífico, la salvación de todos y la reprobación de ninguno, nos la presenta Tirso en la escena XIV del acto III. Aquí Crespo, padre de Elvirilla, niña que acaba de morir, ruega a la Santa que resucite a su hija. Mientras la Santa se dirige a Dios para invocarle tal favor, la niña muerta interviene sobrenaturalmente y reprocha a la Santa el quererla sacar de la paz eterna que ahora goza:

NIÑA.   ¡Oh Juana madre!
¿Por qué del sosiego eterno
me sacas, si en el me ves,
para que crezca después
y me condene al infierno? [41].

Es evidente que, como demuestra este pasaje, se nace para la salvación. Es el hombre mismo, quien en virtud de sus malas obras, llega a con-

---

[37] Acto II, 3, p. 885.

[38] Para Lutero «las obras humanas son completamente inútiles para la salud, están desprovistos de todo valor moral, son radicalmente, totalmente malas, por proceder de una voluntad substancialmente corrompida, determinada al mal... he aquí la tesis filosófica, base de toda construcción teológica luterana», ALBERTO BONET, *op. cit.*, p. 17.

[39] Acto II, 14, p. 894.

[40] El Concilio de Trento condena la posición luterana de que Dios predestina al pecado y a la condenación eterna en el canon 17 de la justificación: «Si quis justificationis gratiam non nisi praedestinatis ad vitam contingere dixerit, reliquos vero omnes, qui vocantur, vocari, quidem, sed gratiam non accipere, utpote divina potestate praedestinatos ad malum: A. S.» en *Denz.*, p. 297.

[41] Acto III, 14, p. 904.

denarse al infierno: «para que crezca después / y me condene al infierno». En efecto, a través de la trilogía hemos visto a varios personajes (Melchor, primera parte; Mari Pascuala, la Vicaria y Don Jorge, segunda parte y Luis, tercera parte) que se encaminaban hacia la perdición en virtud de sus malos comportamientos —pues se les advierte constantemente que cambien de vida— y lo hubieran conseguido, de no haber sido por la intervención de la Santa, lo cual apoya la doctrina de que el hombre se justifica por la gracia gratuita de Dios, pero se condena por sus propias obras malas [42]. Bastante misericordioso y tranquilo hubo de estar en estos días el ánimo del fraile de la Merced, puesto que todos los pecadores logran, en estas obras, la conversión y la salvación, premios que no alcanzarán más tarde ni Don Juan ni Paulo. La precisión con que Tirso expresa los conceptos doctrinales y teológicos, no deja lugar a dudas sobre su propósito de cimentar su teatro en ellos:

DON LUIS, solo
....
que yo no puedo, mi Dios,
ir con ellos [los pecados] yendo a Vos,
ni sin Vos librarme dellos [43].

También en esta obra se da una intervención extraordinaria del más allá que opera en la personalidad del personaje y decide su destino. Se trata de la «Voz» de un antiguo amigo de Don Luis que, penando en el purgatorio «...por atrevido, / por libre, por descortés / a mi padre», viene a advertir a Don Luis que cambie su desordenada vida: « ¡Hombre: que os avisa un alma! / Mudad el vicioso extremo» [44]. Esta intervención representa sin duda una infusión divina que recibe Don Luis. Sin este auxilio, Don Luis no se hubiera convertido y salvado puesto que sólo tenía, al igual que Don Jorge, obras malas que alegar en su favor y que el mismo Niño Jesús condena en la obra:

Hijo que desobedece
a su padre, Juana mía,
y en sus pecados porfía
obstinado, no merece
mi perdón [45].

De esto se puede inferir claramente que Don Luis —el hombre— no pudo haber sido destinado a la condenación *ab aeterno*, y si se hubiera efec-

---

[42] Véanse los cánones 6, 17, 23, 32 de la justificación del Concilio de Trento en *Denz.*, pp. 296, 297, 298, 299.
[43] Acto III, 18, p. 906.
[44] Acto III, 17, p. 906.
[45] Acto II, 15, p. 895.

tuado su condenación, habría sido explícitamente por sus pecados, como indican las palabras del Niño Jesús y la ya citada aserción de la niña muerta y, por lo tanto, *post praevisa demerita*. Con la conversión y salvación de Don Luis y los otros personajes de la trilogía, vemos una vez más que en el teatro de Tirso de Molina el hombre no se salva sino por la gracia gratuita de Dios y si se condena será por sus propios fallos. Y, lo que es más para el despliegue dramático, es la infusión de la gracia y la confrontación que ella implica dentro del personaje mismo, lo que ocasiona el drama personal de la transmutación de su figura psicológica, moral y espiritual:

> LUIS. ....
> ¿Qué nueva mudanza ha sido?
> ¿Quién eres? [la Voz] No te he llamado
> hombre, ni lo has parecido;
> porque un hombre igual a mí
> solo y con armas iguales
> no le temiera yo ansí [46].

Ahora es preciso saber si la predestinación divina es predeterminante *ab aeterno*, y si los auxilios divinos son eficaces de manera frustrable o inimpedible. En la primera parte de la trilogía hemos visto que Tirso acepta en cierto modo la predeterminación *ab aeterno* a la gloria de la Santa Juana: «¿No te crió para ella?» «Te amó antes de que nacieras», le dice el Ángel. En los casos de la Vicaria y Don Jorge de la segunda parte y Don Luis de la tercera, Tirso parece desviarse de una posición determinante *ab aeterno* en cuanto que no sólo no hay ninguna referencia o alusión directa a su predestinación, como en el caso de la Santa Juana, sino que, al contrario, se les advierte que van camino de la reprobación, pero ésta no llega a efectuarse. ¿Indica esto una recusación por parte de Tirso de una predeterminación divina? Por lo que concierne la reprobación predeterminante *ab aeterno* es evidente que Tirso la rechaza aquí, en contra de los luteranos [47] y a divergencia de Báñez [48],

---

[46] Acto III, 17, p. 906.
[47] Para Lutero «Dios no se limita a permitir el pecado y la condenación; predestina al infierno...», ALBERTO BONET, *op. cit.*, p. 18.
[48] Para Báñez, la reprobación, aunque se efectúa *post praevisa peccata*, de acuerdo con la doctrina católica, va estrechamente ligada, sin embargo, a la predestinación divina: «...a la gratuidad en la predestinación total corresponde la gratuidad en la reprobación total... Así que los fines de la predestinación y reprobación no están desligados, sino que en realidad tienen un mismo fin, y forman un solo orden, al modo que para el hombre no existe sino un solo fin último sobrenatural... Si pues el fin de la predestinación y reprobación es el mismo, su estructura es con todo diversa. En la predestinación la permisión del pecado no es causa del abandono en él... la imposición del castigo viene por tanto *post praevisa peccata*», F. STEGMÜLLER, *Francisco de Vitoria y la doctrina de la gracia en la escuela salmantina*, trad. de J. D. García Bacca (Barcelona, Biblioteca Balmes, Durán y Bas, 1934), pp. 156, 157, 162. Para Tirso, aunque la predestinación es

puesto que pese a las advertencias y pronunciamientos reprobatorios que se les hace a través de la trilogía a estos personajes, no se efectúan sus condenaciones. En cuanto a la predestinación de la Vicaria, Don Jorge y Don Luis el problema es un tanto más complejo en cuanto que parecen salvarse *in extremis* lo cual podría indicar, según Báñez, un aparente cambio en la voluntad determinante de Dios, pues parecían ya condenados [49]. También en ellos se da, sin embargo, una predeterminación salvatoria absoluta por parte de Dios. Pero al contrario que en el caso de la Santa Juana, esta predeterminación absoluta de Dios de que estos personajes pecadores se convertirán y salvarán infaliblemente, fue un decreto absoluto de Dios, pero condicionado con respecto a ellos, siendo la condición la intervención de la Santa Juana a quien, como hemos visto, iban ligados sus destinos: «Ainsí, le sort de Don Luis [y de Don Jorge, la Vicaria y Mari Pascuala] dépend d'elle» [50]. Al decretar Dios con decreto absoluto y predeterminante que la Santa Juana llegará infaliblemente a la santidad, decretó también absoluta y predeterminantemente los destinos futuros que de la Santa objetivamente —no subjetivamente, pues la Santa no es Dios— iban a depender, tanto para sus salvaciones como para una prueba o glorificación más de su santidad, decretada absolutamente por Dios. Don Luis, pues, viene a ser, con la Vicaria y Don Jorge, «un enjeu confié a Juana pour une nouvelle preuve de sa sainteté» [51]. Tirso, pues, no se desvía en realidad de una predesti-

---

siempre predeterminante *ab aeterno* o de manera absoluta (la Santa Juana) o condicionada (la Vicaria, Mari Pascuala, Don Jorge, Don Luis), la reprobación se sustrae y separa del lazo y rigor predeterminante bañeciano para integrarse simplemente al designio divino universal, con el cual Dios quiere la salvación de todos, pero sabe por la ciencia de visión que no todos se salvarán. Los que no se salvan lo hacen exclusivamente por sus propias culpas, pues Dios quiso su salvación y no su reprobación. La infalibilidad de los réprobos la conoce Dios desde la eternidad con la ciencia de visión. La negación de la gracia eficaz se efectúa en atención a la previsión de los pecados y por tanto también *post praevisa peccata*, y esto sin estorbar ni su gratuidad ni su conocimiento previo, pues lo previó desde la eternidad, si bien de manera pasiva. Efectivamente «el hombre se condena a pesar de la voluntad divina», F. FERNÁNDEZ-TURIENZO, *art. cit.*, p. 58. Según el sistema de Báñez, y de ahí las acusaciones de herejía en contra de él, el hombre se condena, al parecer, por voluntad divina, a pesar de no ser causa de sus pecados.

[49] En efecto, la reprobación de la Vicaria parecía ya sellada, puesto que el mismo Niño Jesús pronuncia su sentencia:

Siempre te ha querido mal
y con castigo inmortal
lo ha de pagar.

(Acto III, 2, p. 857)

Y, sin embargo, llega a salvarse. Esto revela claramente que la reprobación es sustraída de la predestinación y separada de ella, puesto que si fuera ligada a ella, indicaría cierta predeterminación y sería imposible tal cambio en la voluntad divina, como enseña Santo Tomás.

[50] SERGE MAUREL, *op. cit.*, p. 319.

[51] *Ibíd.*, p. 319.

nación, predeterminante; más aún, hace suya la posición de Zumel y Álvarez, aceptada por los bañecianos, sobre los futuros condicionales [52]. De acuerdo con ella, el auxilio divino que con la «Voz» de ultratumba recibe Don Luis a petición de la Santa [53], después de una vida precipitada e irreverente, rechazando y resistiendo las admoniciones de su padre y las advertencias de la Santa, —las cuales pueden considerarse también como auxilios sobrenaturales aunque frustrables— es claramente gratuito, previo y eficacísimo, puesto que hace que se logre el efecto preordenado de cambiar la vida de Don Luis. Pero este auxilio eficadísimo ¿opera inmediata y directamente en el personaje o tan sólo en la operación, es decir en el efecto, según proponían los molinistas?

Es siempre y precisamente en este punto donde el fraile de la Merced da a conocer su concepción de la libertad y la gracia; y es en este punto más que en ningún otro, donde Tirso levanta una barrera insalvable con relación al sistema molinista [54]. Vemos una vez más que para Tirso

---

[52] Para Zumel y Álvarez «Dios ve los futuros condicionales en un decreto subjetivamente absoluto y objetivamente condicional, es decir Dios ve desde toda la eternidad el decreto que regiría los condicionales si la condición se pusiera...». El decreto es de parte de Dios absoluto, existiendo sin condición alguna; pero de parte del objeto (Don Luis, Don Jorge y la Vicaria, por ejemplo), es condicionado en cuanto depende de la condición (la Santa). «Como el decreto es predeterminante, se enlaza infaliblemente con el efecto predeterminado [los futuros condicionales], y es un medio infalible de conocerlos», ALBERTO BONET, op. cit., pp. 153, 154.

[53] VOZ.   Yo que en más noble lugar
                 estoy, por la Santa Juana
                 os he venido a avisar,
                 que experiencia soberana
                 y memoria os pienso dar.

(Acto III, 17, p. 906)

[54] En su artículo «La tesis escolástica de El condenado por desconfiado» (R y F, 120 (1940), pp. 633-646, el P. R. M. Hornedo, después de resumir con crítica las opiniones de varios críticos sobre la teología de Tirso de Molina en El Condenado, afirma que «tampoco se transluce [en El Condenado] que el decreto divino sea o no predeterminante. Por el mero hecho de que se hable de decreto eterno, no hay razón para pensar en el bañecianismo». Y añade: «con razón se pregunta el P. Prado: 'pero, además, el Dios de Molina ¿no decreta también algo ab aeterno?'», p. 637. Sí; pero Tirso no sigue, ni con rigor ni con semblanza teológica, lo que del sistema molinista se desprende, a saber, que el concurso divino es simultáneo y que recae en la operación y no inmediata y directamente en el hombre mismo. Tirso insiste incansablemente, como hemos ido viendo, precisamente en la prioridad y necesidad del concurso divino en la labor sobrenatural del hombre y en el obrar inmediato y directo en la causa segunda, lo cual lo separa terminantemente de Molina, no por casualidad —demasiado teólogo es Tirso—, sino por convicción propia. Si el decreto divino per se no prueba ni la afinidad de Tirso a la posición bañeciana, ni su oposición a la molinista, la insistencia y claridad con que el mercedario desarrolla y dramatiza la prioridad, necesidad y el obrar inmediato y directo sobre el hombre del concurso divino, sí

la infusión de la gracia es previa y necesaria y recae inmediata y directamente sobre el hombre. Al dirigirse la «Voz» ultramundana a Don Luis, éste ya presiente en su interior algo extraordinario y misterioso que trastorna y turba su ser:

> Voz. (de dentro)
> Hombre.
>
> LUIS. El paso, la persona,
> el movimiento, la voz,
> todo pienso que pregona
> temor, ¿qué lengua feroz
> el aire denso inficiona? [55].

Ni antes de esta afrenta ni simultáneamente a ella se observa indicación alguna de cambio o mudanza por parte de Don Luis. Como demuestra el pasaje, el irreverente libertino reacciona con serpresa y perturbación a la voz sobrenatural, la cual sacude su estado psicológico y hace, ante la afrenta de no verse llamado ni por su nombre, que se desoriente y luche en dramático conflicto interior con su repentino sentimiento de temor:

> LUIS. Aunque dices mi nombre,
> y tu pareces lo mismo,
> me das causa que me asombre
> y esté en un confuso abismo,
> viendo que me llamas hombre,
> y bien me puedo ofender
> porque hombre solo es afrenta,
> pues no dice más del ser
> y otro cualquier nombre aumenta
> valor, hacienda y poder [56].

Don Luis experimenta una trasmutación dentro de sí mismo que mina su personalidad socavando su estado psicológico e infundiéndole, en lucha interior, un pavor cada vez más revelador y reverencial: [57]

> LUIS. Como crecen los agravios
> va creciendo en mí el temor.
> Decid pensamientos sabios,
> ¿cómo no siento valor
> en el pecho ni en los labios?
> ¿Yo cuanto más ofendido
> más temeroso y turbado?
> *¿Qué nueva mudanza ha sido?*

---

comprueban y confirman su preferencia y afinidad, y dan a conocer su concepción sobre el problema.

[55] Acto III, 16, p. 905.

[56] Acto III, 16, p. 905.

[57] Sobre las reacciones de Don Luis y Don Juan ante una similar situación de aviso de ultratumba y la teología que ellas implican, véase F. FERNÁNDEZ-TURIENZO, *art. cit.*, pp. 57-60.

> ¿Quién eres? No te he llamado
> hombre, ni lo has parecido;
> porque un hombre igual a mí
> solo y con armas iguales
> no le temiera yo ansí [58].

Es evidente, pues, que la infusión divina opera en el hombre mismo y no en el efecto. Tal como hemos visto en Don Jorge, Don Luis se siente también muy distinto de lo que era anteriormente, pues su actitud psicológica y su actuación, como confiesa él mismo, no son las de siempre.

Pero si la gracia recae y obra sobre el hombre y dentro de él mismo, causando una alteración palpable en su personalidad y determinando además su dirección ¿no se destruye su libertad, como acusaban los molinistas? Nuestro mercedario respondería también aquí negativamente, pues nos hace ver dramáticamente —en consonancia con la tesis bañeciano-tomista— cómo el influjo divino no fuerza ni malogra el libre albedrío por impartirle más luz y poder cognitivo, con los cuales pueda mejor escoger el camino que más le convenga [59]. En efecto, al estrechar Don Luis la mano a la «Voz» y al experimentar el temible fuego eterno —que prenuncia y asienta similar escena en *El Burlador*— [60] experimenta una fuerza de discernimiento superior, que lejos de forzar y «cegar» su albedrío lo ilumina y agudiza más:

> DON LUIS, solo
> Mano de fuego, esperad,
> no os apaguéis; mas por Dios,
> que con la luz que dáis vos
> descubro yo una verdad.
> ....
> Dios mío este fuego labra
> nueva vida...

Como se ve, el auxilio divino ilumina más la facultad intelectiva de Don Luis, pues con ella es ahora más capaz de descubrir «una verdad» cual es la de abandonar su viejo proceder pecaminoso y escoger y seguir libremente, si bien infaliblemente, la «nueva vida» preordenada por Dios y que, con la «verdad» descubierta, él mismo puede labrarse:

> Vuestro tesoro se abra
> de gracia, a quien llevó aquellos
> pecados por los cabellos,
> que yo no puedo, mi Dios,
> ir con ellos yendo a Vos
> ni sin Vos librarme dellos [61].

---

[58] Acto III, 17, p. 906.
[59] Cfr. nota 49 del capítulo I de este estudio, p. 19.
[60] Véase F. FERNÁNDEZ-TURIENZO, *art. cit.*, pp. 55-58.
[61] Acto III, 18, p. 906.

El influjo divino eficaz no sólo opera, pues, directamente en el personaje, sino que activa e ilumina la facultad intelectiva, —peculiar esto e indicativo de la concepción tirsiana— más bien que la volitiva, puesto que el influjo hace que Don Luis descubra primero «una verdad», es decir logre un conocimiento verdadero, en virtud del cual se mueve libre pero infaliblemente hacia su «nueva vida». La precisión e insistencia de Tirso al hacer recaer el influjo divino primaria y dinámicamente en la facultad intelectiva del hombre, agudizando e iluminando su entendimiento, su raciocinio, tal como hemos visto en Santa Casilda y Alí Petrán (*los lagos de San Vicente*) y la Santa Juana, Don Jorge y Don Luis, todos los cuales deliberan antes de obrar una vez que han recibido la gracia, cuyos dictámenes siguen, acerca más a Tirso a la posición zumeliana y lo separa un tanto de Báñez, que negaba, en efecto, la moción activa en el entendimiento [62]. Una vez conocido, en virtud de la gracia divina, el verdadero y recto camino que lleva al sumo bien y deliberando sobre ello, el hombre no dejará de seguirlo, ni podrá dejar de seguirlo, tanto por ser la voluntad divina infalible, como por rigor lógico del dictamen de su propio intelecto y deliberación. Y esto porque nadie puede querer, sin incurrir en contradicción, su propia perdición. De ahí que Don Luis pueda pronunciar con plena libertad suya y con total dependencia divina: «que yo no puedo, mi Dios, / ir con ellos [los pecados] yendo a Vos, / ni sin Vos librarme dellos». Como consecuencia, se puede ver que para Tirso no sólo es el influjo divino necesario y previo al obrar sobrenatural y a la salvación, sino que es esencial que recaiga inmediata y directamente en el hombre, para que se dé real y verdaderamente la libertad humana.

Esta amplia presencia de elementos doctrinales y teológicos —que hemos visto a través de la trilogía y *Los lagos de San Vicente*— así como la precisión con que Tirso los expresa y dramatiza en la misma vida de sus personajes, no puede sino obedecer a una deliberada integración dramática. La trilogía de *La Santa Juana* es, como hemos demostrado, más que la glorificación de una joven beata, según la postura más bien dogmática, y por lo tanto poco dramática aunque teatral y artística, por imposición y rigidez externa del *Flos sanctorum*, la dramatización de almas humanas que empiezan a sentir, con la despertada y creciente conciencia moderna, el peso y la angustia de su inevitable temporalidad, frente a lo eterno y a lo divino: «Tan largo me lo fiáis.» La sucesión en la trilogía de los libertinos Melchor, Don Jorge y Don Luis, precursores de los grandes pecadores y tentadores de Dios —imposible y satánico sueño— si bien sosiega y calma su furor la virtud de la Santa Juana, llevan ya consigo en su alma y conciencia el germen trágico que crecerá en desesperado y diabólico atrevimiento para encontrar expresión dramática y artística en el infausto Don Juan y el atrevido tentador Paulo.

---

[62] Cfr. nota 67 del capítulo IV, p. 78.

Esto supone clara y necesariamente una base, una unidad teológica, como la que rige el teatro religioso de Tirso. ¿Qué otro problema más trágicamente tentador y dramático, y más *al giorno* ante la ilimitada posibilidad del hombre de hoy que, con sus *Tube babies*, desafía seriamente el patrimonio divino, descartando totalmente su imperio, por lo que el anterior Papa, Juan Paulo I vio la necesidad de llamar la atención precisamente sobre este mismo tema [63], que como el de la predestinación y la libertad toca a su misma existencia y a su insaciable ansia de eternidad? Al lado del tema moral-didáctico que se desprende de la vida misma de la Santa Juana —propósito del *Flos sanctorum*— Tirso enlaza y encarna con ella, como eje central, el hondo problema teológico de entonces y de siempre. No debe sorprender, pues, que el fraile de la Merced, teólogo de primer orden, al dramatizar tan transcendentales problemas teológicos dé a conocer su concepción personal del asunto en cuestión. Según lo expuesto hasta el momento, podemos resumir diciendo que nuestro mercedario integra en su dramatización en sistema coherente varias proposiciones defendidas durante la famosa Controversia *de auxiliis*. Con Báñez y con el tomismo en general, Tirso acepta siempre e incondicionalmente, el decreto predeterminante divino de los predestinados, así como la prioridad y el obrar inmediato y directo de los auxilios divinos sobre el hombre. Con Zumel y contra Báñez, Tirso incorpora a su concepción de la libertad y la gracia la indiferenciación entre la gracia suficiente y la eficaz, con lo cual Dios, según su voluntad y designio, otorga la gracia graduada de manera que alcance el grado de eficacia predispuesto por Él y quede sin embargo real y verdaderamente frustrable. Con Zumel, y a divergencia de Báñez y contra Molina, Tirso subraya, en el obrar en el hombre los influjos divinos, la primacía y dinamismo de la facultad intelecttiva sobre la volitiva, columna base para Tirso de la libertad humana. Esto último se puede apreciar, por ejemplo, en la capacidad de Tirso para integrar, en sistema coherente y sostenible, las varias proposiciones teológicas como, por ejemplo, la graduación de la indiferenciación de la gracia suficiente y eficaz en su obrar inmediato y directo sobre el intelecto: cuanto más eficacia lleva la gracia tanto más agudeza, y certeza, del hombre en escoger el camino que más le convenga y, como consecuencia, más libertad. Al contrario, cuan-

---

[63] El Papa Juan Paulo I en su primera homilía al mundo, pronunciada el 27 de agosto de 1978, refleja y continúa, creemos, la misma preocupación que Tirso expresó hace más de 360 años en su teatro teológico-religioso, *El Burlador* y *El Condenado* en particular, al advertir las mismas tentaciones Donjuanescas y Paulescas: «The world awaits this today: It knows that the sublime perfection to which it is joined by research and technology... has reached a height at which dizziness occurs. *It is the temptation of substituting for God one's own decisions, decisions that would prescind moral law. The danger for modern man is that he would reduce the earth to a desert, the person to an automaton,* brotherly love to planned collectivization, often introducing death where God wishes life», *The Boston Globe*, Monday, August 28, 1978, p. 12. Lo subrayado es mío.

to menor es la eficacia de la gracia, tanto menor es su agudeza de deliberación y tanto mayor la posibilidad de pecar [64]. Y también de acuerdo
con esto, se sigue que la frustrabilidad de los auxilios divinos es siempre
graduada, de manera que el hombre pueda resistirlos, si quiere, con
mayor y menor realidad y fuerza, según el grado de eficacia que les
infunde Dios. La precisión teológica con que Tirso encarna en las almas
de sus criaturas el problema de la libertad y la gracia es testimonio de
su preocupación —germen y fruto de su tiempo— por «los destinos
eternos de las almas de sus personajes inventados, y en esta espiritual
inquietud», y, añadimos nosotros, en esta surgida angustia existencial,
«están concebidos todos estos dramas hagiográfico-donjuanescos» [65]. La
recta doctrina y la herejía, la teología y el problema de la libertad y la
gracia son pues, base y eje dramático del teatro de Tirso de Molina y
revelan, según vamos confirmando, su concepción sobre el transcendental asunto.

---

[64] Tirso sigue otra vez a Zumel en cuanto que hace que el pecado resida en
el entendimiento. Cuando más agudo el entendimiento, tanto menor la posibilidad de errar y si peca, lo hará por obstinación y rebelión satánica: «Para Zumel
en todo el que peca existe error en el entendimiento», VICENTE MUÑOZ, op. cit.,
p. 149.
[65] BLANCA DE LOS RÍOS, «Preámbulo», en Obras completas, ed. cit., p. 745.

lo menor es la eficacia de la gracia, tanto mayor es su aspereza de deliberación y tanto mayor la posibilidad de pecar. Y también de acuerdo
con esto, se sigue que la frustrabilidad de los auxilios divinos es siempre
graduada, de manera que el hombre pueda resistirlos, si quiere, con
mayor y menor realidad y fuerza, según el grado de eficacia que le
infunde Dios. La precisión teológica con que Tirso encierra en las almas
de sus criaturas el problema de la libertad y la gracia es testimonio de
su preocupación —genial y fruto de su tiempo— por «los destinos
eternos de las almas de sus personajes inventadas», en esta espiritual
inquietud». Añadimos nosotros, en esta surgida angustia existencial,
acertan concebidos todos estos dramas hagiográfico-donjuanescos». La
predestinación y la herejía, la teología, el problema y el problema de la libertad y la
gracia son pues, base y eje dramático del teatro de Tirso de Molina y
tratan, según vamos confirmando, su concepción sobre el trascendental asunto.

<hr>

Tirso sigue otra vez a Zumel en cuanto que hace que el pecado resida en
el entendimiento. Cuando más agudo el entendimiento, tanto menor la posibilidad de errar y el pecado será por obstinación y rebelión satánica. «Para Zumel
en todo el que peca existe error en el entendimiento», Vicente Muñoz, op. cit.,
p. 149».

Blanca de los Ríos. «Preámbulo», en Obras completas, ed. cit., p. 245

CAPÍTULO V

EL MAYOR DESENGAÑO

En *El mayor desengaño* dramatiza Tirso tres etapas de la vida de San Bruno que cuminan, en *crescendo* temático y dramático, en el fulgurante e inesperado suceso de la condenación de su maestro Dión, quien, tenido universalmente por santo, anuncia durante su propio funeral su condenación a las penas eternas, lo que causa el «mayor desengaño» de Bruno y con él, la fundación de la Orden Religiosa de los Cartujos [1].

Estructuralmente, el drama representa tres cuadros o episodios, cronológica, geográfica y argumentalmente diferenciados, que casi pueden considerarse como tres dramatizaciones independientes de la vida del Santo. En el primer acto, en Colonia, ciudad natal del Santo, Bruno, habiendo dejado sus estudios religiosos, corteja desde hace seis años, contra la voluntad y deseos de su padre, a Evandra. En el momento en que Bruno quiere regalar, para mayor testimonio de su fe y amor, unas joyas maternas a Evandra, es sorprendido por su padre, el cual, consternado, se lo reprocha severamente y reafirmando su oposición al casamiento, le despoja de su herencia y le echa de casa; arroja también tras él una letanía de maldiciones a las que, sin embargo, «amoroso, como todos los padres del teatro de Tirso» [2] añade, refrenando la maldición suprema no menos de tres veces, una bendición final profética:

> PADRE DE BRUNO.   ....
> ... pero... no...
> Hágate el Cielo un gran santo [3].

Despojado del hogar y herencia paternas, Bruno pide refugio en la

---

[1] Para la fecha (1921) y fuente de esta comedia véase el «Preámbulo» a la obra de BLANCA DE LOS RÍOS en el vol. II de su edición de *Obras completas* ya citada, pp. 1177-1183. Si no hay indicación en contrario, todas las citas corresponden a este volumen. Lo subrayado es siempre mío.

[2] *Ibíd.*, p. 1177.

[3] Acto I, 2, p. 1187.

casa de Evandra, la cual recurre al escarmiento mitológico para negarle hospitalidad:

> EVANDRA. No, Bruno, que los engaños
> temo, que otro güesped hizo
> a la viuda de Cartago [4].

Sin hogar y pobre, Bruno se encuentra en la calle con el Conde Próspero, a quien confía su desdicha y su pasión por Evandra. El Conde Próspero promete ayudarle y le ofrece ser padrino en su boda con Evandra [5]. Pero pronto las maldiciones paternas empiezan a caer sobre Bruno. El Conde Próspero se enamora de Evandra y con astucia que recuerda a Don Juan, engaña y traiciona a Bruno:

> BRUNO. ¿Qué es eso, Próspero? Vos,
> en quien mis honras estriban,
> ¿consentís que os intitulen
> esposo de quien yo adoro?
>
> MARCIÓN [criado de Bruno].
> Por Dios que han soltado el toro [6].

Bruno, abandonado por Evandra y traicionado por Próspero, experimenta en el dolor y desengaño tanto un primer escarmiento de la vida y del mundo, como una primera conciencia de que su desobediencia y las maldiciones en que por ella incurrió, empiezan a caer sobre él:

> BRUNO.   Presto me alcanza,
> padre, vuestra maldición.
> Ya el enemigo en quien fié,

---

[4] Acto I, 3, p. 1188. Esta respuesta de Evandra coincide, como hace notar Blanca de los Ríos (*Ibíd.*, p. 1178), con la respuesta que da Don Juan a Catalinón, el cual le reprocha su vil intención de abusar de la hospitalidad de Tisbea:

> DON JUAN. Necio, lo mismo hizo Eneas
> con la reina de Cartago.
>
> (*El Burlador*, Acto I, 15, p. 648)

[5] Acto I, 4, pp. 1188-1189.

[6] Acto I, 14, p. 1195. Esta respuesta tauromáquica de Marción, criado de Bruno, si bien humorística, está cargada, por lo que sucederá a Bruno en adelante, de ironía, pues Bruno se verá al igual que Batricio, esposo de Aminta de *El Burlador*, «corrido y cornado», lo cual arguye contemporaneidad y paternidad de *El Burlador* de Tirso. Compárese con la respuesta que da Catalinón a Don Juan:

> DON JUAN. Corrido está [Batricio].
>
> CATALINÓN.   No lo ignoro;
> mas si tiene de ser toro,
> ¿qué mucho que esté corrido?
> No daré por su mujer
> ni por su honra un cornado.
>
> (*El Burlador*, Acto II, 22, p. 665)

> la prenda de más estima
> me usurpa [7].

A la trama de intriga amatoria, que tiene su desenlace al final del primer acto con la salida de Bruno de su tierra natal [8] sigue, en movimiento temático y dramático que se asienta en este primer acto para converger, en milagroso y temerario final, en el tercer acto. Nos referimos a las maldiciones y escarmiento que de ellas se deriva resumido todo en el apóstrofe «quien tal hace, que tal pague», repetido no menos de cinco veces en este primer acto, y la bendición final paterna «hágate Dios un gran santo». A las acciones puramente externas, la intriga, sigue para dominarlas en el final, la transformación o conciencia por parte de Bruno de que el mundo es un engaño y la vida pasajera y por lo tanto, todo hombre es llamado a dar cuentas. Así que el apóstrofe «quien tal hace, que tal pague» y la bendición paterna «hágate Dios un gran santo» llevan, además de la advertencia moral, un dictamen tanto providencial como ético-existencial que forjará el desarrollo personal de Bruno, su drama, y dará sentido y unidad a la obra.

En el segundo acto se dramatiza otra etapa de la vida de Bruno. Despreciado por su padre y por Evandra, Bruno busca mejor suerte en la vida militar sirviendo al Emperador Enrico IV de Alemania. Por su gran determinación y valor es vencedor en batalla, en la cual impide que un soldado viole a Visora, dama ilustre y hermosa. Al presentar a Visora al Emperador, éste se enamora de su hermosura y, agradecido por la gran victoria y por presentarle a Visora, premia a Bruno, elogia su heroísmo y le levanta a su privanza para gobernar el estado. Pero para no despertar los celos de la Emperatriz, Enrico le pide a Bruno que la esconda y guarde a Visora [9], lo cual desencadena todo un enredo típico de capa y espada, que ocasiona un altibajo revelador en la vida de Bruno. Visora, enamorada de Bruno, le reprocha que «consientas que profane / lo que defendiste Enrico» [10]. Milardo, cortesano envidioso de la privanza de Bruno y enamorado también de Visora, informa a la Emperatriz de que fue Bruno quien presentó a Visora, causa de sus celos, al Emperador, lo cual acentúa sus celos y su ira contra Bruno a quien jura hacer caer de su privanza con tanta celeridad como había subido [11]. El juramento de la Emperatriz adquiere fuerza dramática y profética con la aparición en escena de Leida, músico y cantante, cuya canción, a la manera de los coros griegos, amplifica el reflejo real del juramento profético de la Emperatriz:

---

[7] Acto I, 14, p. 1196.
[8] Acto I, 17, p. 1198.
[9] Acto II, 1-4, pp. 1199-1203.
[10] Acto II, 5, p. 1203.
[11] Acto II, 7, pp. 1204-1205.

LEIDA.   (Canta)
         «El que en los Príncipes fía,
         y en la cumbre del poder
         por el favor va subiendo,
         mire cómo asienta el pie.
         Por escalera de vidrio
         sube el privado más fiel,
         y es fácil cuando descienda
         o deslizar o romper.

                           (Sale Bruno lleno de memoriales que va
                           dando, y Marción con él, y *suspéndese
                           oyendo cantar*)

         Aun en el cielo no tuvo
         seguridad Lucifer,
         pues no hubo más de un instante
         desde privar y caer.
         Efímera es la privanza,
         mudable el más firme Rey;
         hoy derriban disfavores
         al que alcanzaron ayer» [12].

La canción de Leida retumba en los oídos de Bruno que, perplejo,
presiente el inminente cambio de fortuna:

BRUNO.   ¡Qué mal pronóstico anuncia
         la música que he escuchado!
         Del augusto soy privado.
         ¿Si mi caída pronuncia
         el acento temeroso
         que agora acabo de oír?
         Hoy que comencé a subir
         ¿el caer será forzoso? [13].

Celos, pasiones y envidia palaciegas conspiran en contra de Bruno. Al
verse pendiente de ellos, se ve otra vez forzado a considerar y reflexionar
sobre las maldiciones, cada vez más proféticas de su padre, que por desobediencia había lanzado sobre él:

BRUNO.   (Aparte)
         Padre, si os creyera a vos,
         mis estudios prosiguiera,
         y en riesgos no me metiera
         del favor y la privanza;
         vuestra maldición me alcanza,
         cuanto justa, verdadera [14].

En efecto, a la ira y celos de la Emperatriz y de Visora, y a la envidia
de Milardo, se añade el enojo del Emperador causado por la intriga po-

_____

[12] Acto II, 9, pp. 1205-1206.
[13] Acto II, 10, p. 1206.
[14] Acto II, 11, p. 1207.

lítica y amorosa y que se derrumba sobre Bruno desplomando su privanza, tal como se había profetizado, tan pronto como había subido:

ENRICO. ....
Salid de mi Corte, vos,
que quien, su padre ofendiendo,
fue contra sus canas malo,
no será para mí bueno [15].

Tal como sucedió al final del primer acto, Bruno se ve despedido y despojado. Pero también como en el primer acto, la caída externa de su fortuna, la derrota mundana, es acompañada del escarmiento psicológico y moral que, como fuerza regeneratriz, le constriñe a considerar su vida desde otra perspectiva, la eterna, y le sugiere el justo y recto camino que emprender en esta vida, según le está reservado, de acuerdo con las maldiciones; así se cumplirá la bendición final de su padre, «hágate Dios un gran santo»:

BRUNO. ¡Oh sagrados desengaños!
Pues no me curáis el seso
curad mi ciega inquietud,
alumbrad mi entendimiento.
¡En tres días de privanza
tanta confusión! ¿Qué es esto?
Fié en hombres. ¿Qué me espanto?
....
Si anduve tres días perdido
dichoso llamarme puedo,
pues la salida he hallado
de su confusión tan presto.
No más engaños de amor,
no más favores soberbios,
no más príncipes mudables,
no más cargos y gobiernos.
Peregrino he de vivir,
y pregonar escarmientos
por el mundo a los mortales [16].

Las maldiciones y bendición proféticas paternas, pues, por el proceso de escarmiento que imponen, a la par que se despliega el altibajo de la vida mundana de Bruno y por la gloria eterna que anuncian, se convierten en lección moral y dictamen providencial que, como móviles dramáticos, obran y hacen sentir con mayor fuerza su efecto transformador sobre Bruno, cual es desengañarle e iluminarle de modo que de sí mismo escoja y realice tanto su voluntad como la de su padre, en la vida religiosa.

Como censecuencia del escarmiento (derivación de las maldiciones

---

[15] Acto II, 22, p. 1212.
[16] Acto II, 26, p. 1213.

del padre, cuyo apóstrofe «quien tal hace, que tal pague» impone y confirma un orden y justicia ético-morales, y como efecto de la bendición profética «hágate Dios un gran santo», decreto providencial) Bruno reanuda en el tercer acto los estudios teológicos. Retirado de la vida mundana, Bruno brilla en los estudios teológico-escolásticos bajo la tutela de Dión, religioso y catedrático de Prima de París, que enfermo, deja la cátedra y aconseja a Bruno, su discípulo predilecto, que participe en la oposición a ella.

La dramatización de la oposición a la cátedra de Prima [17], además de presentar el espectáculo de «la transcripción fidelísima de un acto universitario de los tiempos de Téllez, con la escenografía y las fórmulas latinas propias de tales solemnidades» [18], sirve como preparación y dictamen, por anticipación, al fulgurante desenlace religioso que tendrá lugar con la condenación infernal de Dión y la fundación de la Orden Religiosa de los Cartujos. La conclusión teológico-escolástica dentro del drama representa, pues, una reafirmación de la voluntad de Dios y de sus decretos en la vida de los hombres, puesto que en ella se declara y prueba teológicamente el proceso de esa misma realización divina, la cual aparece reflejada de hecho en la voluntad y profecías del padre de Bruno. Sin embargo, y pese a la sagrada seriedad de la conclusión y al voto sagrado de Bruno —es ya canónigo— no está exenta de peligrosas tentaciones para Bruno. En la espectacular ceremonia de la oposición, delante de los reyes de Francia, asiste, entre estudiantes y vestida de hombre, Marcela, quien enamorada de Bruno, aplaude su estrepitosa victoria y le confiesa su deseo amoroso. Perplejo al principio Bruno, se rinde ante su belleza. Pero en el momento en que se propone corresponder a su amor, se oyen las palabras «cuerpo santo» que anuncian la muerte y entierro de Dión [19]. Este suceso impide la caída de Bruno. La fama de santidad en que era tenido Dión motiva la celebración de los funerales en la capilla de los reyes de Francia. Durante los oficios mortuorios y en presencia de los reyes y de multitud de gente, Dión, con asombro y espanto de todos («levantándose de medio cuerpo y echándose luego que habla») anuncia el proceso de su sentencia eterna:

DIÓN. Por justo y recto jüicio
de Dios, Juez Soberano,
a juicio voy.

Por justo y recto jüicio
de Dios, Juez Soberano
en jüicio estoy.

[17] Acto III, 2, pp. 1214-1217.
[18] BLANCA DE LOS RÍOS, «Preámbulo», cit., p. 1179.
[19] Acto III, 4, pp. 1217-1219.

Por justo y recto juicio
de Dios, salgo condenado [20].

Este espantoso y fulgurante suceso no puede sino causar reflexión y meditación en los presentes. Es el supremo escarmiento, «el mayor desengaño» en la vida del hombre, en cuanto que es la conciencia humana de que en esta vida nada es lo que aparenta, ni es el hombre tan autónomo, autosuficietne y acreedor que, por rigor de derecho pueda exigir, como pretendió Dión, la recompensa eterna, sin un mínimo de reverencia y obediencia a Dios, o sin remitirse a su misericordia. Esta fue la reprobable y capital imprudencia de Dión, y esta hubiera sido la de Bruno, si no se hubiera prevenido de los efectos de las maldiciones de su padre y hubiera seguido obstinado en separarse de la esfera reverencial. Dión creía poder exigir por sus obras, y con rigor de derecho humano propio —atrevimiento satánico— y sin gratuidad ninguna la gloria eterna. El apóstrofe «quien tal hace, que tal pague» dirigido a Bruno desde el primer acto, es desplazado y aplicado, para su escarmiento, a Dión, su maestro, convirtiéndose en pronunciamiento de la justicia divina, mientras que el otro apóstrofe, «hágate Dios un gran santo», se realizará infaliblemente, en la persona de Bruno. Los santos, la salvación, no es obra de los hombres, como demuestra la milagrosa y espantosa condenación de Dión. Los santos y la salvación los dispone Dios como demuestra y encarna la vida de Bruno.

Si la comedia presenta, estructuralmente, tres etapas de la vida de Bruno y en dos de ellas se dramatizan las intrigas mundanas, el móvil temático y dramático que las rige y las une, depende de las maldiciones y bendición paternas y sus correspondientes apóstrofes, que acaban dominando la obra con la condenación para Dión y la gloria para Bruno. El tema y el drama se convierten pues en hagiográfico-teológicos [21].

Las obras religiosas de Tirso llevan a menudo referencias y contenido doctrinales, cuya precisión dogmática apuntan a un teólogo versadísimo y consumado en la teología dogmática, que demuestra una patente preocupación por los problemas doctrinales de la época; pero su utilización e integración en las comedias certifican también la mano de un dramaturgo diestro y genial.

Hemos visto cómo la intriga mundana se convierte en El mayor desengaño en drama hagiográfico de alcance teológico. Es en este proceso donde Tirso integra el aspecto doctrinal para dar mayor autoridad temática y más realidad dramática y hasta histórica a la obra. En la

---

[20] Acto III, 6, pp. 1220, 1221, 1222.
[21] Estructuralmente El mayor desengaño es similar a La Ninfa del Cielo (drama) donde el tema mundano-secular se convierte también en hagiográfico con la conversión de Ninfa, lo cual es indicativo del arte dramático de Tirso. Por lo que concierne a La Ninfa del Cielo, véase MARÍA DEL PILAR PALOMO, «Estudio preliminar», en su edición de Obras de Tirso de Molina, BAE, vol. II, pp. XLII-XLV.

oposición a la cátedra de Prima, Bruno se propone disertar sobre si la criatura puede llegar por sí sola con el poder natural y sin el auxilio especial de la gracia divina a la visión de Dios, tema de evidente actualidad en la época, no sólo por la Controversia *de auxiliis* sino también por el problema que planteaban los movimientos reformistas de los alumbrados. En su disertación, en la cual Bruno se propone probar que el hombre no puede llegar tan sólo con sus virtudes naturales a la visión de Dios, sin el auxilio gratuito de Dios, arremete contra la secta de los beguinos [22], la cual aceptaba y defendía la tesis contraria, de raíz pelagiana, o sea, que el hombre por sí solo y con sus solas fuerzas naturales podía llegar a la visión de Dios:

> BRUNO. ....
> Siguieron estos errores
> después con bárbaras lenguas,
> Beguardo, Beguina *y otros,*
> con que en Alemania *siembran*
> *ponzoñosas herejías.*

Además, Bruno (Tirso) precisa el concilio que condenó esta secta y hasta apunta el canon condenatorio, aludiendo con él al mismo Papa (Clemente V) que convocó dicho concilio:

> que ya condenadas quedan
> conforme una Clementina
> del concilio de Vïena [23].

Esta referencia doctrinal no es arbitraria, ocasional o casual en la obra. Aplicada históricamente a la vida de San Bruno, vendría a ser un evidente anacronismo, puesto que el Santo vivió doscientos años antes del Concilio de Viena y por lo menos cien años antes de aparecer la secta. Cierto es, como el mismo Tirso afirma en sus *Cigarrales de Tole-do* [24], que el artista no está obligado a la estrecha observancia de la cro-

_____

[22] Las beguinas, o beguardos si eran varones, fueron una secta iluminista surgida en el siglo XIII en Alemania o Bélgica que defendían la tesis, de raíz pelagiana, de que el hombre por su natural inteligencia podía llegar a la visión de Dios. Practicaban ciertos ejercicios religiosos y mostraban espíritu libre. Profesaban además errores acerca de la Trinidad, la esencia de Dios y los sacramentos, así como errores acerca de la concupiscencia. Esta secta fue condenada por el Concilio de Viena en 1312. Véase la *Enciclopedia universal ilustrada*, Espasa-Calpe, vol. VII, p. 1461.

[23] Acto III, 2, p. 1215. Efectivamente el error beguino a que se refiere Bruno, tema de la conclusión, condenado por el Concilio de Viena es el quinto de los errores beguinos: «Quod quaelibet intellectualis natura in se ipsa naturaliter est beata, quodque anima non indiget lumine gloriae», en *Denz.*, p. 221.

[24] «¡Como si la licencia de Apolo se estrechase a la recolección histórica y no pudiera fabricar sobre cimientos de personas verdaderas arquitecturas de ingenio fingidas!» Tirso de Molina, *Cigarrales de Toledo*, ed. V. Saind Armesto (Madrid, Biblioteca Renacimiento, 1913), p. 123.

nología histórica. Pero, de acuerdo con esto, también hubiera podido referirse directamente a los movimientos iluministas [25], etc. y para condenarlos, recurrir por ejemplo, al canon I *de justificatione* del Concilio de Trento [26]. La preocupación de Tirso por el problema doctrinal frente a las herejías vigentes y futuras, es, como venimos comprobando, constante en su teatro y parte integrante del mismo. Aquí Tirso se aprovecha de la manipulación histórica que le concede Apolo para dar más proximidad histórica, y con ella más verosimilitud a la obra, sin dejar de apuntar a los problemas doctrinales y teológicos en contienda en su tiempo. Y no cabe duda de que apunta a los movimientos heréticos surgidos del movimiento protestante y a la subsecuente Controversia *de auxiliis*. En efecto, la oposición de Bruno termina siendo una disertación sobre el poder humano y la gracia divina. Recordemos también que Trento al condenar los errores protestantes no dejó, con deliberación bien notada por Tirso, de condenar el pelagianismo [27]. Junto a los errores de los beguardos y beguinos Tirso condena a «otros», o sea a otros heréticos «que en Alemania siembran / ponzoñosas herejías / que ya condenadas quedan». Creemos significativo, como demuestra el pasaje, el cambio verbal del pretérito «*siguieron* estos errores» al presente «en Alemania *siembran* / ponzoñosas herejías». La referencia a la secta de los beguinos más próxima históricamente a la vida del Santo y al Concilio de Viena que la condenó, confiere una evidente verosimilitud histórica y hasta geográfica a la obra. Pero la actualización verbal, la semejanza de los errores beguinos con los que surgieron como consecuencia de los movimientos reformadores [28], que Tirso no ignoraba, y

---

[25] A semejanza de los beguinos, los alumbrados llegaron a creer que una vez justificados no podían recaer en pecado: «La semejanza con los beguardos ha sido resaltada por los propios censores del Edicto [de Toledo de 1525 contra los alumbrados]», Antonio Márquez, *op. cit.*, p. 114.

[26] «Si quis dixerit hominen suis operibus, quae vel per humanae naturae vires, vel per Legis doctrinam fiant, absque divina per Christum Iesum gratia posse iustificari coram Deo: anathema sit», en *Denz.*, p. 295. Compárese con el canon V del Concilio de Viena citado arriba, nota 23.

[27] «The decrees [sobre la justificación y el pecado original] re-state the whole doctrine; they are not merely a contradiction of the reformers' innovations. The canons attached to the decrees are short summery condemnations of heresies that contradict the doctrine set out in the decree and not of the new contemporary heresies only. Thus along with the Lutheran theories about the original sin, there are also condemned (yet once again) the heresies of Pelagius», Philip Hughes, *The Church in Crisis: The Twenty Great Councils* (London, Burns and Oats, 1961), p. 287.

[28] «Las hay [sectas beguinas] en Holanda, donde algunos beguinajes *sobrevivieron a la Reforma*», *Enciclopedia católica*, p. 1461. Si a primera vista, y en efecto, la creencia beguina se opone tanto al dogma católico como al protestante por creer en la capacidad natural de llegar a la visión de Dios, error pelagiano, sin embargo, llega a asemejarse por su libre espíritu a ciertas derivaciones protestantes, o simpatizantes con ellos, como por ejemplo, los movimientos iluministas y dejados que llegaron a creer que una vez justificados no podían caer en

finalmente, el tema mismo de la disertación teológico-escolástica apuntan claramente a fenómenos contemporáneos, que preocupaban al mercedario. Magistral incorporación histórica, doctrinal y teológica, cabal y estructuralmente integradas por Tirso al drama de la vida de San Bruno [29].

Al transformarse la acción mundano-secular en acción hagiográfico-teológica con la conversión de San Bruno y la fundación de la Orden Cartuja, se integra en la obra, hasta terminar por dominarla toda, el tema omnipresente y más preocupante del teatro religioso de Tirso: el problema teológico y psicológico [30] del hombre renacentista y moderno que se atreve con Dios. Y no es otro el enfoque central de la obra y la intención del mercedario, puesto que se condena en la obra, en espantoso final, a un hombre, Dión, reverenciado universalmente por santo, mientras se salva a otro, Bruno, tenido por desobediente y pecador, el cual oportunamente desengañado de la vida, pone freno y juicio a sus pasiones y pretensiones.

Esto nos induce a preguntarnos qué causas entran en juego en el drama para justficar, dramática y teológicamente, la condenación de Dión y la conversión de Bruno, si el drama ha de resultar convincente. Y también qué concepción teológica se desprende de ello. La causa de la condenación se nos anuncia de manera categórica y explícita, si bien irónicamente, con las mismas palabras de Dión, en boca de Roberto:

ROBERTO. ....
porque cuando morir quiso
dijo, loco y temerario,
más que humilde, justo y cuerdo:
«No quiero que en este paso,
según su misericordia
me juzgue Dios, porque aguardo
que por rigor de justicia

_____

pecado y, por lo tanto, no estaban necesitados del auxilio divino puesto que podían mantenerse justificados tan solo con su certeza de fe o con su abandono amoroso, «dexamiento», en Dios. Para un excelente estudio histórico y filosófico sobre el tema, véase ANTONIO MÁRQUEZ, op. cit.

[29] Para Ángel Valbunea Prat la incorporación al drama de la disquisición escolástico-teológica de oposición a cátedra representa un defecto de la obra: «Aparte de defectos de acción lenta, en el caso de unas oposiciones a cátedra en escena, el resto del drama [es] vivo, realista...» El teatro español en su Siglo de Oro (Barcelona, Editorial Planeta, 1969), p. 194. Al contrario, y más acertada es la opinión de María del Pilar Palomo: «A ello [aspecto teológico del drama] ha de añadirse el gran aparato erudito que se añade a la obra, con largos razonamientos y disquisiciones teológicas, aunque perfectamente situadas en la estructura de la comedia», op. cit., pp. 48-49.

[30] «La leyenda o historia de la conversión de San Bruno, rodeadas de circunstancias milagrosas, está utilizada como base de la idea teológica de que el que espera la salvación por sus méritos propios se condena, y no así el que la espera de la misericordia de Dios», MARÍA DEL PILAR PALOMO, «Prólogo» citado, p. 48.

> me dé el Cielo que han ganado
> mis virtudes y paciencia» [31].

Dión es condenado, pues, por pretender exigir por derecho propio y en virtud de sus propias obras la gloria. Dión, al exigir la gloria por derecho y en virtud de sus propias «virtudes y paciencia» llega a negar, en efecto, la necesidad de la gracia divina en el obrar, sus «virtudes y paciencia», patente atrevimiento y soberbia satánica, que le hacen salirse de la esfera providencial de Dios. En la esfera secular, y como reflejo profético previo, Bruno también había intentado salirse de la esfera paterna, reflejo terrestre del orden divino, por lo cual había incurrido en maldiciones, que para él se convierten en advertencias y escarmiento. De ahí el significado del dictamen sentencioso «quien tal hace, que tal pague». Esto en cuanto al orden de justicia. Pero todo padre, y el tirsiano en particular, es también misericordioso y de ahí la imploración final «hágate Dios un gran santo». La presunción ciega de Dión, de haber llegado por sí solo, con sus propias fuerzas naturales a la gloria, le lleva precisamente por rigor de justicia a la pena eterna, pues «quien tal hace, que tal pague». Y como justa sanción de la sentencia en la esfera humana, el mismo Rey la ratifica:

> REY.   Si eso dijo, justamente,
>   por loco y desatinado
>   la justicia le condena
>   *quien da a la gracia de mano* [32].

La condenación milagrosa de Dión, aparte de servir como «mayor desengaño» que sella el destino de Bruno y de Marcela, su enamorada, que se retira también a un convento, —por lo que está integrada estructuralmente al drama de Bruno— es también la lógica consecuencia probatoria de la disquisición escolástico-teológica mantenida por Bruno poco antes, e, irónicamente, desde la misma cátedra de Dión. En ella Bruno mantuvo y probó, en efecto, que sin una gratuita infusión sobrenatural de la gracia, ningún hombre puede alcanzar ni alcanzará en efecto la esfera divina. La condenación de Dión es, pues, la prueba dramática de la disquisición para obtener la cátedra de Prima de Dión. Con magistral ironía, Dión se condena a sí mismo *ex chatedra*:

> BRUNO.   ....
>   mi conclusión verdadera
>   es que no hay pura criatura
>   que con naturales fuerzas
>   vea la esencia divina,
>   la puede gozar, ni entienda,

---

[31] Acto III, 7, p. 1222.
[32] Acto III, 7, p. 1222.

si con la lumbre de gloria
Dios no realza y eleva
el criado entendimiento
y animando su flaqueza,
le da celestial valor
con que hasta su objeto vuelva [33].

Y como respuesta a Roberto, su contradictor en la oposición, Bruno
subraya terminantemente la tesis doctrinal, recientemente confirmada
por Trento, de que el hombre por sí solo no basta para hacer actos sobrenaturales sino que necesita y es ayudado siempre por don gratuito,
la gracia:

BRUNO. ....
Y porque el hombre le vea [a Dios]
(pues por sí solo no basta)
cría una luz pura y bella,
que llaman lumbre de gloria,
para que a nuestra potencia
de anteojos de larga vista
sirva, con que alegre llega
al sol Dios, de quien depende
nuestra beatitud eterna [34].

El milagroso y temerario suceso no es, pues, una imposición arbitraria del autor para que funcione como *Deus ex machina*, sino que corresponde en el terreno de la dramatización escénica a la posición teológica
sostenida por Bruno; y ésta, a su vez, prepara, explica y justifica por anticipado tal suceso, que está, por lo tanto, estructural y temáticamente,
integrado a la trama de la comedia y al drama de Bruno.

Y es precisamente en la disertación escolástico-teológica donde Tirso
el teólogo, al reafirmar el dogma tridentino de la justificación —que ejem-
plifica la obra con la condenación de Dión y la conversión de Bruno—
expone su concepción sobre las relaciones entre el poder humano y la
gracia divina. Si la condenación de Dión y la conversión de Bruno son
una patente afirmación de que el hombre no puede obrar nada sobrenaturalmente sin el auxilio divino ¿quiere con eso decirse que Tirso rebaja
o niega por completo el esfuerzo y valor humano y con ello se reduce
la libertad del hombre a mera potencia pasiva? De niguna manera. En el
teatro religioso de Tirso hay que distinguer, como hemos visto en la
trilogía de *La Santa Juana*, entre Tirso el moralista y Tirso el teólogo.
El fraile mercedario, el teólogo, no niega el aporte humano al obrar sobrenatural. Dión es condenado por negar la necesidad de la gracia, error
patentemente pelagiano, en el obrar sobrenatural, puesto que quiso dar
«a la gracia de mano» y con ello quiso poner la fe exclusivamente en el
mérito de sus obras. Al contrario, Bruno (Tirso) en la argumentación de

---

[33] Acto III, 2, pp. 1215-1216.
[34] Acto III, 2, p. 1217.

la oposición, pone, como hace siempre, mucho cuidado en conceder al hombre su debido poder o papel en el juego del libre albedrío y la gracia divina. Roberto, su contradictor, le arguye que si, según Bruno, el entendimiento humano no puede alcanzar nada sobrenaturalmente sin la previa infusión divina, entonces «sic insurgo, / inútil es la potencia / que no se reduce al acto» y por lo tanto «inútiles son fuerzas / y en balde Dios le crió» [35]. Esta es precisamente la objeción de Molina a la posición de Báñez, que concedía a las facultades del hombre tan sólo un poder pasivo y estrictamente potencial, *in sensu diviso*, y que para los molinistas resultaba deficiente y hasta inútil en el juego del libre albedrío. Según éstos, para que el hombre siguiese siendo verdaderamente libre, debía tener sus facultades indeterminadas *in se* y tener poder real, *in sensu composito*, en orden a obrar o resistir el acto [36]. Bruno (Tirso) [37] al refutar la objeción de Roberto, aunque la acepta en parte, se separa de la posición bañeciana, en cuanto concede a las facultades humanas cierto grado de fuerza real y activa:

> BRUNO. ....
> Nuestro entendimiento humano
> entiende lo que sus fuerzas
> alcanzan, no más, que es
> propio de todo agente y potencia [38]

Tirso, pues, concede cierto poder real, pero limitado, a las potencias humanas. Dión, al insistir en conceder mérito exclusivo a sus obras [39] traspasó su límite, es decir, los linderos del poder humano, puesto que el hombre «por sí solo no basta» y por tanto incurrió en la pena eterna. Pero esto no significa que Tirso acepte al menos en parte, la posición molinista, pues es costumbre en él, repite en la argumentación teológica, que la gracia divina, necesaria siempre para el obrar sobrenatural, es anterior, no simultánea al acto, y opera siempre inmediata y directamente en el hombre determinándolo, en efecto, puesto que obra en él, es decir, obra directamente en las facultades y las deja, por lo tanto, no indeterminadas *in se*, según requiere la definición molinista. Para el acto sobrenatural, arguye Tirso en boca de Bruno:

> es necesario que tenga [el hombre]
> una calidad sublime
> que de suerte le engrandezca

---

[35] Acto III, 2, pp. 1216-1217.

[36] Cfr. pp. 32-38.

[37] Es lógico que Tirso expusiera su concepción teológica por medio de Bruno y no de Roberto, quien pierde la oposición.

[38] Acto III, 2, p. 1217.

[39] R. M. de Hornedo al comentar la opinión de Cotarelo de que *El mayor desengaño* es «un complemento» de *El Condenado*, hace resaltar en la comparación una analogía más certera en cuanto que si «Paulo se condena por desconfiar de Dios», Dión se condena no por confiado, sino «por confiar en sí», *art. cit.*, p. 185.

> (mediante su actividad)
> que pueda subir por ella
> a la divina visión [40].

Y no deja de señalar, como precisa el pasaje, que por la actividad de la gracia en él —«mediante su actividad»— el hombre se engrandece, y que obra «por ella» y no, estrictamente hablando, *con ella* según los molinistas y, por lo tanto, esta gracia es necesaria, previa e inmediata. Tirso precisa además con Zumel y reafirma constantemente en su teatro, que la gracia opera primaria y específicamente en la facultad intelectiva (entendimiento) [41] del hombre, lo que sitúa al entendimiento en lugar superior y de primacía respecto a la voluntad y esto le separa un tanto también de Báñez [42].

Es evidente, pues, que la insistencia con que Tirso incorpora las ideas doctrinales en el drama, evidencia la presencia de los problemas *de auxiliis* y la profunda preocupación que tuvo por las consecuencias que tales problemas implican para el destino del hombre. Y es también evidente que la precisión y la claridad con que Tirso expone dramáticamente la doctrina y las ideas teológicas, nos señalan la presencia de una clara y personal concepción sobre la libertad humana y la gracia divina. Sin salirse de una concepción determinante —no determinista— se separa de Báñez y rechaza a Molina por cuanto el sistema de éste no aparece en las comedias del mercedario. En primer lugar, las proposiciones capitales de Molina sobre el concurso simultáneo y la ciencia media, no sólo están ausentes, sino que quedan rechazadas por rigor de lógica deductiva de la concepción tirsista que venimos delineando. Además, se elimina el sistema molinista por consecuencia dramática, puesto que se condena a Dión por hacer de sus obras base de su salvación. Así que si Tirso el moralista quiere espantarnos al poner fe absoluta en la misericordia de Dios y ninguna en nuestras obras [43], como se desprende a primera vista de la condenación de Dión y de la huída del mundo de Bru-

---

[40] Acto III, 2, p. 1216.
[41] BRUNO. ....
   es que no hay pura criatura
   que con naturales fuerzas
   vea la esencia divina,

   ....
   si con la lumbre de gloria
   Dios no realza y eleva
   el criado entendimiento,
   y animando su flaqueza,
   le da celestial valor
   con que hasta su objeto vuelva.
             (Acto III, 2, pp. 1215-1216)

[42] Cfr. nota 67 del capítulo IV, p. 78.
[43] Véase J. M. DELGADO VARELA, *op. cit.*, pp. 341-377, en particular p. 365.

no, Tirso el teólogo no desvaloriza ni niega en absoluto, como se demuestra en la argumentación teológica de la oposición, el aporte del hombre a la labor sobrenatural, siempre que no se salga de sus posibilidades humanas, como pretendió Dión. Finalmente, todo ello está magistralmente estructurado e integrado por Tirso el dramaturgo, en expresión dramática al servicio del arte.

CAPÍTULO VI

LA MADRINA DEL CIELO Y *LA NINFA DEL CIELO* (AUTOS)

En la dramaturgia de Tirso de Molina [1], los seis autos que se le atri-
buyen [2] no representan, como han indicado acertadamente varios críticos, ninguna aportación cualitativa o cuantitativa al desarrollo del género [3]. En ellos, el intento de mantenerse en la alegoría de la doctrina sacramental, sucumbe ante la fuerza seductora de la vena lírica o realista
—realismo simbólico, emocional y psicológico— del arte dramático de

---

[1] En el «Preámbulo» a *La Madrina del Cielo* (vol. I de su citada edición),
Blanca de los Ríos no asigna ninguna fecha a *La Madrina del Cielo*, limitándose
a señalar que no fue incluido en «ninguna de las colecciones de sus comedias,
ni en *Los Cigarrales* y en el *Deleitar aprovechando*, ni impreso hasta muchos años
después de su muerte (1648), a no haber hallado asilo en la colección *Navidad y
Corpus Christi* (1664)» (p. 549). Véase también p. 106. Pero en su «Preámbulo» a
El Condenado (vol. II) le asigna la fecha de 1612 sin ofrecer ninguna razón para
ello, pues se limita a sugerir que es esbozo del inmortal drama. María del Pilar
Palomo en el «Prólogo» de su citada edición de *Obras* de Tirso de Molina, sitúa
este auto entre 1612-1613 (p. 20), y también sin aducir razones para ello. Sea lo
que fuere de su composición, y por lo que concierne a nuestro estudio, nos basta
con señalar que el auto es indudablemente, por su parentesco temático (teología) y dramático (caracterización) y por su compresión, concisión y concentra-
ción dramática y temática, anterior a *El Condenado* y le sirve, como indica acertadamente Blanca de los Ríos, de esbozo y plan, pues lo glosado es siempre posterior a la glosa. Para la fecha (1619) y la atribución de *La Ninfa del Cielo* (auto),
véase el «Preámbulo» a esta obra de Blanca de los Ríos en el volumen II de su
citada edición de *Obras dramáticas completas* de Tirso de Molina, pp. 745-753.

[2] Los otros cinco autos son: *No le arriendo la ganancia* (1612-13); *El colme-
nero divino* (1613); *Los hermanos parecidos* (1615); *La Ninfa del Cielo* (1619); *El
laberinto de Creta* (1638). Véanse los correspondientes «Preámbulos» y las «In-
troducciones» a los tres tomos de Blanca de los Ríos en su edición de Tirso de
Molina, *op. cit.*

[3] «Tirso, en su mejor drama sacramental, es muy inferior a Valdivielso e incluso a Lope... No avanzó en el auto sacramental por no comprenderlo, por confundirlo con la Comedia divina», BRUCE WARDROPPER, *Introducción al teatro religioso del Siglo de Oro* (Salamanca, Ediciones Anaya, 1967), pp. 324, 325. Véase
también MARÍA DEL PILAR PALOMO, «Prólogo», cit., pp. 41-44.

Tirso [4]. La metáfora sacramental se quiebra, pues, ante la fuerza de dicho realismo y su identificación con la humanidad, el Hombre —los autos parten siempre de una concepción alegórica y la suponen— se rebaja, por lo tanto, a nivel simbólico, a *un* hombre [5]. Los autos de Tirso se convierten, por lo tanto, más bien en dramas teológicos en un acto [6], y por ello forman parte más del teatro en general [7] de Tirso, y de su teatro teológico en particular, que de su dramática sacramental. A la luz de esto, pues, y por lo que importa para nuestro estudio, hemos escogido dos autos representativos y reveladores del teatro tirsiano, el religioso-teológico en particular y de su teología.

En *La Madrina del cielo* Tirso asienta y expone, como había hecho en la trilogía de *La Santa Juana*, la tesis teológica y el tema dramático que anticipan las dos obras inmortales, *El Condenado* y *El Burlador*. En efecto, «la tesis religiosa y el propósito ejemplarizador de Téllez son los mismos en *La Madrina del Cielo* y en *El Condenado*, y aun en *El Burlador*» [8]. Al empezar el auto, los protagonistas, Dionisio y Doroteo, se mueven en un plano humano y mundano, lo cual lejos de establecer un ambiente metafórico y abstracto, propio del auto sacramental, asienta la nota profana y realista que de verdad no llega a elevarse a un plano alegórico. Dionisio con Doroteo, ante la casa de Marcela lamenta, en escena amorosa y pasional como cualquiera de Tirso, la resistencia de Marcela a su amor y su firmeza de entregarse, como la Santa Juana, a Dios. El amor que Dionisio siente por Marcela «se ha apoderado / del alma y del pensamiento» [9] y desesperando ya de poder encontrar medios para conquistar su amor, le aconseja Doroteo que si la goza por fuerza, puede ser que después ella corresponda a su amor. Con un símil del espejo muy de Tirso [10] Dionisio se asoma y se refleja en la conciencia de Doroteo, lo cual establece el nexo ejemplarizador de sus destinos y la temática teológica que los rige.

---

[4] Ángel Valbuena Prat ya había anotado la modalidad realista de los autos de Tirso. «La nota realista aparece tanto en los autos como en la extensa galería de su comedia llamada en la época 'de santos'», *op. cit.*, p. 198.

[5] «El punto central de los autos [de Tirso] no es el Hombre, sino un hombre, sea santo o pecador», B. WARDROPPER, *op. cit.*, p. 325.

[6] Tirso «no avanzó en el auto sacramental... por confundirlo con la comedia divina», *ibíd.*, p. 325.

[7] «... su contribución [en los autos es] no ya al auto sacramental, sino al teatro en general», *ibíd.*, p. 325.

[8] BLANCA DE LOS RÍOS, «Preámbulo» citado, p. 449. La similaridad temática y dramática entre *La Madrina del Cielo* y *El Condenado* ha sido señalado también por R. M. DE HORNEDO, *art. cit.*, p. 182; J. M. DELGADO VARELA, *art. cit.*, p. 372; B. WARDROPPER, *op. cit.*, p. 321.

[9] TIRSO DE MOLINA, «La Madrina del Cielo», en Blanca de los Ríos, ed., *op. cit.*, vol. I, p. 552. En adelante citaremos siempre por esta edición y tomo, indicando la página correspondiente. Lo subrayado es siempre mío.

[10] «... Tirso gustaba de aplicar a la amistad, con varios sentidos, el símil del espejo», BLANCA DE LOS RÍOS, «Preámbulo», cit. p. 551.

> DIONISIO. Quiero tomar tu consejo,
> que muy bien me ha parecido,
> que el amigo es claro espejo,
> y por ver que me ha ofrecido
> la ocasión lo que deseo
> ....
> entro [a gozar a Marcela] en nombre de Dios.
>
> DOROTEO. Entra en nombre del Diablo [11].

El reflejo es, sin embargo, distinto de lo reflejado, como veremos luego. Efectivamente, los dos protagonistas se reflejan en el vicio, pero no en la virtud que los separará para la salvación del uno, Dionisio, y la condenación del otro, Doroteo. Desde un primer momento, Dionisio se mueve y opera desde la permisión de Dios y dentro de ella, pero no de su malicia moral que sólo puede venir de sí mismo, pues entra en nombre de Dios a gozar a Marcela. Doroteo, al contrario, hace de la permisión una operación del diablo, con lo cual se sustrae tal permisión de la esfera providencial de Dios, mediante la cual puede el hombre esperar su redención y salvación:

> DOROTEO. Va a forzar [Dionisio] una doncella
> y nombra de Dios el nombre
> que forma contra él querella:
> *sin duda que entiende este hombre*
> *que ha de ayudalle a movela.*
> *Aquesto, si bien lo notas,*
> *de demonio es el oficio* [12].

En efecto, Dios le ayudará a «movella» a Marcela, pero no al pecado, según lo ve y entiende Doroteo, —esto sí es «oficio» del demonio— sino al perdón, con lo cual se salvará Dionisio:

> MARCELA. Yo le perdono [13].

En el episodio siguiente a su seducción, que podría ser una escena dramática perfectamente encuadrada en cualquier obra de Tirso, Marcela, agraviada y furiosa, igual que tantas mujeres forzadas y engañadas en el repertorio dramático de Tirso, lo cual atestigua su mano [14], se enfrenta con Dionisio y pide satisfacción y reparación:

> MARCELA. Arrojadizo Tarquinio
> dime: ¿qué fruto has sacado
> de un efecto tan indino,

---

[11] P. 552.
[12] Pp. 552-553.
[13] P. 564.
[14] Como, por ejemplo, Mari Pascuala de *La Santa Juana* (segunda parte), Ninfa de *La Ninfa del Cielo*, Laurencia de *La Dama del Olivar*, así como las víctimas de Don Juan.

> que así has un pecho violado
> dedicado al Uno y Trino?
> ....
> Mas, pues que ya ha sucedido,
> muestre ese pecho piadoso
> lo mucho que me ha querido;
> dame la mano de esposo,
> con lágrimas te lo pido [15].

El engaño donjuanesco de Dionisio y la confrontación con la engañada
mantiene el auto en la esfera profana del teatro de Tirso. Tal como Don
Jorge de *La Santa Juana*, Don Guillén de *La Dama del Olivar* y Carlos de
La Ninfa del Cielo, Dionisio desprecia y aborrece a la seducida a quien
tanto había deseado antes de gozarla:

> DIONISIO. Cualquier cosa hasta gozalla
> se tiene en veneración
> hasta poder alcanzalla;
> mas, llegada la ocasión,
> el mejor pago es dejalla.
> Lo que tuve de amor
> volvió en aborrecimiento [16].

y con atrevimiento sacrílego que le asemeje a Don Juan, rechaza, como
los otros donjuanes de Tirso, toda responsabilidad convencional, personal y moral:

> ....
> Procura satisfacerte,
> *que jamás temí la muerte,*
> *quéjate al Cielo de mí*
> que no alcanzarás el sí
> ni pienso de jamás verte [17].

La reacción de Marcela ante el abuso y desprecio de Dionisio sitúan
el auto también dentro de la dramática profano-religiosa de Tirso. Tal
como Mari Pascuala, Ninfa y las víctimas de Don Juan, Marcela se dirige
en busca de reparación y satisfacción al cielo:

> MARCELA. ¡Así te partes, cruel!
> ....
> Divino Redentor, Celador Santo,
> de aquesta sinrazón a Vos apelo
> porque quedo afligida y sin consuelo,
> ....
> A Vos, Sacro Señor, venganza os pido;
> no pase sin castigo tan mal hecho
> y un delito tan feo y tan enorme.

---

[15] P. 553.
[16] Véase la comparación textual *supra,* nota 27 del capítulo IV, p. 86.
[17] P. 553.

Pero el desconsuelo y la aflicción de Marcela ante tan grave delito personal no llegan, como es de esperar, al dramatismo de la angustia existencial que experimentan Mari Pascuala, Ninfa y aun Laurencia en *La Dama del Olivar*. El angustiado proceso psicológico y espiritual y el dramatismo que ello implica, como sucede con Mari Pascuala, Ninfa y Laurencia, no logra aquí su debido desarrollo. Marcela invoca también la venganza divina, pero antes de terminar su imploración vengativa ya se alivia su rabia y desconsuelo y modifica su imploración de venganza:

> Aunque si de otra cosa os sois servido
> y se mueve a clemencia vuestro pecho,
> con vuestra voluntad será conforme [18].

Es evidente que la limitación temporal —es un acto— y la necesidad de abstracción del género, fuerzan la mano de Tirso e impiden tanto el desarrollo dramático del personaje como su debida abstracción [19]. La invocación divina, pues, enlaza el auto, al igual que en el teatro religioso-teológico, con el orden sobrenatural que lo rige. La intervención de Jesús por invocación de Marcela, plantea el problema teológico, aludido al principio por Dionisio y Doroteo y esto regirá el auto y lo asemejará a *El Condenado* y *El Burlador*.

En efecto, Jesús asegura a Marcela que la justicia se hará, puesto que aunque Él permitió el pecado, no consiente la maldad que sigue de la irresponsabilidad moral del pecador:

> JESÚS. Marcela: tu sentimiento
> es justo que le tengas
> y que justicia prevengas
> a tan grande atrevimiento,
> *que, si el pecado consiento,*
> *de su maldad formo queja,*
> *y aunque ves que este se aleja,*
> *no pierdas la confianza,*
> *y el tomar dél venganza*
> *sobre mis hombros lo deja* [20].

Con esto, pues, el destino de Dionisio se remite a Dios y el auto adquiere un enfoque teológico y se convierte en drama ejemplarizador. Al igual que el Burlador, Dionisio no sólo «se aleja» de su responsabilidad personal y moral, sino que se atreve con lo sobrenatural: «jamás temí la muerte», y, como Enrico, hace de su vida, junto a Doroteo a quien imita y refleja en vicios, un continuo crimen y maldad. El tema teológico, al igual que el mensaje moral ejemplarizador, recae, pues, no sobre unas

---

[18] P. 553.
[19] En los autos, Tirso «titubea, experimenta: no encuentra nunca un estilo propio», B. WARDROPPER, *op. cit.*, p. 321.
[20] Pp. 553-554.

figuras alegóricas abstractas, como por ejemplo el Hombre, propio del auto sacramental, sino en estos dos hombres. El dictamen teológico y su valor dramático y simbólico se exponen y se logran por encarnarse y reflejarse en los dos amigos protagonistas, pues «el amigo es claro espejo».

Los dos amigos libertinos están cargados y llenos de crímenes pecaminosos. Dionisio, además, se ha atrevido contra la eternidad, «jamás temí la muerte». Los dos se encaminan inevitablemente hacia la justicia divina que les imputará, al parecer, la pena infernal pues «la ley les condena» [21], declara el demonio. Y, sin embargo, el uno, Dionisio, se salva, y no por pecar menos, mientras que el otro, Doroteo, es reprobado. ¿Qué justificación teológica se alega para ello y cómo se dramatiza? La salvación de Dionisio es, sin duda, efecto de la gracia. La intercesión de Santo Domingo y la Virgen que lo salva, indican claramente un auxilio sobrenatural especial que evidentemente se niega a Doroteo, pues a su petición de intercesión, la Virgen le imputa no la misericordia para la salvación, sino la justicia para la pena:

> VIRGEN.   Cuando tuviste lugar
> no gozaste la ocasión,
> por donde vas a penar
> al reino de confusión.
> Contínuo has vivido mal,
> tu vida siempre empeora,
> y llegado a punto tal
> en lugar de intercesora
> es mi oficio ser fiscal [22].

Cabe preguntarse si la imposición de la pena a Doroteo indica realmente una reprobación negativa por parte de Dios, puesto que se le niega el auxilio especial que se concedió a Dionisio. Tirso muestra, teológica y dramáticamente, que no es este el caso. Aunque los dos se imitan y reflejan mutuamente en los vicios y crímenes, no sucede lo mismo en la virtud, en la esperanza y en el temor de Dios. Pese a los crímenes, que lo asemejan a Doroteo, Dionisio muestra, después de gozar a Marcela, arrepentimiento, lo que le causa ciertos asomos de conciencia y esto indica una infusión de la gracia que le ha de salvar, pues su destino se remitió, como hemos visto, a Cristo:

> DIONISIO.   Adoraba su belleza
> y después que la he gozado
> ha entrado en mí tal tibieza
> que aun el caso imaginado
> me causa mucha tristeza [23].

Pero el momento que separa y fija el destino de los dos libertinos sal-

---

[21] P. 559.
[22] P. 559.
[23] P. 555.

teadores y que delinea claramente la temática teológica de la obra y de
Tirso, es cuando Dionisio y Doroteo asaltan a dos frailes, el uno, Chima-
rro, fraile gracioso y picaresco, y el otro, Santo Domingo. Este episodio,
como tantos otros en Tirso, representa el proverbial bivio de la vida,
cuando el hombre podía aún acceder y gozar del don de la gracia. Aquí,
la presencia de Santo Domingo, disfrazado de fraile humilde y pobre, es
sin duda y representa una intervención de la gracia. Dios, pues, extiende
a los dos pecadores, la misma oportunidad de acceder a ella o de rechazarla. Los dos pueden de hecho cambiar con ella el rumbo de su
vida y de su destino. Dionisio escoge no resistir su fuerza y accede a ella,
mostrando piedad y clemencia con Domingo (el santo) al que deja libre,
y del que guarda para sí tan sólo su rosario:

> DIONISIO. ....
> sólo este rosario quiero
> que me ha parecido bien [24].

Doroteo, al contrario, escoge no acceder a este auxilio y en efecto lo resiste, aunque se le invita, si bien en tono burlesco, a imitar a su compañero en piedad y clemencia:

> CHIMARRO. ¿Por qué no ha de usar virtud?
> ¿Úsala su compañero,
> siendo también salteador?
>
> DOROTEO. Desnúdese...
> ....
> *Tengo poca devoción*
> *y las entrañas malditas* [25].

Esta dramatización del momento meritorio y también decisivo para los
dos salteadores, y para todo hombre, revela, en la similaridad y reflejo
de sus crímenes, la diferencia de sus personalidades y de sus voluntades,
que en efecto los separa en sus destinos. La temática teológica que rige
estos destinos es afirmada por Tirso, de forma tan explícita y clara, por
boca de Dionisio:

> ....
> Tu [Doroteo] tienes riguridad,
> yo tengo alguna clemencia;
> tu aborreces la bondad,
> yo tengo por excelencia
> tener el don de piedad.
> Bien puede ser pecador
> el hombre, porque le inclina
> de Adán el primer error;
> mas a la Esencia Divina

---

[24] P. 556.
[25] Pp. 556-557.

> no ha de perder el temor;
> no tienes que estar cansado
> que hacer a Dios resistencia
> es quebrantar su real bando
> y debe pedir clemencia
> el hombre, aunque esté pecando [26].

Al delinear la diferencia esencial entre Dionisio y Doroteo, Tirso prepara, pues, la justificación teológica y dramática que determina el destino de cada cual. En un cuadro sobrenatural, cuando el demonio entra para reclamar a los dos pecadores, Santo Domingo, al interceder por Dionisio, confirma la esperanza de justificación enunciada antes por el mismo Dionisio:

> DOMINGO. ....
> Señor: Dionisio ha pecado
> siéndoos rebelde y ingrato,
> en los vicios engolfado;
> mas teníalo por trato,
> siendo a piedad inclinado.
> Si alguna cosa quitaba,
> también con ellos partía
> de aquello que le tocaba.
> ....
> Rezaba con devoción
> el sacrosanto rosario
> ....
> Bien sabéis la caridad.
> Señor, que conmigo usó,
> ....
> Señor, tened dél piedad [27].

Es evidente que sin esta intercesión de Santo Domingo —es éste sin duda un auxilio especial— Dionisio no se hubiera salvado, pues fue «rebelde y ingrato». También aquí se mantiene Tirso fiel a su concepción sobre la libertad y la gracia, que venimos delineado y confirmado a través de su teatro. A Dionisio le salva la gracia, porque movido por ella, como demuestra su bondad para con Santo Domingo, obra actos meritorios que podrían ayudarle, como él mismo creía y esperaba. Doroteo se condena no por negársele la gracia, pues también pudo haber accedido a ella, sino por rechazarla, pues «cuando tuviste lugar / no gozaste la

---

[26] P. 557. Compárese este parlamento entre Enrico y Paulo:

> ENRICO.   Aunque malo, confianza
>   tengo en Dios.
> PAULO.   Yo no la tengo
>   cuando son mis culpas tantas.
>   Muy desconfiado soy.
>
>   (Acto II, 17, p. 487)

[27] P. 559.

ocasión». La gracia, pues, unida a los efectos meritorios y saludables que por ella obra el hombre y el temor y la esperanza en la misericordia de Dios, salva al hombre. La resistencia a la gracia o el mal uso de ella —cuando ésta es de tipo graduada y por lo tanto resistible, como demuestra el caso de Doroteo— impiden que el hombre obre actos meritorios y que ponga su fe y esperanza en la misericordia de Dios. La gracia, pues, lleva al hombre a la misericordia de Dios y su resistencia y rechazo le llevan a la justicia eterna:

> CRISTO. Pues de mi mucha clemencia
> ....
> doy por muy justa sentencia
> que aqueste sea condenado.
> (A Doroteo)
> Y a aqueste a hacer penitencia
> (A Dionisio)
> *Y miro que aqueste ha sido*
> *del rosario muy devoto*
> *y en sus cosas comedido,*
> *y aqueste un hombre remoto*
> *gran pecador y atrevido* [28].

Como se ve, pues, la concepción de Tirso sobre la libertad y la gracia continúa estando fundada en la gratuidad de la gracia, aunque teniendo en cuenta, aclara el mercedario, los actos meritorios del hombre. Aunque es cierto, nos dice y repite Tirso, que el hombre debe desconfiar de sí mismo y poner toda su confianza en Dios, no por eso rebaja o niega el valor ni el mérito humanos en la labor sobrenatural y en la salvación, pues hemos visto que a Dionisio le valieron sus actos meritorios. Al igual que en *La Santa Juana* y en *El mayor desengaño*, donde Dión se condena no tanto por confiar en sí y en sus obras, cuanto por fundar y exigir su salvación exclusivamente en ellas, la desconfianza de sí mismo es un recurso ascético-moral —y moralizante— que define el carácter del personaje y realza sus virtudes, no un dictamen teológico sobre una verdadera y total negación del poder del hombre. No es cierto, pues, teológicamente hablando, que Tirso funde la doctrina de la conversión y la salvación «en la total desnudez humana», ni es ésta «una idea común en las obras de Téllez» [29]. Como hemos visto aquí y en otras obras, Tirso no niega ni el valor ni la aportación meritoria del hombre a la conversión y en la salvación, sino que, al contrario, las afirma, si bien lo hace a veces de forma velada o con ambigüedad, para encuadrar el perfil psicológico y moral del personaje y recalcar con ello tanto su drama como el mensaje moral y ejemplarizador [30]. Así que en las obras de Tirso, el dictamen teológico es en realidad siempre, y pese a las apariencias

---

[28] P. 559.
[29] J. M. DELGADO VARELA, *art. cit.*, p. 372.
[30] Cfr. *supra*, pp. 77-78.

en contrario, claro y constantemente sostenido, forma parte integrante y es catalizador del drama del hombre. La salvación de Dionisio y la condenación de Doroteo suponen y son gobernadas, como hemos visto, por el dictamen teológico de la obra, que es la concepción misma del autor. Este auto, pues, si bien curioso y extraño dentro del género del auto sacramental, es representativo e indicativo del teatro religioso-teológico de Tirso y revelador de su concepción en el tema de la libertad y la gracia.

En *La Ninfa del Cielo* el intento de Tirso de mantener el auto en un plano abstracto y alegórico obtiene mejor resultado [31]. Aquí los personajes, Alma (Ninfa), Memoria, Voluntad, Entendimiento, Pecado, Malicia, Deleite, Cristo y Músicos, son en su principio abstracciones, que adquieren formas conceptuales tirsianas precisas, a la par que se confrontan entre sí en lucha pasional y se adentran en lucha existencial, definidora y decisiva, en el alma humana (Ninfa) y su destino. Pero tampoco en este auto, el propósito de Tirso, o por lo menos su resultado, es, estrictamente hablando, auto sacramental. La dramatización de la lucha de las potencias del alma ante el pecado, más que una glorificación del «Corpus Christi» o la Hostia Eucarística, según la concepción de Lope sobre este género [32], es en un primer nivel, el pasional, una presentación de estos mismos personajes-concepto y una exposición de los mismos [33]. Y en un nivel más hondo y dramático, el existencial y moral, más que la instrucción teológico-dogmática, de acuerdo con la concepción calderoniana del auto, que era verdadera dramatización «vivida de conceptos abstractos» [34], es en el caso de Tirso, una dramatización del «modus operandi» de las potencias del alma (el libre albedrío) y la gracia divina, que en él es la lucha del alma por su ser, su personalidad entera. Este auto es, pues, también un drama, en un a cto, teológico, psicológico y hagiográfico. El Alma (Ninfa) igual que Ninfa de *La Ninfa del Cielo* (drama) cae en el pecado y, en lucha contra él, mediante los auxilios divinos, llega a la salvación en Cristo [35].

---

[31] «*La Ninfa del Cielo,* con mayor dominio de lo abstracto en su estructura... se eleva aquí al plano conceptual y abstracto...» MARÍA DEL PILAR PALOMO, «Prólogo» citado, p. 44.

[32] El auto sacramental «tiene que glorificar la Hostia Sagrada... Aun Lope, en la práctica, se dedicaba casi exclusivamente a rendir homenaje a los dogmas cuyo centro es la Eucaristía», B. WARDROPPER, *op. cit.*, p. 28.

[33] «La penetración psicológica de Tirso, que sabe ahodar en las ocultas pasiones humanas —sus monólogos son auténticas muestras del autoanálisis de sus personajes— se eleva aquí al plano conceptual y abtracto para mostrarnos con viva plasticidad, una lucha de las potencias del alma», MARÍA DEL PILAR PALOMO, «Prólogo» citado, p. 44.

[34] «La instrucción teológica, la dramatización vívida de conceptos abstractos, una diversión para un día de alegría: tal fue, en esencia, la idea que tenía Calderón del género que llevó a perfección», B. WARDROPPER, *op. cit.*, p. 29.

[35] «*La Ninfa del Cielo* (drama)..., se convierte en hagiográfico...» MARÍA DEL PILAR PALOMO, «Estudio preliminar» citado, p. XLII. Para el paralelismo de *La*

En la lucha del Alma por su salvación o condenación eternas, el Pecado y sus ministros, la Malicia y el Deleite, preparan el asalto del Alma (Ninfa) que «de los campos es / de penitente vestida, / que es su mayor interés» [36]. En este ambiente propicio para la penitencia y la fortaleza espirituales, —«es su mayor interés», recuerda a Paulo de *El Condenado*— yace, sin embargo, también el peligro tentador de la carne y, lo que es más para Tirso, el de estar solo y privado de ayuda y guía espiritual. Es el mismo Pecado quien presenta esta advertencia de Tirso, cuya claridad casi dogmática nos dice bien claro cuál es su concepción teológica, la que iluminará también la teología de *El Condenado*:

> PECADO. ....
> en los desiertos halló
> peligro el Apóstol; yo,
> Malicia, entiendo lo que es,
> ¡ay!, dice el Eclesiastés,
> *del solo, que si cayó*
> *no tiene quien le levante* [37].

El Alma se siente segura al principio, a semejanza de Paulo, en la fortaleza espiritual que según ella, confiere la soledad del desierto, y se dirige a sus potencias en regocijo de tal seguridad:

> ALMA.   Mi Memoria, Voluntad
> y Entendimiento, por quiero [38]
> *en aquesta soledad*
> *conozco el supremo bien,*
> hoy conmigo os alegrad,
> partes integrales mías
> haced nuevas alegrías
> pues que veis la perfección
> de mi ser [39].

En el juego por el supremo bien, la salvación, son pues las potencias quienes dirigen y guían al Alma. Pero mientras viva, nadie por perfecto que sea o propicio el ambiente, debe estar seguro de su victoria final, pues la vida humana, advierte el Entendimiento, «es una eterna milicia» [40] y, por lo tanto, es siempre necesario tener los ojos abiertos para

Ninfa del Cielo (drama) y *La Ninfa del Cielo* (auto), véase BLANCA DE LOS RÍOS, «Preámbulo» a *La Ninfa del Cielo* (auto) en su cit. ed. de TIRSO DE MOLINA, *Obras dramáticas completas*, vol. II, pp. 745-751. En adelante citaremos siempre por esta edición y tomo, indicando la página correspondiente. Lo subrayado es siempre mío.

[36] P. 755.

[37] P. 756.

[38] B. de los Ríos corige, en nota 1, p. 757, «por quiero» por «por quien» lo cual aclara el sentido del verso.

[39] P. 757.

[40] P. 769.

discernir el mal del bien. En efecto, ante el «confiado» regocijo del Alma es el Entendimiento quien aconseja cautela y no desviarse de sus consejos y guía:

ENTENDIMIENTO. ....

> *Mira cómo te gobiernas*
> *de mi consejo guiada,*
> *con que el bien y el mal disciernas;*
> *mira que hay vida prestada,*
> *y hay gloria y penas eternas* [41].

En otros lugares hemos visto que Tirso, siguiendo a Zumel, concede superioridad y primacía al entendimiento sobre la voluntad [42]. Aquí el mercedario reafirma contundentemente y con palpable claridad y plasticidad dramática, el papel indipensable y de primacía del entendimiento sobre la voluntad, en el juego del libre albedrío y la gracia divina. Es su dramatización. Las acotaciones sobre la presentación de los personajes, no dejan lugar a dudas sobre el asunto: «Salen el Alma, *bizarra*, y el Entendimiento, *de viejo*; la Voluntad, *de villana*, y la Memoria, *de dama...*» [43] La aversión y hasta el desprecio de Tirso hacia la Voluntad es evidente, pues la reviste y presenta de «villana» o sea de torpe y grosera y, además, es la Voluntad misma quien concede, resentida, la primacía y superioridad en el juego de la salvación al Entendimiento:

VOLUNTAD.   Yo
> ¿qué he de decir? Tú lo ves
> ese bien barbado viejo,
> *cuya prudencia y consejo*
> *es vuestro despertador,*
> *os predicará mejor*
> *que yo, en su mano lo dejo;*
> ....
> Bien sabemos cómo y cuándo
> el Alma a su Dios agrada,
> ¿para qué todos los días
> andáis [Entendimiento y Memoria] con filosofías?
> ¿Ella [Alma] su libre albedrío
> no tiene? [44].

La Voluntad toca aquí el punto primordial del drama. El libre albedrío del Alma y con él su salvación, dependen precisamente de que se mantenga la ordenación racional, Entendimiento-Memoria-Voluntad, de las potencias del alma. De ahí la primacía del Entendimiento, cuyo pa-

---

[41] P. 757.
[42] Cfr. notas 11, 13 y 46 del capítulo III y nota 67 del capítulo IV, pp. 44, 45, 55, 78, respectivamente.
[43] P. 756.
[44] Pp. 757-758.

pel, primordial e indispensable para escoger bien y rectamente, es no sólo velar, discernir y guiar al Alma, sino enfrenar la Voluntad:

> ENTENDIMIENTO.   Con *loco* brío
> *en ser villana porfías* [45].

La torpeza de la Voluntad y la prudencia discernidora del Entendimiento entran en lucha competidora cuando el Pecado, presentándose disfrazado de señor bizarro, prepara el asalto del Alma. La Voluntad por su parte, por ser «villana» y «torpe», sólo ve la superficie aparencial del Pecado y sin ulterior pesquisa se mueve hacia él:

> Pardiez que sois, señor honrado
> y que *ya* me inclino a vos [46].

El entendimiento a su vez, más cauto, penetrante y discernidor, percibe, con el grado de claridad y lucidez que realmente posee, la sustancia verdadera del Pecado y trata de rectificar el juicio y deseo de la Voluntad y de advertir el peligro del Alma:

> Voluntad, *a lo que veo*
> en la noche y no en el alba
> tienen aquestos [Pecado, Malicia y Deleite] su empleo.
>
> ———————
>
> Alma, aqueste es el Pecado.
>
> ———————
>
> ¡Mira que es tu perdición! [47].

La Voluntad en su torpeza impulsiva, según la concepción de Tirso, porfía en empujar al Alma hacia el disfrazado Pecado, pues lo percibe bajo el aspecto de bien deleitable, y reprocha al Entendimiento y a la Memoria su aspereza ascética:

> VOLUNTAD.   ....
> ¿Hay cosa alguna criada
> que no tenga amor? ¿Por qué
> no ha de ser enamorada
> el Alma? ¿Queréis que esté
> siempre en el cielo elevada?
> Estas fuentes y animales,
> plantas y árboles frutales
> son entre yerbas y flores
> celajes y resplandores
> de los bienes celestiales.
> *De aquí conoce que hay Dios,*

---

[45] P. 758.
[46] P. 760.
[47] Pp. 758, 761.

> *no ha menester más motivo*
> *dejadla libre los dos* [48].

Esta visión más bien de mística panteísta, engaño del Pecado, que Tirso rechaza y condena, hace que la Voluntad enlace, erróneamente, la belleza y el bien aparenciales y engañadores, con Dios y, por lo tanto, considera innecesaria cualquier especulación ulterior o juicio, pues «de aquí conoce que hay Dios / no ha menester más motivo». Con esto, la Voluntad mina y tergiversa —y de ahí el peligro del hombre al dejarse guiar de la Voluntad y no del Entendimiento, según Tirso— el papel del Entendimiento, puesto que ya no hace falta para conocer el Supremo Bien:

> ENTENDIMIENTO. Notable pena recibo.
> Voluntad, ¿y querés vos
> ser su consejera aquí,
> si aunque os distingáis de mí
> me sois en todo inferior? [49].

La lucha entre las dos potencias tiene al Alma confusa e indecisa en el camino que emprender:

> ALMA.   Ya no sé
> lo que siga; aquí el amor
> me llama a fiestas y gusto,
> y aquí de Dios el rigor me
> amenaza. ¡Ay, tal disgusto
> quién vio con furor [50] mayor! [51].

El Pecado, al ver la indecisión del Alma y las advertencias del Entendimiento que pueden estorbar su intento de vencer al Alma, interviene para «cegar» el Entendimiento: «(El Deleite tapa con una liga los ojos al Entendimiento)» [52], lo cual deja al Alma indefensa en la oscuridad y sin suficiente lucidez para discernir. El Alma, sin la facultad intelectiva, pierde en efecto su libertad, pues no puede escoger:

> ENTENDIMIENTO. ¿Quién te ha de poder guiar
> si yo la vista perdí? [53].

La dramatización de la respuesta a esta pregunta del Entendimiento, demuestra una vez más la intención de Tirso de cimentar su teatro en las esferas filosófico-teológicas y doctrinales, por tocar inexorablemente, en

---

[48] P. 761.
[49] P. 762.
[50] Blanca de los Ríos corrige, en nota 1, p. 762, «con furor» por «confusión» lo cual restablece el sentido.
[51] P. 762.
[52] P. 763.
[53] P. 763.

dramática transcendencia trágica o gloriosa, la nueva toma de conciencia de la existencia y destino del hombre. Veamos. Con la «ceguera» de la facultad intelectiva —el Entendimiento tiene los ojos tapados y la Memoria está dormida— el Alma se dirige en busca de consejo y guía a la Voluntad, la cual adquiere cierta virtud directiva cuando el Entendimiento quede incapacitado:

> VOLUNTAD. ¿Aqueso me has de decir?
> *No es de ángel tu aprensión*
> *recíbele [al Pecado] por esposo agora*
> *goza tan buena ocasión,*
> *que después podrás, señora,*
> *buscar otra perfección* [54].

La Voluntad, pues, confía, al fallar el Entendimiento, la dirección del Alma a la simple aprensión, en orden a escoger el bien supuesto y guardarse del mal (Pecado). Pero cabe preguntarse si para Tirso basta la simple aprensión para escoger bien y no caer en el pecado. Como hemos visto en *Los lagos de San Vicente,* Tirso desconfía de la dependencia total del alma en la simple aprensión y la rechaza [55], tocante a la certeza del bien. Aquí, Tirso reitera con precisión ideológica y gran fuerza dramática, su concepción sobre el asunto y confirma una vez más su aversión a este postulado indudablemente molinista [56]. Efectivamente, tal dependencia de la simple aprensión de la voluntad, lleva, según Tirso, más fácil y seguramente al error (pecado) como se demuestra con la caída del Alma al «escuchar» y seguir tal aprensión:

> ALMA. Pues ¡alto! mi mano es ésta
> y a tu gusto desde hoy,
> esposo [Pecado], estaré dispuesta [57].

La caída del Alma es lamentada por Cristo, que sale vestido de pastor como en *El Condenado,* para redimir «aquesta ovejuela errante» [58]. La intervención de Cristo Pastor es un auxilio sobrenatural que se le confiere gratuitamente al alma. Pero este auxilio sobrenatural opera *no* en la potencia volitiva, sino en la facultad intelectiva del Alma. Esto separa claramente a Tirso de cualquier escuela o concepción mística o neoplatónica, como ha querido indicar un crítico eminente [59]. La vena mís-

---

[54] P. 764.
[55] Cfr. nota 13 del capítulo III, p. 45
[56] *Ibíd.,* nota 13.
[57] P. 764.
[58] P. 765.
[59] Según KARL VOSSLER, «... la armonía entre Dios y el hombre se va perfeccionando en la medida en que las sobrenaturales fuerzas del espíritu se apoderan de nuestra carne, y lejos de destruirla, la purifican y enaltecen... Conforme a esa máxima, Tirso profesa la doctrina del amor platónico... El platonismo que Tirso celebra es casi siempre místico y cristiano», *Lecciones sobre Tirso de Molina* (Madrid, Taurus, 1965), pp. 91-92.

tica en el teatro religioso de Tirso de Molina se debe, creemos, más bien a descargas o erupciones de lirismo, que emanan del alma poética del mercedario y que el dramaturgo utiliza con varios sentidos y propósitos —como efusión amorosa, por ejemplo, en el caso del soliloquio nocturno de Don Juan antes de ir a la cabaña de Aminta [60], o como descripción amena o áspera del paisaje exterior, que es reflejo y engaño trágico del alma del personaje, por ejemplo, el desierto para Paulo en *El Condenado* o el Alma (Ninfa) y la Voluntad en este auto— u obedecen tal vez a una actitud ascético-moral y moralizante, como por ejemplo, la purificación y perfección espiritual —no carnal— de Ninfa de *La Ninfa del Cielo* (drama), pero en ningún caso responden a un planteamiento y concepción místicos de Tirso. La insistencia en hacer recaer el efecto de la gracia en la facultad intelectiva del alma humana, y en dramatizar esto, suponen una valoración y una jerarquía, según la cual, la primacía corresponde al entendimiento, que está por encima de la voluntad en la concepción filosófico-teológica del mercedario.

En efecto, Cristo al reprochar al Alma (Ninfa) su abandono en el Pecado, se dirige no a la Voluntad, sino a la Memoria y Entendimiento para redimirla:

CRISTO.   ....
¡Mas yo, que soy pastor bueno,
aunque tus culpas he visto,
con amor vengo a buscarte
que me costaste infinito!
Despierta Memoria, y dile
al Alma que le apercibo,
que es un instante la vida
y que hay infierno y jüicio.
Y tú, ciego Entendimiento,
muéstrale los desvaríos
que sigue, y que si no llora,
será cierto su castigo.

(A este postrer verso se levanta la
Memoria y *sale el Entendimiento*
sin la banda) [61].

Esta infusión sobrenatural, gratuita siempre, pues Cristo ha visto su

---

En Tirso, la armonía entre Dios y el hombre se perfecciona, según venimos comprobando, no con la purificación y elevación de la carne, sino con la luz del entendimiento, puesto que la gracia opera en éste y en virtud de ello, el hombre perfecciona su vida para elevarse a Dios. Más que «purificación y enaltecimiento» de la carne, que podría sonar a alumbrado, es la perfección y elevación del espíritu mediante el intelecto, lo que Tirso profesa. Su doctrina, pues, además de ser siempre cristiana, es escolástico-intelectualista, de fuente tomista y con modalidades propias.

[60] Para este soliloquio de Don Juan véase la nota 50 del capítulo IV, pp. 92-93
[61] P. 766.

culpa y, sin embargo, le confiere la gracia, hace que las dos potencias intelectivas recobren sus fuerzas y poderes, lo cual confirma la concepción de Tirso de que los auxilios divinos recaen sobre las potencias del intelecto y de que precisamente por ello adquiere y agudiza el Alma su libre albedrío, pues de otro modo obraría «ciega», lo que es propio de las causas segundas no libres, y por lo tanto, carentes del poder necesario para que se dé realmente la libertad:

> MEMORIA. A vuestras voces sagradas
> desperté, Pastor Divino.
> ENTENDIMIENTO. *Y yo he cobrado la vista,*
> *Señor, con vuestros auxilios* [62].

Esta infusión sobrenatural no es, pese a su eficacia —pues ha despertado a la Memoria y ha dado «vista» al Entendimiento— del tipo eficaz infrustrable. Hemos visto cómo en Tirso la gracia lleva graduación y por lo tanto es resistible según su grado de eficacia. Aquí se reafirma esta modalidad tirsiana, de acuerdo con Zumel, de la gracia, puesto que el Alma aunque prevenida otra vez del Entendimiento y Memoria, no queda suficientemetne convencida —no «ve»— de su error y se obstina en el pecado:

> CRISTO. *¡Ay Entendimiento amigo,*
> qué me pides, si del Alma
> estoy de amores perdido! [63].

Este auxilio divino tuvo, pues, eficacia limitada y por lo tanto resistida. ¿Quiere esto decir que la voluntad y designios de Dios pueden ser malogrados por el hombre? Tirso no deja de recalcar también aquí que pese a la resistencia, posible e incluso real, de los auxilios divinos, no por eso se frustran los previos designios, la predestinación de Dios. Cristo previno esta resistencia del Alma como dispuso su arrepentimiento y victoria últimas, y de acuerdo con ellas conferirá los auxilios y los modos apropiados para la salvación:

> CRISTO. *Quedaos los dos* [Entendimiento y Memoria] *a su puerta,*
> pues su obstinación he visto,
> que como me costó tanto
> *su salvación solicito.*
> ENTENDIMIENTO. Si vos la dejáis, Señor,
> será cierto su peligro.
> CRISTO. Oiréla si me llamare
> que en todas partes asisto
> no le faltarán jamás
> inspiraciones y auxilios [64].

---

[62] P. 766.
[63] P. 767.
[64] Pp. 768-769.

Es evidente, pues, que el designio divino, la salvación del Alma, se cumplirá inevitable e infaliblemente, pese a la resistencia, puesto que Cristo dispuso su salvación: «su salvación solicito» *ante praevisa merita*, y el Alma no tiene méritos, sino pecados que alegar en su favor. Y, sin embargo, su salvación se hará de acuerdo con su libre albedrío y méritos, puesto que el Alma debe concurrir, —«si me llamare»— aunque concurrirá infaliblemente por haberlo solicitado Cristo.

En efecto, la conversión del Alma se verifica, subraya y dramatiza Tirso, con la luz del Entendimiento, agudizada por la gracia divina. En la lucha que sigue entre la Voluntad y las dos potencias intelectivas, es precisamente esta luz de la razón la que abre los ojos del Alma y hace posible su desengaño y arrepentimiento, y con esto su camino de la salvación:

> VOLUNTAD. ¿Para escuchar a estos dos
> la cama y el placer dejaste?
>
> ENTENDIMIENTO. Oye al sabio Salomón
> que dice que si cayeres
> vuelvas a pedir perdón,
> *y que ese amante a quien quieres*
> *es un furioso dragón.*
>
> MEMORIA. *Si con los ojos le vieres*
> *de la razón,* Alma ingrata,
> yo sé que le aborrecieres.
>
> ALMA. ....
> Es mi amado más hermoso
> que el sol, porque lo creáis
> enseñárosle es forzoso,
>
> ....
>
> (Tira [de] una cortina: haya
> *una cama y en ella un dragón*
> *muy fiero)* [65].

Gracias a «los ojos de la razón», el Alma es capaz ahora de discernir la verdadera sustancia del objeto (el Pecado) propuesto antes como bien por la Voluntad, basada en la simple aprensión:

> ALMA. ....
> Cegaron mi Entendimiento
> gustos y honras lisonjeras,
> adurmióse mi Memoria
> *y la Voluntad apenas*
> *quedó para encaminarme*
> *apenas su rustiqueza.*
>
> ....
>
> ¿Qué he de hacer? [66].

---

[65] Pp. 770-771.
[66] Pp. 772-773.

Al conocer con la luz discernidora de la razón, previa infusión divina, el Alma puede escoger con mayor seguridad y certeza el verdadero y recto camino y llegar con la gracia, previa la penitencia, a la salvación que, según hemos visto, le tenía dispuesto Cristo *ab aeterno*:

CRISTO. ....
    oiré de mis ovejas los balidos,
    daréles en mis fértiles ejidos
    mi gracia, pasto dulce y regalado
    que ya tienen en mí su bien librado;
    aunque más son llamados que escogidos.
    Alma, no desesperes, si negares
    alguna vez *lo mucho que me debes,*
    sacrificando al vicio [en] tus altares
    que aunque es verdad que a mi deidad te atreves
    si tus culpas gimieres y llorares,
    gloria eterna tendrás por penas breves.

    ———————

    Alma, en no volver a pecar
    consiste tu bien.

ALMA. *Ya, Señor, conozco claro*
    que me va mejor agora
    que entonces [67].

Es evidente, pues, que el auto llega a ser, en realidad, una dramatización del problema de la predestinación con sus ramificaciones en lo que toca al libre albedrío del hombre —su existencia y destino— así como una exposición dramática, precisa, basada en una concepción filosófico-teológica, de su «modus operandi» de la armonización del libre albedrío y la gracia divina. La insistencia y premura de Tirso, a través de su teatro religioso, en señalar y destacar en viva dramatización que la gracia divina recae y opera en la razón —Cristo hace del Entendimiento su amigo: «Ay Entendimiento amigo»— así como su aversión a dejar al hombre guiarse por la voluntad —a la cual califica repetida y despectivamente de «torpe», «villana» y «rústica»— son claras confirmaciones, tanto de una concepción escolástico-intelectualista neotomista zumeliana, con modalidades propias, como de la encarnación dramática y dramatizable del problema de la libertad humana y la gracia divina en el Hombre (Alma) vigente en la conciencia del hombre de aquella época y de siempre.

———————

[67] Pp. 775, 777.

CAPÍTULO VII

EL CONDENADO POR DESCONFIADO

En el teatro religioso de Tirso de Molina, *El condenado por desconfiado* [1] representa, junto a *El burlador de Sevilla*, la expresión última de la dramatización de la libertad humana y la gracia divina, en cuanto

---

[1] Este impresionante drama ha sido objeto de grandes controversias y de opiniones no sólo divergentes, sino directamente opuestas entre los críticos, tanto por lo que se refiere a su paternidad y a la fecha de su composición, como por su contenido y vertiente teológicos. Entre los críticos que han negado a Tirso la paternidad de esta obra se encuentran: el padre José López Tascón, que se la asignó terminantemente a Fray Alonso Remón («*El condenado por desconfiado* y Fr. Alonso Remón», *Boletín de la Biblioteca Menéndez y Pelayo*, 4 (1934), pp. 1, 2, 3 (1935), pp. 14-29, 144-171, 273-293); D. Manuel de la Revilla, quien la juzgó de Lope o escrita en colaboración con Tirso (*Obras de D. Manuel de la Revilla*, Madrid: El ateneo científico, literario y artístico, 1883, pp. 351-364) y A. Valbuena Prat, quien admite la posibilidad, pero no la probabilidad de que sea de Tirso (*Historia de la literatura española*, vol. II, Barcelona, Editorial Gustavo Gili, 1953, pp. 417-418). Uno de los primeros críticos en asignar decididamente esta obra a Tirso fue Agustín Durán (véanse sus estudios «Acerca Gabriel Téllez y sus obras» y «Examen de *El condenado por desconfiado*» en *Comedias escogidas de Fray Gabriel Téllez*, BAE, 1924, vol. V, pp. X-XVI y 720-724, respectivamente), y Blanca de los Ríos (véase su «Preámbulo» a *El condenado por desconfiado* en su edición citada de Tirso de Molina, *Obras dramáticas completas*, vol. II, pp. 405-430). Hoy la crítica da por asentada la atribución de esta magna obra a Tirso: «Hoy es unánime la atribución; quienes la cuestionan, no aportan razones de peso... La autoría de Tirso se refuerza con... el contenido teológico de la obra, semejante a otras comedias del autor; el paralelo con *El Burlador*, la presencia de lo sobrenatural, las decisiones tomadas súbitamente y por inspiración divina...» C. MORÓN-ARROYO, «Introducción» a su edición de *El condenado por desconfiado* (Madrid, Ediciones Cátedra, 1974), p. 16. La elaboración consciente de una estructura conceptual teológico-filosófico integrante e integradora, que venimos sacando a luz en su teatro y que culminará, como nos proponemos mostrar, en dos de los dramas más grandiosos del Siglo de Oro, *El Condenado* y *El Burlador*, contribuye a anclar más firmemente la paternidad de Tirso respecto a *El Condenado*.

Por lo que concierne a la fecha de composición tampoco está de acuerdo la crítica. Blanca de los Ríos la sitúa entre 1614 y 1615 (véase su «Preámbulo» citado, en su edición y tomo citados de Tirso de Molina. Obras dramáticas, pp. 427-430). C. Morón-Arroyo propone a su vez («Introducción» a su citada edición de *El condenado por desconfiado*, pp. 45-46), la fecha de 1625 o principio de 1626. El

que el hombre en desbordada conciencia existencial, se adentra en los vestíbulos de la esfera divina, para penetrar sus inaccesibles y misteriosos designios en un caso, y para exigir en otro la satisfacción de su destino último. Es significativo el hecho de que el drama empiece ya con un impresionante soliloquio, expresión dramática la más propia, penetrante y reveladora de las almas angustiadas [2]. Desde el primer momento, pues, el drama descansa en cimientos filosófico-teológicos y psicológicos de donde se levanta la tragedia del anacoreta Paulo.

Al empezar el drama vemos a Paulo expresar, como sucedía en Ninfa de *La Ninfa del Cielo* (auto), el regocijo espiritual que le proporciona la soledad de la gruta:

> ¡Dichoso albergue mío!
> ¡Soledad apacible y deleitosa,
> que en el calor y el frío
> me dais posada en esta selva umbrosa,
> donde el huésped se llama
> o verde yerba o pálida retama!
> ....

padre Martín Ortúzar en su artículo «*El condenado por desconfiado* depende teológicamente de Zumel», *Estudios*, 10 (1948), pp. 7-41, sitúa la obra entre los años 1608-1612. Pero en otro artículo posterior «Teología del *Condenado:* nueva aclaración», *Estudios*, 5 (1949), p. 336, clarifica y acepta la fecha de 1621, sugerida sin explicaciones por Ruth Lee Kennedy. La eminente tirsista en la nota 30 de su libro *Studies in Tirso, I: The Dramatist and his Competitors* (Chapel Hill, North Carolina Studies in the Romance Languages and Literatures, 1974), p. 88, afirma que «There are good reasons for believing that *El Condenado* was written in 1622», prometiendo mostrarlo «on another occasion». Hasta la hora no ha aparecido, que sepamos, el prometido estudio. Por la estructura conceptual teológico-filosófica de las obras que hemos estudiado y su integración dramática y artística, cada vez más y mejor lograda, creemos que *El Condenado* es posterior a la trilogía de *La Santa Juana* (1613-1614) y contemporáneo o poco posterior a *El mayor desengaño* cuya fecha de 1621, según B. de los Ríos, aceptamos. R. L. Kennedy en su citado libro, p. 358, parece comprobar esta fecha, puesto que afirma, aunque con cierta discrepancia respecto a B. de los Ríos (loc. cit., p. 1177) que «*El mayor desengaño*... played in the Palace between late 1622 and early 1623» situando, por lo tanto, la composición de esta obra en 1622 a más tardar.

En cuanto a la concepción y postura teológica de *El Condenado* la crítica, basándose exclusivamente en el contenido teológico de la obra o apoyándose de manera más bien casual, en una u otra obra de Tirso, ha colocado al mercedario o en el bando molinista o en el bañeciano. Para un conciso resumen de las conclusiones divergentes y opuestas de varios críticos, véase R. M. HORNEDO, «La tesis escolástica-teológica de *El condenado por desconfiado*», R y F, 138 (1948), pp. 633-646. A los reverendos padres M. Ortúzar y J. M. Delgado Varela les corresponde el mérito de haber emprendido la rectificación de estas divergencias y opuestas opiniones situando a Tirso dentro de la teología de Zumel. Cfr. su correspondientes artículos, citados ya. Este estudio apareció con el título« *El condenado por desconfiado:* odisea de un dictamen teológico», en *Segismundo*, 33-34 (1981), pp. 185-226.

[2] «Los soliloquios en que Paulo expresa al Omnipotente la tragedia espiritual que se inicia en su conciencia, no podían ser diálogos —el hombre no puede conversar mano a mano con Dios— necesariamente habían de ser monólogos», B. DE LOS RÍOS, «Preámbulo» de su edición citada de Tirso de Molina, *Obras dramáticas*, vol. II, p. 437.

Y con este sentimiento de efusión y seguridad espiritual, sale de su cueva, símbolo de la cueva platónica, a contemplar la luz del cielo:

> Salgo a ver este cielo,
> alfombra azul de aquellos pies hermosos.

Pero en su efusión espiritual mística ante la bóveda celeste, y, para Tirso, como resultado de ella, Paulo sufre un eclipse en su fe y con atrevimiento sacrílego, trata de traspasar los linderos humanos para indagar los divinos:

> ¿Quién, ¡oh celeste velo!,
> aquesos tafetanes luminosos
> *rasgar pudiera un poco*
> *para ver...?* ¡Ay de mí! Vuélvome loco

Esta atrevida pregunta le hace en un primer momento retroceder de horror: «¡Ay de mí! Vuélvome loco.» Paulo, pues, está perfectamente consciente de su sacrílega audacia. Su conciencia se ha atrevido con la eternidad. Pero en vez de desistir y humillarse poniendo su confianza en la voluntad y misericordia de Dios y en manos de teólogos confesores en la Iglesia, Paulo prosigue en su atrevido pensamiento:

> *Mas ya que es imposible,*
> *y sé cierto, Señor, que me estáis viendo.*
> ....
> ¿Cuándo, Señor divino,
> podrá mi indignidad agradeceros
> el volverme al camino,
> que si no lo abandono *es fuerza el veros*
> y tras esta victoria,
> darme en aquestas selvas tanta gloria?

La vida contemplativa solitaria, que como hemos visto en *La Ninfa del Cielo* auto) condena Tirso, ha ensoberbecido la presunción de Paulo de tutearse con Dios, «es fuerza el veros», y, en efecto, se cree pisar ya, erróneamente [3], el vestíbulo divino:

> Aquí los pajarillos,
> amorosas canciones repitiendo
> por juncos y tomillos,
> *de Vos me acuerdan,* y yo estoy diciendo:
> «Si esta gloria da el suelo,
> ¿qué gloria será aquella que da el cielo?»
> Aquí estos arroyuelos,
> jirones de cristal en campo verde,

---

[3] Para C. Morón-Arroyo, el regocijo espiritual místico que experimenta Paulo en ese ambiente evidentemente propicio para gozar de Dios, hace que Paulo lo considere «correctamente como vestigios de la pisada divina», *op. cit.*, p. 34.

> *me quitan mis desvelos,*
> *y causa son a que de Vos me acuerde* [4].
> ....

Siguiendo el símil de la cueva platónica, Paulo deja la solitaria y oscura gruta para salir a contemplar una realidad, un bien superior, que la luz del sol le descubre. Pero lo que en efecto debiera considerarse cautamente como reflejo divino en la tierra, para Paulo en su ceguera egoísta, confiando en la simple aprensión del bien contemplado, es ya terreno ultramundano y sin ulteriores reflexiones que le hubieran podido servir de advertencia, se juzga digno y merecedor de pisar en él:

> ¡bendito seas mil veces,
> inmenso Dios, que tanto bien me ofreces!
> *Aquí pienso servirte,*
> *ya que el mundo dejé para bien mío;*
> *aquí pienso seguirte,*
> *sin que jamás humano desvarío,*
> *por más que abra la puerta*
> *el mundo a sus engaños, me divierta* [5].

El ensoberbecimiento de su conciencia existencial, nutrido de sus años de vida contemplativa solitaria, le llevan a Paulo a enlazar, errónea y trágicamente, su vida meritoria con el bien, aparencial, que presencia y goza. Paulo pues, no sólo ha fallado en su fe, sino que se ha atrevido con Dios al asentar su fin último, como Dión de *El mayor desengaño*, exclusivamente en sus méritos. Con esto, el anacoreta ha excluido, tal como el Alma (Ninfa) de *La Ninfa del Cielo* (auto) no sólo la necesidad y el valor de ulteriores reflexiones —pues sigue sin ningún reparo su aprensión inicial del bien que presencia —sino también al intercesor de la humanidad, Jesucristo y su Iglesia (la gracia). Al afirmar «aquí pienso servirte, / ya que el mundo dejé para bien mío» y al garantizar soberbiamente que perseverará y resistirá a todo «humano desvarío / por más que abra la puerta / el mundo a sus engaños», Paulo está en efecto cimentando —y con ello exigiendo— su recompensa eterna en sus méritos pasados y futuros; pero olvida, punto básico de toda teología

---

[4] Compárese con este pasaje de *La Ninfa del Cielo* (auto):

> VOLUNTAD. ....
> Estas fuentes y animales
> plantas y árboles frutales
> son entre yerbas y flores
> celajes y resplandores
> de los bienes celestiales.
> *De aquí conoce que hay Dios,*
> *no ha menester más motivo.*
>
> (p. 761. Lo subrayado es mío)

[5] Acto I, 1, pp. 454-455. Seguimos utilizando el tomo II de la cit. ed. de B. DE LOS RÍOS, *Obras dramáticas*. Lo subrayado es siempre mío.

cristiana, que los actos meritorios no son causas, sino efectos de la gracia —por lo que Paulo no dará crédito al Pastorcillo y resistirá su gracia— y lo que es más, que la perseverancia final es también don gratuito de Dios. Esta inversión o tergiversación casuística, obra de su soberbia, tienta la mano de Dios y trastorna su estado psíquico y espiritual, haciéndole necesariamente susceptible a los engaños del mundo, al pecado.

En efecto, en la tercera escena y en otro atormentador monólogo vemos a Paulo desesperar por haber soñado su propia sentencia condenatoria:

> ....
> Leyó mis culpas, y mi guarda santa
> leyó mis buenas obras, y el Justicia
> mayor del Cielo, que es aquel que espanta
> de la infernal morada la malicia,
> las puso en dos balanzas; mas levanta
> el peso de mi culpa y mi injusticia
> mis obras buenas tanto, que el Juez santo
> me condena a los reinos del espanto [6].

Esta espantosa visión condenatoria, lógica, aunque errónea consecuencia de su angustia espiritual y psíquica, deja a Paulo en un estado de confusión desconcertante. ¡Cuánto le valdrían, parece decirle Tirso, las palabras de un teólogo confesor! Pero en vez de reflexionar más sobre el suceso y sobre su vida y de humillarse ante la misericordia divina y de recurrir a la Iglesia (Cristo) por la cual es redimible el hombre [7], —tanto más cuanto que presiente correctamente su culpa: «sin duda, que a mi Dios tengo enojado,»— prefiere dar fe a una ilusión tentadora, «si no es que acaso el enemigo fuerte / haya aquesta ilusión representado» [8], que le impulsa —curiosidad y exigencia temeraria— a forzar la justicia divina. Su orgullo y soberbia le impiden poner su confianza en Dios y le empujan a insistir terco y obstinado en arrancar de Dios, no sólo la revelación de su final sino la sentencia salvadora a la que se cree acreedor:

> PAULO. ....
> ¿Heme de condenar, mi Dios divino,
> como este sueño dice, he de verme
> en el sagrado alcázar cristalino?
>
> ....
> *¿Qué fin he de tener? Pues un camino*
> *sigo tan bueno, no queráis tenerme*
> *en esta confusión,* Señor eterno.
> ¿He de ir a vuestro Cielo o al infierno? [9].

---

[6] Acto I, 3, p. 456.

[7] «La caído de Paulo es la caída del solitario, es la concreción del 'ay de los solos'...» MIGUEL ÁNGEL FERREYRA LIENDO, «*El condenado por desconfiado* de Tirso: análisis teológico y literario del drama», *Revista de la Universidad Nacional de Córdoba* (Argentina) (1969), p. 934.

[8] Acto I, 3. p. 456.

[9] *Ibíd.,* p. 456.

En realidad, esta petición que hace Paulo a Dios, más que una interrogación —pecado grave en sí por desconfiar de su misericordia— es en primer lugar, una demanda de que le sea acreditada su vida «meritoria» pasada, —«Pues un camino sigo tan bueno,»— y en segundo lugar, una arrogante y soberbia presunción de poder perseverar por sí solo y sin la gracia divina, en «tan buen camino» y, por lo tanto, de ser capaz de negociar con Dios y rescatarse a sí mismo y por sí mismo:

> Treinta años de edad tengo, Señor mío,
> y los diez he gastado en el desierto,
> *y si viviera un siglo, un siglo fío*
> *que lo mismo ha de ser: esto os advierto.*
> *Si esto cumplo, Señor, con fuerza y brío,*
> *¿qué fin he de tener?...*
> *Respondedme, Señor; Señor eterno* [10].

Paulo, pues, se torna desde el principio un perfecto impío, que al desconfiar de la voluntad salvífica de Dios, desconfía, como Don Juan, de Dios. Tirso pone mucho cuidado en precisar la modalidad impía de Paulo y asentar con ello la base teológica del drama. Con poderosa ironía hace, en efecto, que el mismo demonio, rey de la mentira, pero capaz de afirmar para su provecho grandes verdades [11], nos confirme los aspectos teológico-doctrinales que el anacoreta ha ultrajado y de los que depende su destino:

> DEMONIO.   ....
> Hoy duda [Paulo] en su fe, que es duda
> de la fe lo que hoy ha hecho,
> *porque es la fe en el cristiano*
> *que sirviendo a Dios y haciendo*
> *buenas obras,* ha de ir
> a gozar dél en muriendo.
> ....
> *En la soberbia también*
> *ha pecado:* caso es cierto.
> Nadie como yo lo sabe,
> pues por soberbio padezco.
> Y con la desconfianza
> le ha ofendido, pues es cierto

---

[10] *Ibíd.*, p. 456. «... the request he [Paulo] makes to God is a conditional one of a kind which implies a claim to be worthy of salvation up to the present, and a presumption of his ability to go on being worthy of it in the future. There is also a kind of bargaining. Instead of asking for grace to persevere, he talks rather as if he could do so himself», T. E. MAY, «*El condenado por desconfiado*», BHS, XXXV (1958), p. 138

[11] «El diablo, aunque 'padre de la mentira', suele decir grandes verdades; y más en materia teológica no suele equivocarse», M. A. FERREYRA LIENDO, *art. cit.*, p. 934. Este proceder del diablo en Tirso es afirmado también por C. MORÓN-ARROYO (*op. cit.*, p. 36) y F. FERNÁNDEZ-TURIENZO, «*El convidado de piedra:* Don Juan pierde el juego», H R, 45 (1977), p. 50.

que desconfía de Dios
el que a su fe no da crédito [12].

Esta precisión o, mejor dicho, fallo teológico que afecta a Paulo al terminar la cuarta escena del primer acto, plantea su problema dramático-estructural y temático que es, creemos, la llave para adentrarse en el drama y descubrir el propósito teológico y dramático de Tirso. Si el propósito del mercedario fuera tan sólo doctrinal o pastoral, entonces el drama estaría resuelto temáticamente al terminar la cuarta escena y el resto del drama quedaría reducido por tanto a una parábola probatoria ejemplarizadora y ejemplarizante, más propia de las *Vitae Sanctorum* o de la literatura ascético-moral de la época [13]; o sería a lo sumo teatral, pero poco dramático por la rigidez e imposición dogmática externa y por su propósito de vulgarización. Pero hemos visto a través de nuestro estudio cómo el mercedario al dramatizar la vida de los santos ha querido superar —con resultado cada vez más feliz— esta limitación dogmática y estructural, encarnando en la vida de sus personajes la exigencia existencial de su despertada conciencia frente a su destino, lo que culminará precisamente en Paulo, y también frente a su inevitable temporalidad lo que encarnará Don Juan [14]. Sobre este enfoque teológico, base del drama, levanta Tirso el grito existencial de Paulo, que lo enfrenta a su destino y a la eternidad. Vista de este modo, la tragedia de Paulo viene a ser no una simple parábola edificante —aunque ésta existe en la obra— sino el drama aterrador de un hombre soberbio y rebelde, en lucha por afirmar su propia existencia, su libre albedrío, —hacer valer sus obras en sí y sin la necesidad de la gracia divina— o también por comprobar la realidad de una reprobación *ante praevisa peccata*, que le excluye de toda culpa y responsabilidad moral, vertientes ambas heréticas de todo punto. El problema de la predestinación, la gracia divina y la libertad humana es, pues, imposible de eludir. Y no es necesario que Tirso lo afirme textualmente y lo analice clínicamente, para que se dé y se estructure en el drama, según el criterio de un crítico [15]. Tirso, hemos

---

[12] Acto I, 4, pp. 456-457.
[13] Esto es lo que parece afirmar T. E. May: «They play is pastoral... The play is concerned with the spectator simply as a professing Christian who has to work out his own salvation and watch his personal orientation to the mysteries he believesc in...» *Art. cit.*, p. 148. Más desacertada afirmación no puede darse, al no podérsele ocurrir a Tirso, ni a ningún teológo, dejar en manos del «cristiano espectador» su propia salvación. Esta opción subjetivista del espectador y objetivista del drama es más indicativa del teatro contemporáneo. C. Morón-Arroyo sitúa también el drama en las huellas místicas. Cfr. su «Introducción», *op. cit.*, pp. 13-46.
[14] Cfr. *supra*, pp. 125-126.
[15] T. E. May al negar el aspecto teológico-escolástico del drama, aduce como prueba de ello la ausencia del análisis escolástico: «The play is pastoral, and the wisdom it aims at is practical, not speculative. It does not analyse but imitate... the parts played by human will and by grace in the choice are not defi-

repetido incansablamente, es dramaturgo primero y siempre, escribe comedias y no tratados de teología. Basta que los conceptos teológicos se encarnen y vivan en la conciencia del personaje, para que se definan en el drama y revelen la concepción teológica del autor. La obra de arte además, no sólo no requiere un análisis científico, sino que lo excluye, si la obra ha de resultar dramática y artísticamente convincente. Y ¿qué es el drama de Paulo, sino la encarnación de estos conceptos teológicos vigente en la época que le pesan en su despertada conciencia? Una vez despertada la conciencia existencial, poderosa y dramáticamente exteriorizada en los dos monólogos, y una vez asentada (por el demonio) la base teológica en que pisa todo cristiano, y que el anacoreta no sólo ha ultrajado, sino que ha cuestionado, el drama de Paulo se levanta con trágica consecuencia sobre terreno prohibido para arrancar de Dios la revelación y la recompensa por sus méritos y por su perseverancia *ante praevisa tempora*, es decir en rigor de justicia y, cuando llega a creerse reprobado, arremete rebelde y vengativo contra la misericordia y justicia de Dios. El grito de Paulo, pues, supone el juego, la lucha, entre la predestinación y la gracia y el libre albedrío del hombre por encarnar su vida y su destino:

> PAULO. ¡Dios mío, aquesto os suplico!
> ¿Salvaréme, Dios inmenso?
> ¿Iré a gozar vuestra gloria?
> Que me respondáis espero [16].

La intervención del demonio desencadena la acción dramática, que ha de desenfrenar la ira vengativa de Paulo en yuxtaposición con la voluntad salvífica de Dios. Si el demonio interviene con licencia de Dios, según él mismo afirma, para que «con mis engaños / le incite de nuevo» [17], lo hace por suponer no una reprobación negativa, —ésta, además de ser palpable herejía, destruiría su libre albedrío y con ella toda transcendencia teológica y dramática— sino por suponer que Paulo ejercitará su libertad y se redimirá con la gracia divina. Por eso, el demonio precisa que «su mal ha de restaurar», no el «mal» de una condenación *ante praevisa demerita*, sino «de la pregunta que ha hecho / a Dios», de donde «mi nuevo engaño prevengo», y mediante el cual tratará de arrancar «su condenación, si puedo» [18]. Este «si puedo» del demonio no sólo asienta el concepto de la voluntad salvífica universal de Dios —pues supone que Paulo nació para la salvación, ya que de lo contrario, no habría razón ni necesidad de tentarle— y la *no* reprobación *ante praevisa peccata*, —pues tiene que hacerle caer y mantenerle en pecado para que se

---

ned», *art. cit.*, p. 148. Esta observación es, a nuestro parecer, apresurada y sin base de hecho.

[16] Acto I, 4, p. 457.
[17] *Ibíd.*, p. 457.
[18] *Ibíd.*, p. 457.

condene— sino que deja al drama de Paulo la posibilidad teológica y dramática de salvarse, pues el diablo no puede asegurarse la victoria: «si puedo», dice.

A la pregunta de Paulo, el demonio le contesta, disfrazado de ángel, de acuerdo con lo que quiere oír y ver el «ilusionado» anacoreta. Es decir, que le incita con sus propias, aunque erróneas premisas de que Dios le ha de contestar y revelar su salvación:

> DEMONIO. Me ha mandado [Dios] que te saque
> desa *ciega confusión*,
> porque *esa vana ilusión*
> de tu contrario se aplaque.
> Ve a Nápoles, y a la puerta
> que llaman allá del Mar,
> ....
> a ver tu ventura cierta
> o tu desdicha... [19].

En realidad, el demonio no le revela, ni puede revelarle, nada profético, por no ser, claro está, ningún mensajero de Dios, si bien representa su permisión tentadora [20]. Al enlazar su destino con el de Enrico, el demonio no le revela nada que no sea aplicable a cualquier hombre, es decir que tendrá o «ventura» o «desdicha». En cierto modo, el demonio sufre la misma «ilusión», que sufrirá Paulo al encontrarse con Enrico, pues cree también, «ilusionado», que Enrico queda irremediablemente condenado por su vida empecatada, y de ahí que empareje sus destinos para vencer a los dos. Que la respuesta del demonio no saca a Paulo de su «ciega confusión», y «vana ilusión», sino que cuenta precisamente con ellas y, por lo tanto no le engaña [21], lo afirma Paulo mismo:

> En mi pecho ciego *labras* [el demonio]
> *quimeras y confusiones.*
> ¿Sólo eso [ver a Enrico] tengo de hacer? [22].

Paulo, pues, es consciente de un sentimiento equívoco, que debiera hacerle reflexionar. Pero su ceguera y soberbia egoísta le impiden la reflexión y le hacen deducir erróneamente, aunque de acuerdo con su ufana exigencia de salvarse en rigor de sus obras, que Enrico ha de ser

---

[19] *Ibíd.*, p. 457.

[20] «In Paulo's case the only prophecy is spoken by the Devil, who is... not God's spokesman except in his own despite. The only way in which his prophecy clearly represents God's will is in the fact that God permits it to be made», T. E. MAY, *art. cit.*, pp. 146-147.

[21] C. Morón-Arroyo hace resaltar acertadamente esta errónea deducción de Paulo: «... si atendemos al contenido de la revelación, el demonio no le engaña; le da una respuesta equívoca a su pregunta; es Paulo el que interpreta más de lo que se le ha dicho...» *Op. cit.*, p. 36.

[22] Acto I, 4, p. 457.

«algún divino varón» [23]. Pese a su presentimiento de «quimeras y confusiones», Paulo decide tomar las palabras del diablo como dictamen de Dios y, una vez más, sin ulteriores reflexiones, interpreta éste según la simple aprensión que se forma, convenientemente, de él, es decir, como bien merecido, que para Tirso no sólo no basta para descubrir el verdadero bien, sino que se presta al engaño y error [24]:

> PAULO. De contento el alma llora.
> A obedeceros me aplico,
> mi Dios; nada me desmaya,
> pues Vos me mandáis que vaya
> a ver al dichoso Enrico.
> Gran santo debe de ser!
> Lleno de contento estoy [25].

Y, en efecto, el demonio, tal como el Pecado de *La Ninfa del Cielo* (auto) se ufana del engaño y error que ha de resultar de percibir el bien, aparencial, tan sólo con la simple aprensión:

> DEMONIO. Bien mi engaño va trazado.
> Hoy verá el desconfiado
> de Dios y de su poder
> el fin que viene a tener
> pues él propio lo ha buscado [26].

Paulo, pues, dando crédito, soberbio y sin escrutinio, al bien aparencial, se encamina con ufana presunción a Nápoles para encontrar no a un hombre pecador, sino a un «gran santo». Paulo juzga a Enrico desde su soberbia y sacrílega presunción de creerse merecedor, por su vida meritoria, de la gloria eterna y deduce, errónea y trágicamente, primero,

---

[23] *Ibíd.*, p. 457.

[24] Cfr. pp. 43-45; pp. 156-157 y notas 11 y 13 del capítulo IV, pp. 44-45.

[25] Acto I, 5, p. 458. La reacción de Paulo a las palabras del disfrazado Demonio y el subsiguiente comentario del Demonio, son análogos a la reacción del Alma (Ninfa) de *La Ninfa del Cielo* (auto) cuando su Voluntad se lanza hacia el Pecado, también disfrazado, con la simple aprensión del bien aparencial que presencia, lo cual atestigua una misma concepción filosófica:

> VOLUNTAD. ....
> No es de ángel tu aprensión [la del alma (Ninfa)]
> recíbele [al Pecado] por esposo agora
> goza tan buena ocasión,
> que después podrás, señora,
> buscar otra perfección.
> ALMA. Pues ¡alto! mi mano es esta
> y a tu gusto desde hoy,
> esposo, estaré dispuesta.
> PECADO. *Yo soy tuyo.*
>   (p. 764)

[26] Acto I, 6, p. 458.

que Enrico ha de merecer también la gloria y después, al verle, que queda irremediablemente reprobado.

Si la gruta solitaria y el monte idílico paradisíaco representan el ambiente vital que ensoberbece la presunción de Paulo y le impulsan a desafiar a Dios, la enviciada Nápoles viene a ser el ambiente vital en que surge y opera el travieso Enrico. La oposición escénica ambiental corresponde al modo de ser y operar de los dos personajes. La presentación de Paulo, ser solitario, necesariamente había de ser mediante los monólogos. La presentación de Enrico, personaje avezado a las intrigas mundanas, será, hecho también significativo, mediante el diálogo y el enredo y de modo impresionista, es decir, que su ambiente [27] y su fama preceden a su persona. Es precisamente en una escena de intriga amorosa entre Celia, amante de Enrico, y dos pretendientes, Octavio y Lisandro, como se nos anuncia el carácter travieso y libertino de Enrico:

> OCTAVIO.   Os afirmo,
> Lisandro, *que es [Enrico] el peor hombre*
> *que en Nápoles ha nacido.*
> Aquesta mujer [Celia] le da
> cuando puede: y cuando el vicio
> del juego suele apretalle,
> se viene a su casa él mismo,
> y le quita a bofetadas
> las cadenas, los anillos...
>
> ———
>
>   Si Enrico
> nos coge dentro [la casa de Celia] por Dios,
> que recelo algún peligro [28].

Esta fama enviciada e impulsiva de Enrico viene a compenetrarse con la figura del bandido de Nápoles cuando, al entrar en casa de Celia, se encuentra con los dos «marquesotes» pretendientes de Celia:

> LISANDRO.   ¿Sois pariente o sois hermano
>   de aquesta señora?
>
> ENRICO.   *Soy*
>   *el diablo.*
>
>   ———
>
>   ....
>   defiéndanse desta espada.
>   (Enrico y Galván [criado] acuchillan a
>   Lisandro y Octavio) [29].

---

[27] «... se nos presenta antes el ambiente en que se mueve Enrico, la persona buscada por el protagonista [Paulo]», C. MORÓN-ARROYO, *op. cit.*, p. 17.

[28] Acto I, 7, p. 459.

[29] Acto I, 9, p. 462.

Tirso, sin quitar nada a la «ilusión» de Paulo, pues éste no asiste a estas escenas «palaciegas», ha querido presentar y poner en marcha la impulsiva y traviesa personalidad de Enrico antes de su encuentro con el anacoreta, para que el público lo vea y reaccione ante él no meramente como recurso teatral necesario para la confrontación, o tan solo como instrumento del demonio, —cosa que resultaría evidente, creemos, sin estas escenas antecedentes al encuentro— sino como personaje auténtico y autónomo e interesante en sí mismo [30]. Estas escenas de intriga palaciega, pues, lejos de «detener la marcha del argumento e introducir una rotura ilógica en el argumento» [31] preparan y resaltan —al asentar la autenticidad y autonomía de Enrico— la necesaria proporción y la propensión traviesa de su carácter matón para que la dualidad del *crescendo* que ha puesto en marcha el demonio y que ha de terminar en la desconsolación de Paulo, no se convierta en un «tour de théâtre de Guignol» [32] y el anticipado efecto resulte dramáticamente verosímil y convincente. La «ilusión» de Paulo requiere que no se encuentre ni con un «gran santo» como espera, ni con un exagerado y cómico pícaro, sino con un colosal y verdadero criminal.

En efecto, camino de la «puerta del Mar», lugar señalado por el demonio para el encuentro y adonde Enrico y sus compañeros van a merendar, Enrico, al entrar en escena, atestigua su criminalidad al matar a un pobre tan sólo por haberle pedido limosna:

> ENRICO. Llegó a pedirme un pobre limosna,
> dolióme el verle con tan gran miseria;
> y porque no llegase a avergonzarse
> a otro desde hoy, cogíle en brazos,
> y le arrojé en el mar [33].

Paulo, atónito y pasmado al escuchar esto, e ignorando la identidad de Enrico, confirma la enormidad del delito:

> PAULO. ¡Delito inmenso! [34].

Pero se ha mencionado el nombre de Enrico, lo cual despierta la ansiedad de Paulo y la incredulidad de Pedrisco de que ese hombre pueda ser el Enrico que espera Paulo:

> PAULO. (A Pedrisco)
> A éste han llamado Enrico.
>
> PEDRISCO.   *Será otro.*

---

[30] No nos parece enteramente acertada la opinión de Serge Maurel que «c'est moins pour lui-même que ce personnage [Enrico] nous intéresse que comme anticipation à la réponse que va être donnée à Paulo», *op. cit.*, p. 527.

[31] C. MORÓN-ARROYO, *op. cit.*, p. 17.

[32] S. MAUREL, *op. cit.*, p. 535.

[33] Acto I, 12, p. 465.

[34] *Ibíd.*, p. 465.

> ¿Querías tú que fuese este mal hombre,
> que en vida está ya ardiendo en los infiernos?
> Aguardemos a ver en lo que para [35].

Ante esta inquietante incertidumbre, la «ilusión» de Paulo queda pendiente de la posibilidad y el deseo de que su Enrico sea otro. Su ansiedad y tensión existencial crece a la par que su impaciencia de ver a *su* Enrico:

> PAULO.   *¡Que no viene mi Enrico!* [36].

Mientras tanto, Enrico organiza para divertirse una «justa» en que cada uno de sus amigos ha de contar sus hazañas criminales y al que haya cometido más y mayores crímenes «una corona de laurel le pongan, / cantándole alabanzas y motetes» [37]. Al llegar su turno a Enrico, descarga éste una letanía de horrorosos crímenes por los cuales se le declara victorioso. Al recitar sus maldades Enrico, revela ser hijo de Anareto, lo cual asombra a Paulo y esto derrumba su «ilusión» de encontrar a un «gran santo»:

> PAULO.   *¡Ay triste!*
> ....
> El ángel de Dios me dijo
> que si éste se va al infierno,
> que al infierno tengo que ir,
> y al cielo, si éste va al cielo.
> Pues al cielo...
> ¿cómo ha de ir éste, si vemos
> tantas maldades en él? [38].

En su desconsolado egoísmo, sufrido por la inesperada revelación de «tantas maldades» de Enrico, Paulo sigue ciego a toda posibilidad de redención en la voluntad misericordiosa divina, pese a que Enrico ha afirmado, en medio de tanta maldad, sus sacrificios y su piedad filial para con su «tullido» padre [39]. Al no asentar y confiar su propia salvación en ella, Paulo es incapaz de reconocer y ver tal esperanza en los otros. A la pregunta de cómo Enrico ha de ir al cielo con tantos crímenes, no se le ocurre recurrir ni a la voluntad salvífica de Dios, ni a su misecordia y consecuentemente juzga, justiciero e inmisericorde, de la condenación de Enrico por sus obras, pues ve «tantas maldades en él». Ateniéndose tercamente y sin reflexión al dictamen que él cree y quiere que sea del «ángel de Dios», Paulo concluye con su egoísta aunque desplazada lógica, que él queda injusta y negativamente conde-

---

[35] *Ibíd.*, p. 466.
[36] *Ibíd.*, p. 466.
[37] *Ibíd.*, p. 466.
[38] Acto I, 13, p. 469.
[39] Acto I, 12, p. 468.

nado, pues diez años de vida meritoria en el desierto no le han de valer: «siendo justo, / se [le] ha condenado al infierno» [40]. Al no poderse salvar en rigor de justicia por sus obras y desconfiando en la misericordia de Dios, Paulo llega a negar también su voluntad salvífica mediante la cual el hombre puede redimirse, y con ello, irónicamente, todo valor y mérito de las obras buenas para la salvación:

> PAULO.   Que allá [al monte] volvamos pretendo;
> pero no a hacer penitencia,
> *porque ya no es de provecho.*
>
> ....
>
> *que no es bien que yo en el mundo*
> *esté penitencia haciendo,*
> y que él [Enrico] viva en la ciudad
> con gustos y con contentos,
> *y que a la muerte tengamos*
> *un fin* [41].

Paulo juzga, pues, sobre el destino del hombre con su perspectiva egoísta y, como juez justiciero, falla erróneamente que Enrico queda irremediablemente condenado. A su soberbia y rebeldía sacrílega inicial añade la desesperanza vengativa:

> PAULO.   Señor, perdona
> *si injustamente me vengo.*
> *Tú me has condenado ya:*
> tu palabra, *es caso cierto*
> *que atrás no puede volver.*
>
> ....
>
> pues tan triste fin espero.
> Los pasos pienso seguir
> de Enrico [42].

Pero este clamor desesperado de Paulo al concluirse el primer acto, no va exento, irónicamente, de una esperanza de redención. Porque si Paulo siguiera verdaderamente «los pasos» de Enrico, en vez de volverse iracundo y vengativo al «monte», —terreno que dio inicio y nutrió su atrevimiento sacrílego— vendría a darse cuenta de que Enrico, aunque pecador y pecador obstinado, poseía sin embargo, además de la fe y la esperanza en Dios, otra virtud también teologal, que podría salvarle y que de hecho le salvará. Es la caridad con que sostiene a su padre, y que entre «tantas maldades» quiso resaltar en su recitación en «la puerta del Mar». Paulo, pues, no se condena en Nápoles, aunque «es la Babilonia del pecado» [43], pero sí hubiera podido salvarse allí.

---

[40] Acto I, 13, p. 470.
[41] *Ibíd.*, p. 470.
[42] *Ibíd.*, p. 470.
[43] C. MORÓN-ARROYO, *op. cit.*, p. 19.

Enrico se salva, precisa y significativamente, en la babilónica Nápoles, punto que quiere destacar Tirso, para condenar precisamente la vida solitaria mística, la cual, por confiar en la simple aprensión, como es el caso de Paulo, es para él peligrosa y de tendencia molinista[44]. Este hecho solamente debiera bastar para desviarnos de toda interpretación edificante de la obra[45]. En la oposición campo-ciudad que «es una constante en Tirso»[46] hay que ir muy despacio al interpretar la postura del mercedario. En efecto, es posible comprobar una notable distinción en la actitud de Tirso hacia la ciudad. Si en la crítica socio-política y moral es Tirso insuperable por sus furibundas sátiras[47], en la formación teológica y en la salud y mantenimiento espiritual del cristiano se declara formalista e institucional, o sea, requiere como necesaria la participación formal en los dogmas y en la Iglesia, y ésta es universal y no solitaria ni aislada. Trento no se declaró en vano. Cuando Paulo pregunta al Pastorcillo quién le enseñó el romance que viene cantando, éste le responde:

> ....
> Dios, señor, me lo enseñó.
> —————
>
> *O la iglesia, su esposa*
> *a quien en la tierra dio*
> *poder suyo*[48].

La mención de la caridad de Enrico al terminar el primer acto se hace operativa en el segundo:

> ENRICO.   ....
> quiero un viejo padre ver
> que aquestas paredes guardan.
> Cinco años ha que le tengo
> en una cama tullido,
> *y tanto a estimarle vengo*
> que con andar tan perdido,
> *a mi costa le mantengo.*
> ....

---

[44] Cfr. nota 13 del capítulo III, p. 45.
[45] Para C. MORÓN-ARROYO (*op. cit.*, p. 33) y T. E. MAY (*art. cit.*, p. 156), *El Condenado* se presta más a una interpretación mística.
[46] C. MORÓN-ARROYO, *op. cit.*, p. 19.
[47] Cfr. *supra*, pp. 86-87 y nota 29, p. 86. En esta obra, por ejemplo, Tirso lanza un saetazo satírico contra el trato humano del día que casi preludia la degeneración socio-moral del *Criticón* de Baltasar Gracián:

> PEDRISCO.   Diez años ha que faltamos [de Nápoles].
> Seguros pienso que vamos;
> *que es tal la seguridad*
> *deste tiempo, que en una hora*
> *se desconoce el amigo.*
>   (Acto I, 5, p. 458)

[48] Acto II, 11, p. 479.

y su vida solicito,

....

Que esta virtud solamente
en mi vida distraída
conservo piadosamente;
que es deuda al padre debida
el serle el hijo obediente [49].

En la escena siguiente, la tercera del acto, escena de gran ternura afectiva, Enrico trae al viejo padre la comida. En su regocijo ante la presencia del padre, Enrico se siente envuelto por algo inefable que expresa en términos de luz divina:

ENRICO. ....
                         Que vos para mí sois sol,
                         y los rayos que arrojáis
                         dese divino arrebol,
                         son canas con que honráis
                         este reino [50].

Por lo que sucede en las siguientes escenas, esta visita piadosa adquiere, dado el efecto que opera en Enrico, —«Eres crisol donde / la virtud se apura» [51],— transcendencia teológica y dramática. Además de tener el propósito de «détruire la certitude acquise par Paulo... selon laquelle il était irrémédiablement condamné à l'Enfer» [52], activa la fuerza regeneratriz por la cual se salvará Enrico y con la cual hubiera podido salvarse Paulo. Antes, la maldad de Enrico coexistía con su piedad caritativa a la cual dominaba. Ahora y por primera vez, esta virtud, activada por la presencia de su padre, «entre en conflit avec sa vocation criminelle» [53]. La virtud empieza a operar en su conciencia. En la cuarta escena Enrico muestra el efecto de la irradiación que ha experimentado ante su padre, cuando vacila en matar a Albano —nombre éste no sin significado simbólico por derivarse de alba, o sea luz inicial, renacer— [54] a pesar de haber recibido dinero de Octavio para ello:

ENRICO. ....

---

[49] Acto II, 2, pp. 471-472.
[50] Acto II, 3, p. 472.
[51] *Ibíd.*, p. 472.
[52] S. MAUREL, *op. cit.*, p. 538.
[53] *Ibíd.*, p. 538.
[54] La asociación de Albano con la luz naciente, la expresa él mismo con sublime ironía, pues marcado para morir se encamina hacia la muerte, que gracias, sin embargo, al «albor» que proyecta, recobra su vida de manos de Enrico, quien se queda inmóvil ante su imagen:

ALBANO.   El sol a poniente va,
                  como va mi edad también,
                  ....
                                                          (Acto II, 5, p. 475)

No me atrevo...
....
donde está durmiendo este hombre.

                    Un hombre eminente
a quien temo solamente,
....

que para el hijo discreto
es el padre muy valiente.
Si conmigo le llevara
siempre, nunca yo intentara
los delitos que condeno,
pues fuera su vista el freno
que en la ocasión me tirara [55].

La fuerza que ejerce la figura del padre es vista por Enrico con perspectiva y proporción no humana, sino suprahumana. En su vida ha temido a nadie excepto a «un hombre eminente» que «es el padre muy valiente». Además, declara que nunca pecara «si consigo le llevara siempre». La asociación Dios-padre y su fuerza salvífica es no sólo patente, sino sutil y dramáticamente integrada en la conciencia de Enrico. Lo divino, su voluntad salvífica y su justicia, según hemos visto en *El mayor desengaño* y, como veremos, en *El Burlador también*, se dispensa y se encarna en la figura del padre. Mucho ha progresado Tirso en el camino de la integración dramática y la perfección artística, desde las inumerables intervenciones sobrenaturales que hemos visto en la trilogía de *La Santa Juana*. Teológicamente lo que se afirma con esto, y que Paulo insiste en negar, es la verdad teológica de que la gracia es siempre necesaria para el acto meritorio. Enrico, en efecto, remite el acto meritorio a la voluntad de Dios, es decir a la gracia, «si conmigo le llevara siempre», si bien añora su modo de obrar. Al dejar a su padre, Enrico cree que la «luz» que le irradia en su presencia, no le ha de seguir:

ENRICO.   *Galván,*
ahora que no le veo,
ni sus ojos luz me dan,
matemos, si es tu deseo,
cuantos en el mundo están [56].

Pero al enfrentarse con Albano para matarle «ha quedado inmóvil» [57] ante su imagen:

ENRICO. Miro un hombre que es retrato
y viva imagen de aquél
a quien siempre de honrar trato:

_____
[55] Acto II, 4, p. 474.
[56] *Ibíd.*, p. 474.
[57] Acto II, 5, p. 475.

> pues di, si aquí soy crüel,
> ¿no seré a mi padre ingrato? [58].

Este inesperado cambio en el proceder de Enrico, causado por «la imagen de aquél» que poco antes había reverenciado como padre-Dios, es pues sin duda una infusión divina que opera dentro de él. Como siempre en Tirso, es el criado quien percibe y confirma tal cambio en la personalidad del personaje:

> GALVÁN.   Vive Dios, que no te entiendo
> *otro eres ya del que fuiste* [59].

Esta infusión suprahumana, por eficaz que haya sido, no le impide sin embargo, a Enrico cometer otros crímenes, pues, aunque arremete en defensa propia —«Soy un hombre solo / que huye de morir,» [60]— mata a Octavio y al Gobernador. Tirso sigue, con su concepción zumeliana de la gracia eficaz y frustrable a la vez. Perseguido por la ley, a Enrico no le queda otro recurso que arriesgar su vida escapándose por mar, pero no sin antes encomendarse a Dios y disculparse por no poder llevar consigo a su padre:

> ENRICO.   ....
> *Tened misericordia de mi alma,*
> *Señor inmenso; que aunque soy tan malo;*
> no dejo de tener conocimiento
> de vuestra fe...
>   ....
>
>   ————————
> Perdonad, padre mío de mis ojos
> el no poder llevaros en mis brazos
> *aunque en el alma bien sé yo que os llevo* [61].

Otra vez la asociación Dios-padre resalta en la mente de Enrico, con la cual Tirso nos invita a enlazar e integrar la vida y destino del hombre a la providencia de Dios: «Dès lors, il nous convainc de la possibilité qui lui est donnée d'être entendu par le Seigneur» [62].

Al contrario, y como contraste y por perfidia contra Dios, Paulo, al hacerse bandido en el monte para imitar al que él cree ser Enrico, anula toda posibilidad de mérito en los actos caritativos que le pudieran dar, como sucede a Enrico, esperanza de redención, y consiguientemente, cruel y sin caridad, manda ahorcar a unos presos:

> PAULO.   (A Pedrisco)
>   Desta crueldad no te espantes.
>   ————————

————————
[58] *Ibíd.*, p. 475.
[59] *Ibíd.*, p. 475.
[60] Acto II, 7, p. 476.
[61] Acto II, 8, p. 477.
[62] S. MAUREL, *op. cit.*, p. 539.

>   *Los hechos fieros*
>   *de Enrico imitar pretendo,*
>   y aun le quisiera exceder.
>   Perdone Dios si le ofendo;
>   que si uno el fin ha de ser
>   *esto es justo y yo me entiendo* [63].

Esta terquedad vengativa, «esto es justo y yo me entiendo», lógica consecuencia de su soberbia, la justifica Paulo como dictamen injusto que él cree recibir del cielo:

> PAULO. *¡Que a mí,* que a Dios adoraba,
>   *y por santo me tenían*
>   en este circunvecino
>   monte, *el globo cristalino*
>   *rompiendo el ángel veloz,*
>   *me obligase con su voz*
>   a dejar tan buen camino,
>   dándome el premio tan malo!* [64].

Paulo, pues, juzga su vida con perspectiva obstinadamente egocéntrica, «por santo me tenían / en este circunvecino / monte,» y cuando las cosas no le resultan a su gusto impone con terca y desplazada lógica una justificación que no está en las premisas, o sea que «el ángel veloz / me obligase con su voz,» a vengarse. Es en este momento y con sublime y majestuoso paralelismo cuando llega el verdadero «ángel veloz» para traerle gratuitamente «una corona de flores» [65], invitación divina a que se acoja a la voluntad y misericordia de Dios:

> LA VOZ. [del Pastorcillo]
>   Su majestad soberana
>   da voces al pecador
>   porque *le llegue a pedir*
>   lo que a ninguno negó [66].

A la voz del Pastorcillo, en quien la voluntad salvífica divina adquiere forma humana, Paulo «admirado de tu voz» [67], quiere hacerse eco, abriendo con ello la esperanza de redención:

> PAULO. ....
>   pues parece que en ti habla
>   mi propia imaginación [68].

En el diálogo que sigue, el Pastorcillo le da «une démonstration irréfuta-

---

[63] Acto II, 9, p. 478.
[64] *Ibíd.*, p. 478.
[65] Acto II, 11, p. 479.
[66] Acto II, 10, p. 479.
[67] Acto II, 11, p. 479.
[68] *Ibíd.*, p. 479.

ble des vérités fondamentales de la religion chrétienne» [69], que le invita
al arrepentimiento y a confiar en Dios: «'pequé, pequé,' muchas veces, /
le recibe [Dios] al pecador» [70]. En otro revelador monólogo, Paulo parece
querer repudiar su desconfianza sacrílega, puesto que tiene perfecta
conciencia del origen divino del aviso que acaba de recibir:

> PAULO. Este pastor *me ha avisado*
> *en su forma peregrina*
> *no humana, sino divina.*
> ....
> que el hombre que se arrepiente
> perdón en Dios hallará.
> ....
> *Ya vengo a pensar*
> *que ha sido grande mi error* [71].

Pero este momento de luz verdadera, la gracia, será muy fugaz, por
su terca incapacidad para «entregarse confiado en los brazos de un Dios
de amor, no de terror» [72]. Paulo, pues, al no confiar en la bondad de
Dios, se obstina en negarla y, además, terco y justiciero, concluye que
Dios no podrá ni querrá perdonar al «más mal-hombre [Enrico] / que
en este mundo ha nacido» [73], y en su desesperación, idea —sacrilegio
sumo— su propio remedio:

> PAULO. ....
> Si él [Enrico] tuviera algún intento
> de tal vez arrepentirse,
> bien pudiera recibirse
> lo que por engaño siento,
> y yo viviera contento.
> *¿Por qué, pastor, queréis vos*
> *que en la clemencia de Dios*
> *halle su remedio medio?* [74].

La soberbia de Paulo ha llegado a proporciones satánicas. Al averiguar que Enrico, al salvarse milagrosamente de un tempestuoso mar,
ha llegado a caer en sus manos, Paulo pone a prueba lo que en realidad
es privilegio de Dios. El anacoreta se atreve él mismo, desplazando a
Dios, a hacer que Enrico se arrepienta y, habiéndole hecho vendar los
ojos, se presenta ante él, como si realmente hablara en nombre de Dios,
para arrancarle el arrepentimiento. Enrico, furioso y humillado por ver-

[69] S. MAUREL, *op. cit.*, p. 540.
[70] Acto II, 11, p. 480.
[71] Acto II, 12, p. 481.
[72] M. A. FERREYRA LIENDO, *art. cit.*, p. 942.
[73] Acto II, 12, p. 481.
[74] *Ibíd.*, p. 481.

se por primera vez vencido, y quizás por presentir un engaño, «Pues bien se puede tornar, / *padre, o lo que es*» [75], se niega a toda confesión:

> PAULO.   Tu bien espero.
> Confiésate a Dios.
>
> ENRICO.   No quiero,
> cansado predicador [76].

Este fracaso de Paulo le hace caer en una más angustiada desesperación. Su soberbia se enfrenta cara a cara con su conciencia para fundirse en el reflejo de su tragedia. Es él mismo quien reconoce —ironía trágica— su carácter rebelde y satánico, pues se reviste de culebra:

> PAULO. ....
> Pues ya de Dios desconfío.
> ....
> En mis torpezas resbalo,
> *y a la culebra me igualo.*
> ....
> ya no hay esperanza en nada,
> *pues no me sé aprovechar*
> *de aquella sangre sagrada* [77].

En su desolación trágica, Paulo hace desatar a Enrico y le cuenta el suceso que ha enlazado sus condenados destinos. Enrico, suspenso e incrédulo por lo que acaba de oír, le advierte que fue error descifrar las palabras de un ángel «en que se encierran / cosas que el hombre no alcanza» [78], y que es mejor confiar en Dios, pues él, aunque es el hombre más malo del mundo, no deja de poner su confianza en Dios:

> ENRICO. ....
> mas siempre tengo esperanza
> en que tengo de salvarme;
> puesto que no va fundada
> mi esperanza en obras mías,
> sino en saber que se humana
> Dios con el más pecador,
> y con su piedad se salva.
> _____
> PAULO.   Yo no la tengo
> cuando son mis culpas tantas.
> Muy desconfiado soy [79].

La desconfianza de Paulo al terminar el segundo acto contrasta con

---

[75] Acto II, 16, p. 485.
[76] Acto II, 17, p. 485.
[77] *Ibíd.*, p.p 485-486.
[78] *Ibíd.*, p. 486.
[79] *Ibíd.*, p. 487.

la sincera expresión de esperanza que Enrico concede a la piedad, con la
cual «se humana / Dios con el más pecador». Es precisamente esta piedad caritativa la que empuja a Enrico a volver, con riesgo de su vida, a
Nápoles para cuidar de su «tullido» padre, mientras que Paulo se deses-
pera en el monte [80].

En Nápoles, Enrico no se escapa esta vez de la ley y es encarcelado
junto con Pedrisco. Furioso, rompe sus cadenas y da muerte a un por-
tero, por lo cual lo echan en un oscuro calabozo [81]. Genial paralelismo
dramático-estructural y temático con la gruta desierta del primer acto.
En efecto, el calabozo es su contrapeso. Si Paulo se ensoberbece para
condenarse en la gruta mística, en el calabozo de la sociedad civil hubiera podido sacudir su soberbia para salvarse. En esta oposición gruta-
calabozo, resalta otra vez, dramática y temáticamente, la aversión que
Tirso siente por las vivencias místicas, pues éstas son causa de la condenación de Paulo, mientras que en el calabozo civil se dispensa y se
halla, junto a la justicia convencional, la misericordia salvífica de Dios.
¡Y se ha pretendido ver en esta obra y en el teatro de Tirso una defensa
de la mística!

El calabozo no pasa, tal como la gruta, sin su peligro tentador. Aquí
también aparece la Voz tentadora del demonio que le «hace temblar» [82]
a Enrico y le sume en confusión:

> ENRICO.   ¡Qué confuso abismo!
> No me conozco a mí mismo [83].

El demonio «como en forma de una sombra» [84] le muestra a Enrico
«un portillo en la pared» [85] para que se escape de la cárcel. Pero
en el momento en que Enrico decide escaparse, «Vóime» [86], «otra voz
suena ya» [87] que le acobarda —«mas ¿quién me acobarda?» [88]— y le
aconseja quedarse en el calabozo:

> Detente, engañado Enrico,
> no huyas de la prisión;
> pues morirás si salieres,
> y si te estuvieres, no [89].

---

[80] *Ibíd.*, p. 487:

> ENRICO.   Aquesta desconfianza
> te tiene de condenar.
>
> PAULO.   Ya lo estoy; no importa nada.

[81] Acto III, 1-5, pp. 488-492.
[82] Acto III, 6, p. 492.
[83] Acto III, 7, p. 492.
[84] *Ibíd.*, p. 492.
[85] *Ibíd.*, p. 492.
[86] *Ibíd.*, p. 493.
[87] *Ibíd.*, p. 493.
[88] *Ibíd.*, p. 493.
[89] *Ibíd.*, p. 493.

También para Enrico ha llegado el bivio de su destino:

> ENRICO.   Quedarme es mucho mejor [90].

Esta decisión de quedarse en la cárcel, obvio auxilio divino y claramente una victoria contra la voz del demonio, viene a ser, sin embargo, despectivamente repudiada por Enrico al comunicarle el alcalde su sentencia a muerte:

> ENRICO.   ....
> *Voz que mi daño causaste*
> ¿no dijiste que mi vida
> si me quedaba en la cárcel
> sería cierta? ¡Triste suerte!
> *Con razón debo culparte:*
> pues en esta cárcel muero,
> cuando pudiera librarme [91].

Enrico pues, tal como Paulo, se ve engañado y, airado, rechaza su confesión a «dos padres de San Francisco»[92]. Pero al contrario que el desconfiado y vengativo anacoreta, Enrico, aunque furioso por creerse engañado por la voz, acepta su «triste suerte», pues él fue «también cobarde, / pues que me pude salir»[93], y en vez de rebelarse contra su suerte se entrega confiado en la piedad de Dios:

> ENRICO.   ....
> ¿Yo tengo de confesarme?
> Parece que es necedad.
> ¿Quién podrá ahora acordarse
> de tantos pecados viejos?
> ....
> Más vale
> no tratar de aquestas cosas.
> *Dios es piadoso y es grande:*
> *su misericordia alabo;*
> con ella podré salvarme [94].

La entrega total a la misericordia de Dios, presupuesto y base esencial de todo cristiano, no basta, sin embargo, para conseguir la gloria. Es siempre necesario un arrepentimiento que lleva a la unión con Cristo, a los sacramentos. De ahí que el drama descanse en el dogma. Enrico, aunque se entrega confiado y remite a Dios su destino, no se arrepiente, en un primer momento, y se niega a confesarse, lo cual le hubiera condenado, puesto que queda en pecado. Pero su entrega a Dios hace que Dios quiera que se arrepienta. Y, en efecto, es en este momento cuando

---

[90] *Ibíd.*, p. 493.
[91] Acto III, 10, p. 494.
[92] Acto III, 11, p. 494.
[93] Acto III, 14, p. 495.
[94] Acto III, 12, p. 495.

llega su «tullido» padre, imagen de Dios en la tierra, para incitarle al arrepentimiento y confesión:

ANARETO.   ¡Enrico, Enrico!
....
                    Hoy os han de ajusticiar,
                    ¿y no os queréis confesar?
....
                    Aqueso es tomar venganza
                    de Dios, que el poder alcanza
                    del empíreo cielo eterno.
....
                    Es, el quererte vengar
                    de esa suerte, pelear
                    con un monte o una roca,
....
                    confiesa a Dios tus pecados,
                    y ansí, siendo perdonados,
                    será vida lo que es muerte [95].

Las palabras del padre, obvia aclaración del consejo de la voz angélica, obran en Enrico el deseado efecto, y éste se rinde ante la presencia paterna que le ha de acompañar a su muerte redentora:

ENRICO.   Bueno está padre querido;
....
                    Confieso, padre, que erré;
                    pero yo confesaré
                    mis pecados, y después
                    besaré a todos los pies,
                    para mostraros mi fe.
                    Basta que vos lo mandéis,
                    padre mío de mis ojos.

ANARETO. Vamos, hijo.

ENRICO.   ....
                    No os apartéis, padre mío,
                    hasta que hayan de expirar
                    mis alientos.

ANARETO.   No hayas miedo.
                    Dios te dé favor [96].

La segunda visita que el Pastorcillo hace al anacoreta en el monte, evoca, para destacarla, la intervención salvífica del padre de Enrico. Su vuelta representa también una intervención salvífica, pero malograda. El pastor viene deshaciendo la «corona de flores» que tejía antes para Paulo, oveja perdida, puesto que no sólo «no la gozó», sino que «no

---

[95] Acto III, 15, p. 496.
[96] *Ibíd.*, pp. 496-497.

quiere volver / al bien que le espera» [97]. Paulo, pues, desoye otra vez el llamamiento salvífico pero no sin responder con su habitual condición egoísta, a la cual el Pastorcillo responde confirmándole la infinita bondad y voluntad salvífica de Dios:

> PAULO. Si acaso volviera [la oveja perdida],
> zagalejo amigo
> ¿no la recibieras?
>
> PASTORCILLO. Enojado estoy,
> mas *la gran clemencia*
> *de mi mayoral*
> *dice que aunque vuelvan*
> ....
> *al rebaño negras*
> *que les dé mis brazos* [98].

Paulo, aunque consciente de la naturaleza divina de las palabras del pastor, «La historia parece / de mi vida aquesta» [99], no querrá volver a su llamada, puesto que él mismo había ya cerrado toda posibilidad de ser recibido:

> PAULO. ....
> Pues te desconoce [la oveja perdida]
> olvídate de ella
> y no llores más.
>
> PASTORCILLO. *Que lo haga es fuerza* [100].

El anacoreta, pues, pese a que Dios quiere que se salve, resiste su gracia, lo cual cierra toda esperanza de salvación [101], pues porfía en negar, incluso a punto de muerte, la realidad misma de que Enrico ha muerto arrepentido y cristianamente y que Dios ha querido y podido que Enrico se salvara:

> PEDRISCO. Mira que Enrico gozando
> está de Dios: pide a Dios
> perdón.
>
> PAULO. Y ¿cómo ha de darlo

---

[97] Acto III, 17, p. 498.
[98] *Ibíd.*, p. 499.
[99] Acto III, 18, p. 499.
[100] Acto III, 17, p. 499.
[101] Para S. Maurel la «visite du berger n'a donc aporté aucun espoir de rachat», (*op. cit.*, p. 554). Pero la gracia en Tirso nunca llega sin por lo menos un mínimo de eficacia, pues de lo contrario sería no sólo un engaño por parte de Dios, cosa inadmisible, sino inútil y superflua. Si la redención del hombre no resulta de la gracia, no es por no llevar esperanza, sino por no haberla en el hombre, como en efecto sucede con Paulo que la niega y la resiste. Efectivamente, como el mismo crítico aclara, Paulo, «plus qu'acharmé à sa perte [de la gracia], il est aveugle», *op. cit.*, p. 554.

> a un hombre que ha ofendido
> como yo?

PEDRISCO. ¿Qué estás dudando?
          ¿No perdonó a Enrico?
PAULO.   *Dios*
          es piadoso...

_____

Pero no con tales hombres.
Ya muero, llega tus brazos [102].

Terco e impío hasta el último aliento de su vida, Paulo muere agarrado a la palabra que él cree ser de Dios, y con inmutable egoísmo aguarda, sin embargo, a pesar suyo y de Dios, la salvación:

PAULO. Esa palabra me ha dado
        Dios: si Enrico se salvó,
        también yo salvarme aguardo [103].

En la tragedia de Paulo se da, pues, una notable paradoja que Tirso quiso destacar con suprema ironía: un hombre que exigió la gloria por sus obras buenas, pero prescindiendo de Cristo, llega a condenarse por negar el valor de las buenas obras, pues al morir pretendió que Dios le salvara sin ellas.

El hecho interno innegable de que se condena a un anacoreta mientras se salva a un pecador, impone, de acuerdo con nuestro análisis, asentar la obra no en una vivencia ascético-mística, sino en una doctrina teológica redentora. Lo más que puede afirmarse sobre las huellas místicas de la obra es que causa la soberbia de Paulo y que de ella se desprende su condenación. Pero el drama descansa y se estructura en las tres virtudes teologales, fe, esperanza y caridad, y en la doctrina de la gracia, dogmas todos de la Iglesia. En efecto, la soberbia de Paulo, surgida de su vida ascética solitaria, le lleva ya desde las primeras escenas a fallar en la primera virtud, la fe en Dios, y con ello a exigir, prematuro y presumido, la revelación de su salvación. Este eclipse teológico es además, confirmado textualmente y con precisión dogmática por el mismo demonio [104]. Esta duda inicial adquiere fuerza operativa y forma dramática a través de la obra, cuando Paulo al encontrarse con Enrico, llega a consolidar su impía desconfianza en Dios:

ENRICO. Aunque malo, confianza
         tengo en Dios.

PAULO.   Yo no la tengo

_____

[102] Acto III, 21, pp. 501-502.
[103] *Ibíd.*, p. 502.
[104] Cfr. *supra*, pp. 167-168.

> cuando son mis culpas tantas.
> Muy desconfiado soy [105].

Al quebrantar la primera virtud, Paulo quebrantará necesariamente las otras dos, puesto que las tres virtudes teologales se exigen, según Tirso y la doctrina de Trento, mutuamente [106]. Esto es precisamente lo que sucede y se dramatiza en el acto segundo y el tercero. Al no confiar en Dios, Paulo no querrá ni podrá acogerse a la esperanza redentora de Cristo o su Iglesia, y en efecto en el segundo acto rechaza la caridad, hace ahorcar sin piedad a unos presos [107] y rechaza también a Cristo y su Iglesia, pues desoye la voz del Pastorcillo [108]. Quebrantadas las tres virtudes y excluida la gracia que las supone, pues la resiste, Paulo se levanta atrevido a desafiar a Dios, pues trata de lograr impiamente su propia salvación forzando algo que sólo depende del poder de Dios, es decir, el arrepentimiento de Enrico:

> PAULO.   ....
> ¿Por qué pastor, queréis vos
> que en la clemencia de Dios
> halle su remedio medio? [109].

Enrico, sin embargo, no se doblega ante este Dios impostor, lo cual hace que Paulo lance un grito aterrador de desesperación, nihilismo propio del hombre moderno —cuya tragedia anticipa Tirso— en quien la conciencia de su existencia no le permite ya entregarse a Dios y aprovecharse de su bondad salvífica por la cual ha sacrificado a su Hijo:

> PAULO.   *Mi adverso fin no resisto.*
> ....
> *Dadme la daga y la espada:*
> *esa cruz podéis tomar;*
> *ya no hay esperanza en nada,*
> *pues no me sé aprovechar*
> *de aquella sangre sagrada* [110].

La conciencia existencial de Paulo se desploma, pues, en su impotencia ante su destino final. Paulo muere rebelde e impío y no tan sólo por su desconfianza, sino por todo lo que ella implica, es decir, la exclusión de la gracia y con ella de las obras buenas. La tragedia de Paulo, su soberbia inicial, de exigir la salvación tan sólo por el mérito de sus

---

[105] Acto II, 17, p. 487.

[106] «Nam fides, nisi ad eam spes accedat et caritas, neque unit perfecte cum Christo, neque corporis eiius vivum membrum efficit», capítulo 7 del Decreto de la justificación del Concilio de Trento, en *Denz.*, p. 288.

[107] Acto II, 9, p. 478.

[108] Acto II, 10-12, pp. 479-481.

[109] Acto II. 12, p. 481.

[110] Acto II, 17, pp. 485-486.

obras, y su desconfianza en el mérito y valor de las mismas al final, llevan censura doctrinal precisa que Tirso sin duda quiso resaltar [111].

Enrico, al contrario, aunque pecador colosal, no cae nunca en la impiedad. Para el pecador no impío ocurre también una confluencia mutua de las virtudes teologales, y es que si se tiene una se llega a tener las otras dos y con ellas, las necesarias gracias con que puede redimirse y salvarse. Esto es, en efecto, lo que quiso mostrar Tirso en el drama de Enrico. La piedad caritativa que Enrico anuncia tener para con su padre entre «tantas maldades» al final del primer acto y que efectivamente podemos ver realizada a lo largo de la obra —mientras Paulo se niega obstinadamente a reconocer su existencia— supone y estimula a las otras dos virtudes para afirmarlas en contra del anacoreta cuando éste hace saber a Enrico su desatinado empeño de enlazar los destinos de uno y otro:

ENRICO. ....
mas siempre tengo esperenza
en que tengo de salvarme;
puesto que no va fundada
mi esperanza en obras mías,
sino en saber que se humana
Dios con el más pecador,
y con su piedad se salva.
....
Un fin ha de ser el nuestro:
si fuere nuestra desgracia
....
pero tengo confianza
en su piedad, porque siempre
vence a su justicia sacra [112].

Esta afirmación de Enrico en que funda su salvación no en sus obras, como hacía Paulo, sino en Dios, va ligada, como es patente, a la doctrina de la necesidad de la gracia para toda obra meritoria. Los pecados que Enrico comete a través de la obra, aun después de recibir obvios auxilios divinos, hacen que pierda la gracia, pero no como Paulo, la fe en la misericordia de Dios [113], y, por lo tanto, mantiene siempre la esperanza de que Dios le ha de ayudar y la disposición para ello. En efecto, Enrico recibe varios auxilios divinos, cada vez más eficaces, por y con los cuales

---

[111] «Si quis dixerit, hominem suis operibus, quae vel per humanae naturae vires, vel per Legis doctrinam fiant, absque divina per Christum Iesum gratia posse iustificari coram Deo: anathema sit... Si quis dixerit, iustificatum vel sine speciali auxilio Dei in accepta iusticia perseverare posse, vel cum eo non posse: A. S.», cánones 1 y 22 de la justificación del Concilio de Trento, en Denz., pp. 295, 297.

[112] Acto II, 17, p. 487.

[113] «Quolibet mortali peccato amitti gratiam, sed non fidem», capítulo 15 del Decreto de la justificación del Concilio de Trento, en Denz., p. 293. Como nota aclaratoria queremos precisar que Paulo no niega a Dios, es decir, no es ateo, pero sí niega su misericordia.

llega a redimirse y salvarse. Así que si bien tiene las tres virtudes teologales, es todavía necesaria la gracia para obrar el acto meritorio necesario para la salvación. Enrico recibe tal auxilio mediante la figura del padre que le incita al arrepentimiento y a que se acoja a los sacramentos. No deja Tirso de recalcar esto último precisamente como valor y mérito según la doctrina de la Iglesia, para la salvación, contra el apóstata anacoreta:

> PEDRISCO. Mira lo que dices, Paulo:
> que murió [Enrico] cristianamente,
> confesado y comulgado,
> y abrazado con un Cristo [114].

El hecho de que Tirso remita al espectador a Belarmino, y a la vida de los Santos Padres al final de la obra, no niega ni excluye la base y estructura teológico-doctrinal de la obra. La referencia a Belarmino, que un crítico ha puesto en relación con su libro *De arte bene moriendi* [115], se atiene, creemos, más a una intención ejemplarizante y moralizadora externa o marginal a la obra —pues esto es práctica común en la época— que a un propósito de estructurar la obra sobre dicho libro. Si bien se mira ni Enrico ni Paulo son modelos de bien vivir, ni siquiera éste último en su vida de anacoreta, que Tirso rechaza, ni son ejemplos de bien morir, pues el uno, Enrico, aunque muere arrepentido y cristiamente, su arrepentimiento y muerte sucede demasiado de repente para servir de ejemplo, y el otro, Paulo, muere desesperado.

Concepto teológico de la obra.

Hemos visto cómo el drama descansa y se estructura «con severa precisión dogmática» [116] en la doctrina teológica y cómo Paulo quiso imponer a este orden doctrinal teológico su propia exigencia personal y egoísta, al intentar adentrarse en las esferas divinas que rigen tal orden, pero sin los necesarios auxilios. El hecho de que se condene a uno y se salve a otro a pesar y a causa de la intervención sobrenatural, o sea el Pastorcillo de un lado y la Voz angélica del calabozo de otro, atestigua un planteamiento y un concepto teológico que el autor quiso exponer y dramatizar. La lucha (Paulo) y la entrega cooperadora (Enrico) entre la libertad humana y la gracia divina es, pues, teológica y dramáticamente hablando elemento en la obra, por encarnar el drama de estos dos personajes y por regir sus destinos últimos. El problema teológi-

---

[114] Acto III, 21, p. 501.
[115] Véase C. MORÓN-ARROYO, *op. cit.*, pp. 39-45.
[116] M. MENÉNDEZ Y PELAYO, *Estudios y discursos de crítica histórica y literaria*, vol. 8 de la edición nacional de las obras completas de Menéndez y Pelayo (Santander, C. S. I. C., 1941), p. 71.

co-escolástico (*de auxiliis*) es, pues, imposible de eludir; es más, lo supone [117].

Paulo recibe, en la primera visita del Pastorcillo, la prueba doctrinal y teológica de que Dios extiende su voluntad salvífica a todos, pues por ello sacrificó a Cristo, y por lo tanto, el que se salva, lo hace por decreto y voluntad divina, mientras que el que no se salva no será, claro está, por reprobación *ab aeterno* y *ante praevisa peccata*:

> LA VOZ.   [del Pastorcillo]
> Su majestad soberana
> da voces al pecador,
> porque *le llegue a pedir*
> *lo que a ninguno negó.*
> ....
> ─────────────

> PASTORCILLO.   ....
> *y estima al más pecador,*
> *porque todos igualmente*
> *le costaron el sudor*
> que sabéis, *y aquella sangre*
> *que liberal derramó* [118].

Esta intervención es también un auxilio particular para que Paulo corrija su proceder y se acoja arrepentido a la voluntad divina:

> PAULO.   Este pastor me ha avisado
> en su forma peregrina,
> no humana, sino divina,
> que tengo a Dios enojado
> por haber desconfiado
> de su piedad (claro está);
> y con ejemplos me da
> a entender piadosamente
> que el hombre que se arrepiente
> perdón en Dios hallará.
> ....

Además, esta infusión es más que una expresión general de la voluntad salvífica de Dios por la cual se concede el *posse salvari* según la doctrina bañeciana. Gracias a este aviso llega Paulo a darse cuenta de su error y por lo tanto, el aviso lleva cierto grado de eficacia real, con lo cual el anacoreta hubiera podido de hecho corregir su proceder y mejorar así su destino:

---

[117] Entre los críticos más recientes que niegan el aspecto teológico-escolástico del drama, situándolo más bien en huellas ascético-morales y místicas, se encuentran T. E. May y C. Morón-Arroyo, cfr. *supra*, notas 13 y 15, pp. 168-169. Entre los que confirman el aspecto teológico-escolástico se hallan los padres Martín Ortúzar y J. M. Varela; véanse sus artículos correspondientes, citados ya.

[118] Acto II, 10,-11, pp. 470-480.

... Ya vengo a pensar
que ha sido grande mi error
....

Pero Paulo tergiversa el sentido del aviso y en vez de acogerse a él, desafía a Dios intentando forzar el arrepentimiento de Enrico:

Si él [Enrico] *tuviera algún intento
de tal vez arrepentirse*
bien pudiera recibirse
lo que por engaño siento
y yo viviera contento [119].

La segunda intervención del Pastorcillo es sumamente reveladora sobre la concepción teológica de la obra. También esta visita es un auxilio particular dirigido a Paulo para que cambie su vida:

PAULO. ....
Deste pastorcillo,
no sé lo que sienta;
que tales palabras
fuerza es que prometan
oscuras enigmas...
Mas ¿qué luz es esta
que a la luz del sol
sus rayos afrentan?

(Suena música, y se ven dos
ángeles que llevan al cielo
el alma de Enrico) [120].

A Paulo se le ofrece, como es patente, una prueba presencial y material de que Dios está dispuesto a salvarle, pues ha salvado al que, según el propio Paulo, estaba irremediablemente condenado. El Pastorcillo llegó ciertamente deshaciendo la «corona de flores», que le estaba tejiendo en la primera visita, lo cual podría entenderse como una negación arbitraria de la gracia por parte de Dios *ante praevisa demerita*. Pero Tirso da a entender de manera explícita que no es este el caso, puesto que como dice el Pastorcillo, le «llamé con silbos, / y avisé con señas» y sin embargo «no quiere volver» y por lo tanto «no puedo hacer más» [121]. Es evidente, pues, que no se trata de una negación, pero sí se trata, y aquí está el punto clave, de un auxilio frustrado por Paulo y frustrable por lo que toca a Dios, puesto que Dios, como precisa Tirso, con su ciencia de visión sabe que el anacoreta habrá de frustrar tal auxilio:

PASTORCILLO. ....
adios, porque voy

---

[119] Acto II, 12, p. 481.
[120] Acto III, 18, p. 499.
[121] Acto III, 17, pp. 498-499.

> con la triste nueva [la resistencia de Paulo
> a su llamada]
> a mi mayoral;
> *y cuando lo sepa*
> *(aunque ya lo sabe)*
> sentirá su mengua,
> no la ofensa suya,
> aunque es tanta ofensa [122].

Así que si Dios no le socorre con un auxilio de mayor eficacia, no es por un decreto reprobatorio negativo, sino por tener en cuenta el demérito futuro y, por lo tanto, *post praevisa peccata*.

Los auxilios que recibe Enrico son también eficaces y frustrables a la vez, pero de otro orden, es decir, que son eficacísimos por lo que toca a Dios, pues Enrico alcanza la gloria, pero frustrable en su continuación particular por parte de Enrico. Nos explicaremos. La primera infusión que recibe Enrico es cuando la figura de su padre obra en él un cambio en su personalidad, que hace que desista en su plan de matar a Albano. Enrico, pues, accede a la eficacia del auxilio y, sin embargo, no continúa su saludable efecto, pues mata a Octavio y al Gobernador. En el calabozo, recibe otro auxilio; es la Voz angélica que le aconseja para su bien que se quede en la cárcel. También aquí accede Enrico a su fuerza, pues decide quedarse. Pero otra vez frustra su saludable efecto, pues no sólo llega a repudiar la voz divina, «Voz, que por mi mal te oí / ...Falsa fuiste» [123], sino que rechaza la confesión, lo cual le mantiene en pecado y, por lo tanto, no puede perseverar y salvarse sin otro y más poderoso auxilio. Su aquiescencia a la gracia no tiene lugar, sin embargo, sin su mérito y valor, puesto que si bien sin ella nada puede hacerse, por ella obró actos meritorios, como ayudar a su padre, negarse a matar a Albano y frustrar la voz del demonio, lo que lo podría no haber hecho, pues los auxilios llevaban de suyo una eficacia tan sólo graduada y, por lo tanto, frustrable de hecho. Pero Enrico accede y se entrega voluntaria y totalmente a la misericordia de Dios, pues «no va fundada / mi esperanza en obras mías»[124], lo cual hace que Dios quiera acudir en su ayuda y de hecho acude —mediante la visita del padre al calabozo— con una gracia final eficacísima, que le hace arrepentirse y recibir los sacramentos. Los méritos, pues, aunque no constituyen el fundamento de la predestinación, pues son efecto de la misma gracia, son esenciales para la salvación. El mismo demonio había declarado esto como base doctrinal y teológica, alegando en contra de Paulo:

> DEMONIO.   ....
> porque es la fe en el cristiano

---

[122] *Ibíd.*, p. 499.
[123] Acto III, 14, p. 495.
[124] Acto II, 17, p. 487.

> que sirviendo a Dios y haciendo
> buenas obras, ha de ir
> a gozar dél en muriendo [125].

Como se ve, pues, los auxilios que Paulo y Enrico reciben no son intrínsecamente distintos, pues todos llevan un grado real, y no tan sólo *in sensu diviso*, de eficacia para que el hombre pueda de hecho concurrir, pero sí son extrínsecamente desiguales, puesto que llevan grados de eficacia escalonada de acuerdo con la doctrina de Zumel [126]. Así que el que no accede, será no por negarle Dios el poder real de hacerlo, según la doctrina bañeciana [127], sino por su propia y mala voluntad; mientras que el que accede al acto meritorio será por el efecto mismo de la gracia [128]. Tirso es, como siempre, textual y teológicamente explícito en esto de conceder al hombre siempre —pese a su consejo de que uno se entregue totalmente en manos de Dios— un poder real en la operación de la gracia, pues Dios le dio con la gracia salvífica no tan sólo el *posse agere* sino cierto grado de *agere in actu*:

> PASTORCILLO. ....
> Diole Dios libre albedrío,
> y fragilidad le dio
> al cuerpo y al alma; *luego*
> *dio potestad con acción*
> de pedir misericordia,
> que a ninguno le negó [129].

Tirso, pues, al llevar a las tablas el drama de Paulo y Enrico, lo hace con perfecta conciencia de los problemas que los movimientos reformistas y *de auxiliis* implicaban, no sólo para la doctrina frente a las herejías, sino para la existencia misma del hombre. Lejos de mantenerse al margen de las controversias teológicas [130], o de evitarlas [131], quiso pro-

---

[125] Acto I, 4, p. 456.

[126] «Los grados intrínsecos de eficacia en la gracia, es una de las características de la doctrina de Zumel. Dios, por consiguiente, cuando quiere la salud de los hombres, pone en sus manos auxilios, que cuanto es de sí, son medios aptos y proporcionados para la consecución de la salvación», J. M. DELGADO VARELA, *art. cit.*, p. 362.

[127] Cfr. pp. 32 y ss. y notas 15 y 48, pp. 46, 120-121, respectivamente.

[128] No se trata, pues, de convertir los auxilios «de igual clase» —pues no lo son— por y según la voluntad del hombre, de acuerdo con la doctrina de Molina, según opina Agustín Durán (estudio cit., pp. 720-724), sino de acceder a un impulso de mayor grado de eficacia de la gracia misma. Entre los que repiten el error de anclar la teología de esta obra en la doctrina de Molina, se encuentra R. MENÉNDEZ PIDAL («*El condenado por desconfiado*», en *Estudios Literarios*, Buenos Aires, Espasa-Calpe, 1946, pp. 57-58), G. M. BERTINI (*El condenado por desconfiado*, Torino, Paravia, 1938, pp. XX, XXV, y XXVIII), A. BONET (*op. cit.*, p. 117). A. VALBUENA PRAT (*op. cit.*, II, pp. 419-420) y KARL VOSSLER (*op. cit.*, p. 78).

[129] Acto II, 11, p. 480.

[130] Véase R. M. HORNEDO, *art. cit.*, p. 646.

[131] «... his [Tirso's] object will surely be to point away from the rage of the

nunciarse sobre el tema porque reconocía su extraordinaria trascendencia trágica para el destino humano, y de esta manera dio a conocer su concepción y postura, que venimos descubriendo y comprobando a través de su teatro. Es que en *El Condenado* su maestría artística ha llegado a fundir y a soldar con asombrosa maestría el contenido teológico y la expresión poética:

> Sólo de la rara conjunción de un
> gran teólogo y de un gran poeta en
> la misma persona pudo nacer este drama
> único... el concepto dramático y el
> concepto trascendental parece que se
> funden en uno solo; de tal modo, que
> ni queda nada en la doctrina que no se
> transforme en poesía, ni queda nada en
> la poesía que no esté orgánicamente
> informado por la doctrina [132].

---

controversy between Molinists and Bannezians», T. E. MAY, *art. cit.*, pp. 148-149.
[132] M. MENÉNDEZ Y PELAYO, *op. cit.*, p. 71.

Capítulo VIII

EL BURLADOR DE SEVILLA

El Renacimiento introdujo durante los siglos XVI y XVII un cambio radical en cuanto a la postura del hombre ante la vida [1]. El hombre medieval había orientado su vida desde la perspectiva de la muerte, de Dios. Dios era su guía y su meta, su «galardón», y su milicia en la tierra era nada más que un lapso de tiempo, un tiempo bien marcado y limitado y pendiente de la voluntad eterna. El hombre renacentista —y Don Juan es un hombre renacentista— abandona definitivamente esta postura y adopta una perspectiva egocéntrica de la vida, es decir, ve su vida desde y a partir de sí mismo, relegando a Dios [2] en tiempo y espacio, remoto y lejano, a un lado. De ahí la repetida, irónica y trágica exclamación «Qué largo me lo fiáis» de Don Juan. Tirso de Molina, hombre barroco de formación post-tridentina, vio esta nueva y radical postura del hombre renacentista como base y esencia trágica que llevaría a Don Juan y al hombre moderno a la perdición [3].

---

[1] La fecha de composición de *El burlador de Sevilla* resulta también algo problemática por existir una primera versión del drama, conocida por *¿Tan largo me lo fiáis?* (Cfr. nota 82, capítulo I, pp. 28-29). B. de los Ríos (vol. II de su cit. ed. de TIRSO DE MOLINA, *Obras dramáticas completas*, pp. 554-555), sitúa la obra entre 1621 y 1622, fecha que aceptamos. El padre M. Penedo Rey llega a consignar, por otro camino, la fecha de 1621 no sólo para *El Burlador*, sino también para *El Condenado*, cfr. notas 82 y 85, pp. 28-31.

[2] Para un penetrante estudio sobre el tema, véase F. FERNÁNDEZ-TURIENZO, «*El Burlador*: mito y realidad», *Romanische Forschungen*, 86, 3/4 (1974), pp. 282-300.

[3] «...*El Burlador* tiene el mérito singular de ofrecernos la imagen del hombre tal como entonces se estaba gestando y hoy ha alcanzado dimensiones de árbol gigante, capaz de tapar los rayos del sol. Pero al mismo tiempo nos da el veredicto de condenación del *novus homo*. *El Burlador* es el apocalipsis del hombre moderno. Es lógico que el hombre renacentista —que esto es Don Juan— muera a manos del hombre barroco, pues barroco es Téllez y barroco es el drama en su estructura», F. FERNÁNDEZ-TURIENZO, *art. cit.*, p. 282. Lo subrayado es mío.

Queremos advertir que empleamos aquí y en las páginas siguientes el término «trágico» con el significado de «infausto», «lamentable» y «desafortunado», pues que en tal sentido tiene de largo tiempo a esta parte, carta de ciudadanía en el español, como atestiguan los diccionarios de la lengua. El hacer afirmaciones

En *El burlador de Sevilla* Tirso se propone restablecer a Dios como centro y meta de la existencia del hombre, mostrando «el orden divino que rige la vida del hombre en el mundo»[4]. En el ámbito cristiano, esto significaría la reafirmación de que el alma humana, con la gracia divina y su libre albedrío, queda todavía regida por un orden moral pre-establecido por Dios, de quien depende y ante quien tendrá que responder inevitablemente. El hombre pues, se salva por Dios y se condena por sí mismo, según su comportamiento. *El Burlador,* por lo tanto, está concebido y estructurado con dos perspectivas opuestas y antagónicas: de un lado, la perspectiva del más allá, Dios y la muerte, o sea, la eternidad en conexión con lo temporal y abarcándolo; esta perspectva está dramatizada y simbolizada en la obra por el personaje y estatua de Don Gonzalo; de otro lado tenemos la perspectiva del hombre desde sí mismo y por sí mismo, o sea, el tiempo cronológico, temporal, pero alargado y ensanchado hasta la eternidad, que también quiere manipular, con desafío de Dios, y esto está personificado en Don Juan[5]. La confrontación de lo temporal con lo eterno es, en efecto, «el conflicto y sentido de la obra»[6], y la inevitable confrontación no es ni arbitraria ni impuesta a priori, según el parecer de un crítico[7], sino engendrada y forzada por Don Juan mismo; es su tragedia. El acierto de Tirso y el valor de la obra consisten en haber encerrado y revestido en el personaje de Don Juan —personaje de carne y hueso, y aun demasiadamente tal— un carácter diabólico y cobarde y una arrebatada e irresistible personalidad, que se aprovecha de todos y de todo lo que le lleva a atreverse con el mismo Dios y su eternidad.

Desde el primer momento de la obra, en el palacio real en Nápoles, Don Juan se nos revela como una forma fantasmal:

---

sobre si *El Burlador* es tragedia o no, en sentido de la retórica, no cae dentro de nuestro inteno. Este estudio apareció con el título «*El burlador,* herejía y ortodoxia de una existencia desdoblada» en *Revista de Literatura, XLII,* 83 (enero-junio, 1980), pp. 41-62.

[4] JOAQUÍN CASALDUERO, *Estudios sobre el teatro español* (Madrid, Editorial Gredos, 1972), p. 118.

[5] «Don Juan sigue afirmando su perspectiva de aquendidad y mundanidad en el 'negro silencio' que le rodea, convencido de que el hombre se ha de entender desde el hombre mismo y de que el hacerse del hombre exige como condición de su propia posibilidad, un hacerse radicalmente desde sí mismo, es decir, sin postulados previos, desde la nada.» «La finalidad de Don Juan está en el mismo Don Juan; él mismo es su supremo bien», F. FERNÁNDEZ-TURIENZO, *art. cit.,* pp. 299 y 286, respectivamente.

[6] J. CASALDUERO, *op. cit.,* p. 123.

[7] «Un mito lejano, resucitado aquí, es el único motivo serio de que Don Juan lance unas insolencias contra la piedra inmóvil a la vez que una intempestiva invitación.» AMÉRICO CASTRO, «El Don Juan de Tirso y el de Molière como personajes barrocos», en *Homenaje a Ernest Martinenche* (París, 1939), p. 94. Véase también F. FERNÁNDEZ-TURIENZO, «*El convidado de piedra:* Don Juan pierde el juego», H R, 45 (1977), 45-46.

> DON JUAN. ¿Quién soy? Un hombre sin nombre [8].

También vemos que su ambiente vital es la noche, la oscuridad [9]: «Mataré la luz yo», amenaza a la Duquesa Isabela, que con una vela quiere alumbrar la cara de Don Juan, para que atestigüe su acción y su palabra «de cumplir el dulce sí» [10]. Durante toda la primera jornada, esta forma fantasmal va adquiriendo modulaciones diabólicas, conforme crece la conciencia de su habilidad y de sus posibilidades de manipular la realidad circundante. En la quinta escena de la primera jornada, cuando Don Pedro, su tío y embajador, desafía a Don Juan a que salte del balcón para encubrir el delito, éste responde seco e irreflexivo: «Sí atrevo, / que alas en tu favor llevo» [11]. Además, es caracterizado por su tío como «enroscada culebra» [12] que por su audacia y atrevimiento «al cielo se atreve», y:

> ....
> sin duda es gigante o monstruo.
> ....
> *pero pienso que el demonio*
> *en él tomó forma humana,*
> pues que, vuelto en humo y polvo,
> se arrojó por los balcones [13].

Esta afirmación de Don Pedro, de que Don Juan va adquiriendo carácter y modalidad satánicas, queda apropiadamente confirmada en la última escena de la segunda jornada cuando Catalinón, criado y conciencia desplazada de Don Juan, refiriéndose a Batricio, novio de Aminta, comenta:

> ....
> ¡Desdichado tú, que has dado
> en manos de Lucifer! [14]

La tragedia de Don Juan y su dramatización avanza, pues, entre dos polos de su ser; entre la afirmación total de su personalidad, que Serge Maurel llama «l'impunité dont il semble assuré» [15], y su convicción, cada vez más firme, más desafiadora, de que es él quien controla su propia existencia y su destino. Desde el comienzo de la obra, hasta la escena doce de la tercera jornada, Don Juan es dueño absoluto del mundo que habita. Nada ni nadie le proporciona obstáculos, y su capacidad de ajus-

---

[8] Jornada I, 1, p. 634. Seguimos utilizando el tomo II de la cit. ed. de B. de los Ríos de TIRSO DE MOLINA, *Obras dramáticas completas*. Lo subrayado es siempre mío.

[9] «Don Juan es, en efecto, un *homo nocturnus*, un personaje que... vaga de noche, fantasmagórico, inasible y muy real», F. FERNÁNDEZ-TURIENZO, *art. cit.*, R. F., p. 293.

[10] Jornada I, 1, p. 634.

[11] Jornada I, 5, p. 636.

[12] Jornada I, 6, p. 637.

[13] Jornada I, 9, p. 639.

[14] Jornada II, 22, p. 665.

[15] *Op. cit.*, p. 579.

tarse, penetrar y manipular la realidad para satisfacer su insaciable apetito mundano, le lleva a la trágica presunción de creerse omnipotente e intemporal.

Enfoquemos, pues, la personalidad plástica y camaleónica [16] de Don Juan y la tragedia que se va preparando para él. En la primera jornada engaña a Isabela fingiendo ser el Duque Octavio. A su tío le desarma y le engaña, penetrando su pensamiento y modo de ser, y aprovechándose de su disposición de arreglar el enredo en que se encuentran, con fingida humildad y falso respeto no sólo evita el castigo, sino que le hace cómplice de su enviciado proceder:

> DON PEDRO.   ....
>   Pero en aquesta ocasión
>   nos daña la dilación;
>   mira qué quieres hacer.
>
> DON JUAN.   ....
>   Mi sangre es, señor, la vuestra;
>   sacadla, y pague la culpa.
>   A esos pies estoy rendido,
>   y esta es mi espada, señor.
>
> DON PEDRO. Álzate y muestra valor,
>   que esa humildad me ha vencido.
>   ————————
>   Pues yo te quiero ayudar.
>   Vete a Sicilia o Milán
>   donde vivas encubierto [17].

Esta primera aventura, por grave que sea, —como hemos visto, ha violado a Isabela, ha difamado el palacio del rey de Nápoles y ha deshonrado su misma sangre mintiendo y engañando a su tío— no despierta en él ninguna reflexión moral, al contrario, afirma su incomprometible bravura declarando que todo lo sucedido resultará «para mí alegre» [18]:

> DON JUAN.   ....
>   *gozoso me parto a España* [19].

El rumbo libertino de Don Juan avanza implacable hacia sus víctimas, enmascarándose según conviene para mejor asir y disfrutar completamente de la realidad que encuentra y pisa. No se trata, pues, de «la imposibilidad del hombre barroco de poder asir lo real, el no estar

---

[16] «He is dangerous because of his chameleon-like ability to adapt superbly to different people», Ion Agheana / Henry Sullivan, «The Unholy Martyr: Don Juan's Misuse of Intelligence», *Romanische Forschungen*, 81, 3 (1969), p. 319.

[17] JORNADA I, 5, p. 636.

[18] *Ibíd.*, p. 636.

[19] *Ibíd.*, p. 636.

ni siquiera seguro de la existencia de lo real, de no existir en el presente» [20], como si Don Juan fuese el hombre barroco. Don Juan, hemos visto, es el hombre renacentista, que Tirso deslarva y condena [21], y su proceder en la obra obedece a la concepción renacentista que hemos señalado al principio. Don Juan, por lo tanto, no sólo siente y palpa la existencia de la realidad, pues él mismo la moldea [22] impunemente, sino que la agarra y la exprime toda, en la convicción y certeza de que es controlable a voluntad. Es precisamente esta adquirida convicción la que le lleva a cometer el trágico error de considerar el tiempo cronológico y temporal como algo también ilimitado, infinito y controlable [23]. Don Juan no se proyecta en el futuro, como si temiese o se le escapase el presente —sus huidas son tanto una necesidad de satisfacer su insaciable egotismo, como una necesidad o máscara socioconvencional de no ser conocido: «Huí de ser conocido» [24]— al contrario, se apodera del presente alargándolo y postergándolo cada vez que se le recuerda la limitación, lo pasajero, del tiempo cronológico: «Qué largo me lo fiáis.» Ni su proximidad a la muerte, durante el naufragio, le hace reflexionar seriamente sobre lo pasajero de la vida y la limitación del poder del hombre ante la inevitabilidad de la muerte. Al contrario, Don Juan se aprovecha de la situación misma que casi extinguió su vida para afirmar una vez más su implacable personalidad y para satisfacer su apetito mundano en daño de Tisbea, la pescadora bella pero, hasta ese momento, pétrea con el amor. Viéndose en los brazos de Tisbea, afirma Don Juan:

> *Vivo en vos, si en el mar muero.*
> *Ya perdí todo el recelo*
> *que me pudiera anegar*
> pues del infierno del mar

---

[20] J. CASALDUERO, «Contribuciones al estudio del tema de Don Juan en el teatro español», en *Smith College Studies in Modern Languages* (Northampton, Massachusetts, 1938), pp. 6-7.

[21] Cfr. nota 3 de este capítulo, pp. 196-197.

[22] «Don Juan es, en todos los aspectos, plenamente consciente de sí y de sus posibilidades. Esta lúcida conciencia que tiene de sí se manifiesta en cada una de sus aventuras y en la repetición de las mismas... Don Juan es plenamente consciente de que su propia existencia está, con todas sus posibilidades, exclusivamente en sus manos», F. FERNÁNDEZ-TURIENZO, *art. cit.*, *R F*, p. 290.

[23] Para F. FERNÁNDEZ-TURIENZO, «Don Juan reconoce y confiesa que una y otra [la muerte y el juicio] llegarán ciertamente... y en tanto que no lleguen, no son *eficaces*», *art. cit.*, *R F*, p. 287. Sí. Don Juan da, creemos, un paso aún más atrevido, y fatal, y es que llega a creer que puede postergar la muerte y el juicio *ad infinitum*. De ahí su obstinación en considerar y reconocer la visita de la estatua de Don Gonzalo no como advertencia divina del inminente juicio y muerte, sino como «ideas que da la imaginación (Jornada III, 15, p. 678), y de ahí su acto de rebeldía sacrílega e impía. El mismo crítico confirma esta actitud del Burlador: «Lo que ni por un momento piensa Don Juan es que efectivamente está ya ante la justicia divina», p. 286.

[24] Jornada III, 20, p. 683.

salgo a vuestro claro cielo.
....
pues veis que hay de amar a mar
una letra solamente [25].

Y con habilidad de camaleón famélico, se ajusta al estado psicológico
y emocional de la recién apasionada pescadora para desarmarla con
sus mismas armas, haciéndola toda suya:

TISBEA. El rato que sin ti estoy
         estoy ajena de mí.

DON JUAN. *Por lo que fingís ansí*
          ningún crédito te doy.

TISBEA. ¿Por qué?

DON JUAN.   Porque si me amaras,
          mi alma favorecieras.

TISBEA. *Tuya soy* [26].

Para Don Juan, pues, la realidad es asible, disfrutable e incomprometible y su comportamiento desconectado de toda responsabilidad ética y
moral, pues al advertirle Tisbea, como testigo de su amor, «que hay
Dios y que hay muerte», contesta en un aparte «Qué largo me lo fiáis» [27],
como si Dios y la muerte, el tiempo, fueran algo ajeno a él. Al terminar
la primera jornada, la personalidad de Don Juan es ya absolutamente
dominadora, como afirma Serge Maurel: «Il reste maître du jeu sans
jamais être pris au piège... Don Juan s'affirme insaisissable, tout con-
court à son triomphe» [28].

Pero al tiempo que afirma su personalidad e impone su voluntad,
Don Juan prepara su propia caída, su tragedia. Tres veces se le advierte
en este acto que hay Dios y que hay muerte y cada vez remite su consideración al futuro: «Qué largo me lo fiáis.» De ahí su confianza en la
prolongación del tiempo cronológico y su fiarse de que Dios le conce-
derá, si el tiempo llegare, tal prolongación. En este sentido Don Juan
es tanto el complemento de Paulo [29] como el desbordado y herético su-
plemento de Enrico. En efecto, en la personalidad de Don Juan se funden el atrevimiento sacrílego y rebelde de Paulo y la confianza de Enrico
que en el caso de Don Juan, sin embargo, desborda y rebasa los límites.
Si Paulo se obstina en arrancar a Dios de su divino umbral para que le

---

[25] Jornada I, 12, p. 643.
[26] Jornada I, 16, pp. 648-649.
[27] *Ibíd.*, p. 649.
[28] *Op. cit.*, p. 576.
[29] «Don Juan, y no otro, es el verdadero complemento de *El condenado por
desconfiado*, que quien condena al que ciegamente desconfía de la misericordia,
es lógico que condenase también a quien temerariamente confía», R. M. HOR-
NEDO, «*El condenado por desconfiado*», *R y F*, CXX (1940), p. 186.

revele su destino prematuramente, Don Juan se obstina en postergar hasta desplazar a Dios, confiando en que podrá hacerlo a voluntad. De acuerdo con esto, Don Juan tiene que ser creación posterior y cumbre, pues en él se funden las modalidades y características de Paulo y Enrico. Ahora, como afirma acertadamente Serge Maurel, «Don Juan nous intéresse moins comme séducteur que par l'engagement qu'il prend, et le défi qu'il lance, à travers Tisbea, à la Divinité, ce partenaire futur qui, désormais, sera pressenti au long de la pièce» [30].

En la segunda jornada, el conflicto que Don Juan se ha planteado, ese «défi qu'il lance», se intensifica y concretiza. En la sexta escena Don Juan ve y reconoce perfectamente la condición caduca de la realidad y del tiempo. Pero cree que esa realidad y ese tiempo no le afectan a él; se siente y cree estar encima de todo eso. Durante la charla burlesca con el Marqués de la Mota sobre el destino de sus antiguas amantes, el Marqués, refiriéndose a Inés dice: «El tiempo la desterró a Vejer», y Don Juan responde seco y distanciado: «Irá a morir» [31]. Más tarde, el mismo Marqués, ignorando la traición que le tiene preparada Don Juan, lleno de efusión e impaciencia románticas, exclama: «¡Oh sol apresura el paso!» para que la hora señalada por Doña Ana, y falsificada para su traición por Don Juan, llegue más pronto. Don Juan con doble intención y con ironía trágica, otra vez seco e imperturbado, comenta: «Ya el sol camina al ocaso» [32]. Para Don Juan, el sol, el tiempo, «camina» sólo para el Marqués. El Burlador, aquí, con su confianza y certeza de superhombre, no se da cuenta de la carga irónica y trágica que lleva la frase que él mismo acaba de pronunciar: «El sol camina al ocaso», pero «camina» para él también, inexorablemente.

Como la realidad mundana, física, le resulta controlable, Don Juan con confianza y certeza temerarias se atreve a considerar el tiempo de la misma manera. Desde su postura y conciencia, el tiempo se le presenta y lo ve como infinito. En la escena once y más propiamente en la mitad de la misma, y como centro y zenit de la obra, Don Juan funde irrevocable y definitivamente su concepción trágica del tiempo y del espacio. Al informarle su padre de que queda desterrado, por segunda vez, le lanza, como todo padre de Tirso, una última advertencia y admonición para que cambie y considere su proceder:

> DON DIEGO.   ....
> *Mira que, aunque al parecer*
> *Dios te consiente y aguarda,*
> *su castigo no se tarda,*
> y que castigo ha de haber
> para los que profanáis

[30] *Op. cit.*, p. 581.
[31] Jornada II, 6, p. 654.
[32] Jornada II, 10, p. 658.

su nombre, *que es juez fuerte*
Dios en la muerte [33].

El Burlador contesta con temerario atrevimiento:

DON JUAN.   ¿En la muerte?
¿Tan largo me lo fiáis?
De aquí allá hay gran jornada [34].

Don Juan, pues, se hace y se cree dominador absoluto del tiempo y del espacio. Como nadie ni nada pudo con él, a partir de este momento se lanza ciegamente confiado a disfrutar del tiempo hecho por él intemporal. No es ninguna coincidencia, pues, que después de haber matado a Don Gonzalo, en su intento de gozar a su hija, y de haberle expresado éste su «furor», sea precisamente Catalinón quien le califique, al final de la segunda jornada, de «Lucifer». El «furor» que Don Gonzalo le lanza en los umbrales de la muerte y del más allá y la caracterización de «Lucifer» en boca de Catalinón, su *alter ego*, elevan el drama de Don Juan, y la obra, a un plano todavía más transcendentalmente trágico. Don Juan ha crecido dramática, amoral [35] e inmoralmente a tal altura, que se atreve con la eternidad, lo cual fuerza la inevitable justica de Dios.

Al empezar la tercera jornada, la conciencia y el carácter diabólico de Don Juan se afirman por su atrevimiento y poder, a la par que su personalidad crece en alevosía y arrogancia. En la tercera escena, Don Juan, solo en las tablas con sentimiento de furor romántico, se dirige al universo nocturno, su ambiente vital, para fundirse con él:

DON JUAN.   ....
La noche camina...

....
Estrellas que me alumbráis
dadme en este engaño suerte,
si el galardón en la muerte
tan largo me lo guardáis [36].

Es precisamente en este ambiente nocturno donde Don Juan alcanza y afirma su conciencia de hombre invencible. La forma fantasmal de la primera escena ha llegado a adquirir conciencia y realidad de superhombre:

DON JUAN.   *La noche en negro silencio*
se extiende, y las cabrillas
entre racimos de estrellas
el Polo más alto pisan.
Yo quiero poner mi engaño [gozar a Aminta]
por obra. *El amor me guía*

---

[33] Jornada II, 11, p. 658.
[34] *Ibíd.*, p. 658.
[35] «Don Juan es un personaje inicialmente maquiavélico, y en este sentido, amoral: el fin justifica los medios», F. FERNÁNDEZ-TURIENZO, *art. cit.*, R F, p. 284.
[36] Jornada III, 3, p. 667.

> a mi inclinación, de quien
> *no hay hombre que se resista* [37].

Y poco después, en el aposento de Aminta, Don Juan, con plena conciencia de su poder ya casi diabólico, se auto-define y se pronuncia dueño absoluto de su universo:

> AMINTA. ¿En mi aposento a estas horas?
>
> DON JUAN. *Estas son las horas mías* [38].

Don Juan, pues, no se siente en el tiempo temporal y finito, ni se siente pendiente de él, sino que cree estar por encima de él, como cree estar por encima de la realidad que controla. Al sentirse y creerse omnipotente, Don Juan se atreve, cada vez más temerariamente, con Dios al jurar, o mejor dicho perjurar, bajo su nombre, para testimonio y ratificación de sus engaños:

> DON JUAN.   Si acaso
> la palabra y la fe mía
> te faltare, ruego a Dios [jura a Aminta]
> que a traición y alevosía
> me dé muerte un hombre... muerto;
> que, vivo, ¡Dios no permita! [39].

Al poner a Dios como testigo de sus «tres casamientos», los de Isabela, Tisbea y Aminta, con lo cual profana el sacramento mismo del matrimonio, Don Juan reduce a Dios de Padre omnipotente y providencial a padrino —pues le llama para que dé testimonio, lo mismo que un padrino— de sus «bodas». Don Juan, por lo tanto, llega a equipararse y apadrinarse con Dios. En efecto, al enfrentarse con la estatua de Don Gonzalo y el letrero que lleva en la «tierra sagrada» de la iglesia, Don Juan se atreve, física y sacrílegamente —tira de la barba a la estatua y se mofa de la «venganza» que anuncia el letrero como del convite que acaba de ofrecer a la estatua:

> DON JUAN. Aquesta noche a cenar
> os aguardo en mi posada.
> Allí el desafío haremos,
> si la venganza os agrada;
> aunque mal reñir podremos
> si es de piedra vuestra espada.
>
> ———
>
> Larga esta venganza ha sido.
> Si es que vos la habéis de hacer,
> importa no estar dormido,
> *que si a la muerte aguardáis*
> *la venganza, la esperanza*

---

[37] Jornada III, 7, p. 669.

[38] Jornada III, 8, p. 669. B. de los Ríos pone «obras en vez de «horas» según consta en *¿Tan largo me lo fiáis?* «Horas» añade más transcendencia al sentido del verso.

[39] *Ibíd.*, p. 671.

> *agora es bien que perdáis,*
> *pues vuestro enojo y venganza*
> *tan largo me lo fiáis* [40].

La terca y trágica obstinación de Don Juan de estirar el tiempo disponible *ad infinitum*, le impide considerar la otra perspectiva: la de Don Gonzalo, es decir el tiempo eterno que abarca y rige el tiempo cronológico. El encuentro con la estatua representa precisamente el inevitable choque trágico de las dos perspectivas antagónicas señaladas, choque que Don Juan se ha buscado. El «furor» que le ha lanzado Don Gonzalo desde el más allá se convierte dramáticamente, mediante la intervención de la estatua, en tiempo inmóvil eterno, incontrolable y comprometible para todo hombre y su existencia. Don Juan, al desafiar a la estatua, compromete necesariamente su destino y al arremeter, ya físicamente, contra la estatua «actuante» [41], arremete contra su propia existencia:

> DON GONZALO.   Dame esa mano;
> no temas la mano darme.
>
>   DON JUAN. ¿Esto dices? ¿Yo temor?
>   ....
>   ————————
>   ¡Que me abraso, no me aprietes!
>   *Con la daga he de matarte.*
>   *Mas ¡ay! que me canso en vano*
>   *de tirar golpes al aire* [42].

Don Juan es, pues, un personaje trágico del tiempo. Es la tragedia del choque que inevitablemente se busca quien se cree capaz y se obstina en salirse de su propia temporalidad, y se adentra en las esferas eternas para desplazar y usurpar el privilegio y patrimonio de Dios. Don Juan, como Sansón, conmueve sobre su propia cabeza los pilares inmóviles de la eternidad, y es aplastado por el eterno templo divino:

> DON GONZALO.   Para cenar
> es menester que levantes
> esa tumba.
>
>   DON JUAN.   Y si te importa
>   *levantaré estos pilares.*
>   ————————
>   DON GONZALO. No hay lugar; ya acuerdas tarde [de confesarse]
>
>   DON JUAN. ¡Que me quemo! ¡Que me abraso!
>   ¡Muerto soy! [43].

————————
[40] Jornada III, 11, p. 674.
[41] Para una acertada y aclaradora interpretación de la estatua de Don Gonzalo y su función en el drama, véase F. FERNÁNDEZ-TURIENZO, *art. cit., H R*, pp. 50-56.
[42] Jornada III, 20, p. 684.
[43] *Ibíd.*, pp. 683-684.

El personaje de Don Juan recoge, pues, para fundirlos en proteica creación simbólica y mítica, tanto el carácter atrevido y sacrílego de Paulo, como la extremada confianza de Enrico, así como las modalidades libertinas predonjuanescas de los personajes que le preceden —Don Jorge, Don Luis, Don Guillén— lo cual le proporciona una conciencia rebelde e impía y una confianza temeraria y herética reprobables. En este sentido «Don Juan es el condenado por confiado» [44] que Tirso quiso condenar junto con el condenado por desconfiado, para censurar las dos vertientes heréticas y hacer resaltar con ella la doble verdad teológica: la misericordia y la justicia de Dios [45] según la definición de la Iglesia.

Desde las primeras escenas hasta la aniquilación del Burlador por la justicia divina en la escena XX de la tercera jornada, el drama discurre en *crescendo* vertiginoso entre las advertencias y admoniciones que recibe Don Juan y sus invocaciones y juramentos, cada vez más perjuros y comprometedores [46], y sin un mínimo de compunción que le pudiera salvar, como a Enrico. De esta manera, conforme crece por sus alevosas y abrumadoras conquistas, la conciencia de su infinita e ilimitada habilidad y posibilidades en el mundo que habita y controla, le impulsa a traspasar el límite definido y marcado por Dios y la Iglesia, hasta contar con temeraria y herética confianza con que Dios le ha de conceder siempre, y sin atención a su justicia eterna, un último momento para el arrepentimiento salvador:

CATALINÓN. ....
Mira lo que has hecho, y mira
que hasta la muerte, señor,
es corta la mayor vida;
que hay tras la muerte imperio.

DON JUAN. Si tan largo me lo fiáis,
vengan engaños [47].

En efecto, las licencias que permiten y conceden a Don Juan su tío, su padre y hasta el rey —quien le premia con un condado cuando sería menester ejercer justicia ejemplar— convencen a Don Juan de que la justicia es inoperativa o controlable, «si es mi padre / el dueño de la justicia» [48], y consiguientemente, concluye con error trágico, lo que no está en las premisas, es decir, que la justicia divina ha de ser también inoperativa o a lo más, neutralizable a su debido tiempo, mediante otro engaño oportuno [49].

---

[44] R. M. HORNEDO, *art. cit.*, p. 186.
[45] Cfr. nota 29 de este capítulo, p. 201.
[46] Para un estudio del orden ascensional de los juramentos de Don Juan, véase F. FERNÁNDEZ-TURIENZO, *art. cit.*, R F, pp. 277-280.
[47] Jornada III, 6, p. 669.
[48] *Ibíd.*, p. 668.
[49] «... Don Juan steadfastly refuses to be constrained by any power above

En efecto, ni las advertencias de Catalinón, su desplazada conciencia, ni las admoniciones de su padre, extremadamente liberal —como Don Diego, padre de Don Luis en *La Santa Juana* (tercera parte), y como todo padre de Tirso— logran estremecer la temeraria confianza de Don Juan, en que la justicia de Dios se ha de tardar y postergar según sus deseos y conveniencia y, en que, aun cuando llegare, seguramente le será concedido y sin atención a su vivencia y proceder, el tiempo necesario para arrepentirse:

> DON DIEGO. ....
> Mira que, aunque al parecer
> Dios te consiente y aguarda,
> su castigo no se tarda,
> y que castigo ha de haber
> para los que profanáis
> su nombre, que es juez fuerte
> Dios en la muerte.
>
> DON JUAN.   ¿En la muerte?
> ¿Tan largo me lo fiáis?
> De aquí allá hay gran jornada [50].

Es esta irresponsable y herética confianza, de contar ciega y exclusivamente con la misericordia de Dios, sin ninguna virtud atenuante, y sin que sea necesario un mínimo de temor reverencial ante la divina justicia, lo que Tirso reprueba con censura doctrinal precisa [51].

La falta de la conciencia de Don Juan que no responde a los avisos de su padre y su obstinación en desoírlos y profanarlos —pues sigue impunemente su rumbo alevoso y libertino— obligan a Don Diego a remitir su justicia a Dios:

> DON DIEGO.   Pues no te vence castigo
> con cuanto hago y cuanto digo,
> a Dios tu castigo dejo [52].

Mucho hubo de estremecerse el estado de ánimo y la visión del hombre y del mundo de Tirso, pues se vio forzado a recurrir, por primera vez en su teatro, a que un padre invocara y dispensara no como solía, la liberal

---

himself, that he cannot also outwit by another 'burla' on his own good time», ION AGHEANA / HENRY SULLIVAN, *art. cit.*, p. 320.

[50] Jornada III, 11, p. 658.

[51] «Quamvis autem necessarium sit credere, neque remitti, neque remissa unquam fuisse peccata, nisi gratis divina misericordia propter Christum: nemini tamen fiduciam et certitudinem remissionis peccatorum suorum iactanti et in ea sola quiescenti peccata dimitti vel dimissa esse dicendum, cum apud haereticos et schismaticos possit esse...» «Fidem sine operibus mortuam et otiosam esse», capítulos 9 y 7, respectivamente, del Decreto de la justificación del Concilio de Trento, en *Denz.*, pp. 288 y 289.

[52] Jornada II, 11, p. 658.

misericordia de Dios, sino su eterna justicia. Don Juan llegó a ser, por lo tanto, igual que Paulo, un perfecto y malvado impío, puesto que no siente piedad ni reverencia ni por el mundo ni por su propio padre, y, consiguientemente será irreverente e impío también para con Dios [53]. Don Juan es, en efecto, sentenciado como tal por su propio padre, antes de saber que ya lo había aniquilado Dios:

> DON DIEGO.   En premio de mis servicios
> haz que le prendan y pague
> sus culpas, porque del cielo
> rayos contra mí no bajen,
> si es mi hijo tan malo [54].

Seguro en su habilidad, y confiado en que Dios no ha de intervenir sino en un futuro lejano y remoto y a su conveniencia, Don Juan se envalentona también con el más allá, hasta profanar tanto el orden como la justicia eterna:

> DON JUAN.   Larga esta venganza ha sido [la que espera Don Gonzalo]
> Si es que vos la habéis de hacer,
> importa no estar dormido,
> que si a la muerte aguardáis
> la venganza, la esperanza
> agora es bien que perdáis,
> pues vuestro enojo y venganza
> tan largo me lo fiáis [55].

El convite que ofrece Don Juan a la estatua de Don Gonzalo, confiado de que no ha de tener lugar si no es a su conveniencia, pues «vuestro enojo y venganza / tan largo me lo fiáis», es, además de una flagrante irreverencia sacrílega, un verdadero desafío al cielo, desafío que, además, llegará a concretarse en escena en plena y consciente rebelión [56]:

---

[53] No creemos acertada la afirmación de Mario Penna de que «non c'è quindi empietà, non c'è bestiemma nel Don Giovanni di Tirso, ma solo un cieco eccesso di fiducia nella misericordia di Dío», *Don Giovanni e il mistero di Tirso* (Torino, Rosenberg e Sellier, 1958), p. 74. Pero este «cieco eccesso» ¿no es acaso una «empietà» y, una «bestemmia», especialmente cuando se manifiesta sin piedad y sin reverencia alguna con su padre ni siquiera con Dios?

[54] Jornada III, 25, p. 685.

[55] Jornada III, 11, p. 674.

[56] M. Penna insiste en que «Non è quindi il Don Juan di Tirso un empio che sfida l'ira del cielo, ma semplicemente un signore spensierato e prepotente... del temperamento meridionale... che nella esuberanza dei suoi desideri travolge l'ostacolo che gli si oppone, anche quando per questo è necessario lo spergiuro o il delitto», *op. cit.*, p. 75. Pero si Don Juan fuera tan sólo «un signore spensierato e prepotente», —que también eso es— no sólo su condenación resultaría excesiva, hasta para Tirso, quien, cabe recordar, salva, y no condena, a todos los otros «spensierati e prepotenti» libertinos (Don Jorge, Don Luis y Enrico), pero no a Don Juan, sino que también lo sería el empeño de la intervención divina en sí misma, pues no es de creer que Dios se tome tanto empeño y tanta molestia para condenar «semplicemente un signore spensierato e prepotente».

DON JUAN. ....
           Con la daga he de matarte [a la estatua]
           Mas ¡ay! que me canso en vano
           de tirar golpes al aire [57].

Al adentrarse como Paulo en las esferas sagradas y al intentar atrevido y confiado, probar y tentar el divino poder y justicia y al jugar
con ellos, Don Juan traspasa el límite concedido a todo hombre por Dios
y su Iglesia: de este modo se condenó, igual que Paulo, por su atrevimiento sacrílego:

DON GONZALO. ....
           Las maravillas de Dios
           son, Don Juan, investigables,
           y así quiere que tus culpas
           a manos de un muerto pagues.
           Y si pagas de esta suerte
           esta es justicia de Dios:
           'Quien tal hace, que tal pague' [58].

En *El burlador de Sevilla* el concepto teológico que Tirso quiso exponer se dramatiza no en dos personajes opuestos y antagónicos, como
Paulo y Enrico, sino en una sola creación, Don Juan, que encarna, como
hemos visto, a los dos. La concepción teológica de la obra, su expresión
y su transcendencia resplandecen, pues, no por comparación o por analogía entre personajes opuestos y antagónicos, sino en una creación única, y en sí misma, aunque en íntima relación divorciada, desplazada
entre su existencia y su conciencia y Dios. De ahí la grandeza simbólica
y mítica de Don Juan y de ahí su valor transcendental y dramático. En el
teatro de Tirso, Don Juan es y representa la culminación, la fusión de
todos los personajes prepotentes, libertinos y falsos santos.

En *El Burlador*, por lo tanto, la expresión y la fuerza del más allá
frente a Don Juan y su existencia aparecen ejemplificadas en las relaciones —materialmente simbióticas pero moral y espiritualmente cada
vez más divorciadas— entre el mismo Don Juan y su conciencia desplazada, es decir, su criado Catalinón, pues tal es y funciona como tal [59], y
como tal se declara:

---

[57] Jornada III, 20, p. 684.
[58] *Ibíd.*, p. 684. Enrico había recriminado a Paulo con análogo parlamento ese
mismo atrevimiento:

           Las palabras que Dios dice
           por un ángel, son palabras,
           Paulo amigo, en que se encierran
           cosas que el hombre no alcanza.

           (*El Condenado*, Acto II, 22, p. 486)

Efectivamente Don Juan leyó, imprudente, como había hecho Paulo con las palabras del disfrazado ángel, más de lo que el letrero decía y era prudente interpretar.
[59] «He [Catalinón] is the voice of Don Juan's conscience, a constant reminder

CATALINÓN. ....
                  Ya he sido mirón del tuyo, [de su juego]
                  y por mirón no querría
                  que me cogiese algún rayo [60]

La asociación Don Juan-Catalinón es especial y única en el teatro de Tirso. Al contrario que los otros criados, quienes sirven estrictamente como criados o como pura necesidad dramática, Pedrisco por ejemplo, Catalinón se identifica plenamente, como revela la cita, con el proceder engañoso de su amo [61], aunque no sin dejar en claro que él no aprueba sus más descaradas burlas:

DON JUAN.   *Los dos*
                    aquesta noche *tenemos*
                    que hacer.

CATALINÓN.   ¿Hay engaño nuevo?

DON JUAN.   Extremado [el engaño de Doña Ana].

CATALINÓN.   *No lo apruebo.*
                    Tu pretendes que *escapemos*
                    una vez, señor, burlados,
                    que el que vive de burlar
                    burlando habrá de escapar
                    de una vez [62].

En cierto modo, la pareja Don Juan-Catalinón, llega a ser la imagen, la vertiente alienadora de la otra pareja universal y española, Don Quijote y Sancho, pues ésta crece para unirse y nutrirse en respeto mutuo, luchando por un orden y una vivencia ético-moral cristianos, mientras que aquélla avanza para divorciarse en lucha egoística y alienadora, para imponer ese mismo orden y sobre esa misma vivencia, otros órdenes que para Tirso son existencial, moral y espiritualmente, trágicos y vacíos.

En efecto, en las advertencias y admoniciones que siguen a cada una de las burlas de Don Juan, se observa siempre un consciente desplazo y desvío del Burlador respecto a la responsabilidad moral del acto, la que Catalinón reclama, sin embargo, para su incomprometido amo:

CATALINÓN. Los que fingís y engañáis
           las mujeres desa suerte
           lo pagaréis en la muerte.

---

of death», B. WARDROPPER, «*El burlador de Sevilla:* A Tragedy of Errors», *Philological Quarterly*, XXXVI, 1 (1957), p. 67.
[60] Jornada III, 6, p. 668.
[61] «He identifies himself with his master in their life of deceit»,, B. WARDROPPER, *art. cit.*, p. 68.
[62] Jornada II, 9, p. 657. «Catalinón frequently uses... the first person plural... But his sense of solidarity with his master does not blind him to the truth», B. WARDROPPER, *art. cit.*, p. 68.

> Don Juan.   ¡Qué largo me lo fiáis!
>   Catalinón con razón
>   te llaman [63].

Es en este desplazamiento moral de Don Juan donde se inserta la intervención de ultratumba para hacer resaltar su fuego aniquilador, mientras que da a conocer simultáneamente su fuerza salvadora. La llegada de la estatua de Don Gonzalo en la posada para acceder al convite de Don Juan, es sin duda una intervención sobrenatural extraordinaria [64] que se presenta a Don Juan y, por desplazo y asociación, a Catalinón. La reacción de amo y criado ante esta extraordinaria visita —que por su miedo aterrador y por las referencias escatológicas parece una parodia de la aventura de los batanes sufrida por la indivisible pareja de *El Quijote*— no deja lugar a dudas ni en cuanto a su índole sobrenatural ni a su *modus operandi*, cuya eficacia quiso Tirso ahora destacar en la desdoblada y desalojada conciencia de Don Juan. Efectivamente, de igual manera reaccionan amo y criado ante «la estatua animada» [65], éste en medio delirante y aquél en temor turbador:

> Catalinón.   Hoy Catalinón acaba.
>   ....
>
>   (Llega Catalinón a la puerta y
>   *viene corriendo, cae y levántase*)
>
> Don Juan.   ¿Qué es eso?
>   ————————
>
> Catalinón.   Señor, yo allí
>   vide cuando luego fui...
>   ¿Quién me ase, quién me arrebata?
>   ....
>   ————————
>
> Don Juan.   ....
>   Dame la vela, gallina,
>   y yo a quién llama veré.
>   (... Sale al encuentro Don Gonza-
>   lo... *y Don Juan se retira atrás
>   turbado...*) [66].

Pero mientras Catalinón, la conciencia, reconoce su origen y poder, y aconseja a su amo que evite toda confrontación con la estatua, «que él es piedra, tú eres carne; / no es buena resolución» [67], éste rehusa ver en ella ninguna advertencia especial sobrenatural, ni siquiera después

---

[63] Jornada I, 15, p. 648.
[64] «Esta visita representa una gracia extraordinaria...», F. Fernández-Turienzo, *art. cit.*, *H R*, p. 57.
[65] *Ibíd.*, p. 57.
[66] Jornada III, 13, p. 675.
[67] *Ibíd.*, p. 677.

de darle la mano, que «de suerte me la apretó, / que un infierno parecía,» [68] e imprudente y sin reflexión, descarta su miedo y temor como engaños de la imaginación:

CATALINÓN.   ¡Malo, por Dios!
            No te quedes, porque hay muerto
            que mata de un mojicón
            a un gigante.

DON JUAN.   Salíos todos.
            A ser yo Catalinón.
            Vete, que viene.

DON JUAN.   ....
            Pero todas son ideas
            que da la imaginación
            ....
            ¿Quién cuerpos muertos temió? [69].

Aquí se da pues, una notable pero aclaratoria y ejemplar paradoja: una gracia extraordinaria y eficacísima, que es fructuosa en el caso del criado, la conciencia, y al mismo tiempo es frustrada en el caso del amo. Y, quede esto en claro, no es que sea Catalinón quien hace eficaz la gracia, según el postulado molinista, pues hemos visto cómo ella había obrado sobre el criado y trastornado su ser. Tampoco puede descartarse el escape de Catalinón simple y completamente como una necesidad dramática, por la cual se salva el criado para dar noticia del suceso [70], como es, por ejemplo, el caso de Pedrisco. Recordemos que Pedrisco ni presencia ni es afectado por ninguna de las intervenciones sobrenaturales que se conceden tanto a su amo Paulo en el monte, como a Enrico en el calabozo. Si Catalinón, pues, no se condena junto a su amo, ello se debe a un propósito más significativo y transcendental, que el de servir simplemente como recurso teatral. Tirso, por ejemplo, hubiera podido utilizar de algún modo, como portavoz de la fulgurante fulminación de Don Juan, a los dos criados de la posada, quienes presencian también la extraordinaria visita. Así que no se trata, creemos, rigurosamente hablando, de necesidad teatral. La asociación-separación de Don Juan y Catalinón, que Tirso vino señalando desde el principio y a lo largo de toda la obra, obedece a un propósito teológico integrador de las dos equitativas teológicas, la voluntad y poder salvífico de Dios y

---

[68] Jornada III, 15, p. 679.

[69] Jornada III, 13, 15, pp. 677, 678, respectivamente.

[70] B. WARDROPPER, sin descartar la necesidad teatral de la salvación de Catalinón, concede, sin embargo, la posibilidad de que pudo haber sido salvado por mérito propio: «Eventually, perhaps because he is sympathetic, perhaps because of dramatic necessity, he escapes being dragged down to hell with Don Juan», *art. cit.*, p. 69.

su eterna justicia, que Tirso quiso descargar para mayor fuerza simbólica y ejemplarizadora, en el alma desdoblada de Don Juan.

En conclusión, Tirso nos hace ver con ello que Don Juan arde en las penas eternas, porque quiso resistir y frustrar un auxilio que era en sí de grado eficaz, y con el cual hubiera podido salvarse, pues con el mismo evita el infierno Catalinón, su *alter ego*. Dentro del ámbito de una desdoblada existencia sin embargo, cual es la de Don Juan, resplandece la doble verdad teológica de la providencia divina, su voluntad salvífica y su justicia reprobatoria, y todo ello mediante el instrumento de la gracia, según la concepción que hemos venido señalando.

Por debajo de la fulgurante condenación de Don Juan, condenación al fin y al cabo de una vivencia esencialmente alienadora y una creencia heréticamente trágica, yace, como afirmación, el dictamen y el mensaje salvador —Tirso no es, ni podía ser nihilista, aunque sí es profético— del mercedario, y es que si el hombre incorporara e integrara en su existecia (Don Juan) la vivencia y la creencia de una conciencia (Catalinón) ético-moral cristiana y católica, católica post-tridentina, evitaría penar en el tormento eterno.

BIBLIOGRAFÍA SELECTA

ADDY, GEORGE M. *The Enlightenment in the University of Salamanca*. Durham,
N. C.: Duke University Press, 1966.
AGHEANA, ION T., and HENRY SULLIVAN. «The Unholy Martyr: Don Juan's Misuse
of Intelligence». *Romanische Forschungen*, 81 (1969), pp. 311-25.
AGUSTÍN, SAN. *Obras*. Edición bilingüe con introducción y notas. Madrid: BAC,
vol. VI, 3.ª ed., 1971; vol. IX, 3.ª ed., 1973.
ÁLVAREZ, GUZMÁN. «Ninfa del cielo de Tirso de Molina». *Diálogos Hispánicos de
Amsterdan*, 2 (1981), pp. 117-137.
ALLAIN, MATHÉ. «'El Burlador Burlado': Tirso de Molina's Don Juan». *Modern
Language Quarterly*, XXVII (1966), pp. 174-84.
AQUINO, SANTO TOMÁS DE. *Suma teológica*. Edición bilingüe, con introducción y
notas. Madrid: BAC, vol. I, 3.ª ed., 1964.
Nature and Grace. Traslated and edited by A. M. Fairweather, M. A., S. T. M.
Philadelphia: The Westminster Press, 1954.
ARANGUREN, JOSÉ LUIS L. *Catolicismo y protestantismo como formas de existencia*.
Madrid: Revista de Occidente, 1963.
ASENSIO, JAIME. «A propósito de la primera edición de *Historia General de la Or-
den de Nuestra Señora de las Mercedes*, por Tirso de Molina». *Reflexión*, 2,
ii-iv (1973), pp. 101-111.
ASTRAIN, ANTONIO. «Los españoles en el Concilio de Trento». *Razón y Fe*, III (mayo-
agosto, 1902), pp. 189-206.
— «Los españoles en el Concilio de Trento». *Razón y Fe*, IV (septiembre-diciem-
bre, 1903), pp. 145-54.
AUBRUN, CHARLES V. «La comedia doctrinale et ses histoires de brigands: *El con-
denado por desconfiado*». *Bulletin Hispanique*, LIX (avril-juin, 1957), pp. 137-51.
— «Le Don Juan de Tirso de Molina. Essai d'interpretation». *Bulletin Hispanique*,
LIX (avril-juin, 1957), pp. 26-61.
AYALA, FRANCISCO. «Burla, burlando...». *Asomante*, XVII, ii (1961), pp. 7-15.
BÁÑEZ, DOMINGO. *The Primacy of Existence; a Commentary in Thomistic Meta-
physics, by Dominic Báñez*. Translation with an introduction by Benjamin
S. Llamázón. Chicago: H. Regnery Co., 1966.
BAQUERO, ARCADIO. *Don Juan y su evolución dramática*, 2 vols. Madrid: Editora
Nacional, 1966.
BARCÍA TRELLES, CAMILO. *Francisco Suárez. Les theologiens espagnols du XVIᵉ siè-
cle et l'école moderne du droit international*. París: Hachette, 1933.
BATAILLON, MARCEL. *Erasmo y España: estudio sobre la historia espiritual del si-
glo XVI*. Traducción de Antonio Alatorre. Buenos Aires: Fondo de Cultura
Económica, 1966.
— *El hispanismo y los problemas de la historia de la espiritualidad española*.
Madrid: Fundación Universitaria Española, 1977.
BELL, F. G. AUDREY. *El renacimiento español*. Traducción y prólogo de Eduardo
J. Martínez. Zaragoza: Ebro, 1944.

BELTRÁN DE HEREDIA, VICENTE. *Cartulario de la Universidad de Salamanca*. Vol. II. Salamanca: Universidad de Salamanca, 1970.
— *Domingo Báñez y las controversias sobre la gracia*. Madrid: C. S. I. C., 1968.
— «Valor doctrinal de las lecturas del Padre Báñez». *Ciencia Tomista*, 39 (1929), pp. 60-81.
BICKNELL, STAN. «Jesuits: The Church's Shock Troops Move into the Modern World». *Boston Sunday Globe*, 15 Feb. 1976, *New England Magazine*, pp: 23, 26-27, 38-39, 42.
BONET, ALBERTO. *La filosofía de la libertad en las controversias teológicas del siglo XVI y primera mitad del XVII*. Barcelona: Subirana, 1932.
BOWERS, R. H. «Marlowe's *Dr. Faustus*, Tirso's *El Condenado por desconfiado*, and the Secret Cause». *Costerus*, 4 (1972), pp. 9-27.
BRUGGER, WALTER. *Diccionario de filosofía*. Barcelona: Herder, 1972.
BUSHEE, A. H. «The Five *Partes* of Tirso de Molina». *Hispanic Review*, III (1935), pp. 89-102.
— *Three Centuries of Tirso de Molina*. Philadelphia: University of Pennsylvania Press, 1939.
— «Tirso de Molina (1648-1848)». *Revue Hispanique*, LXXXI (1933), pp. 338-62.
CALDERÓN DE LA BARCA, PEDRO. *Autos sacramentales*. Prólogo, edición y notas de Ángel Valbuena Prat. Madrid: Espasa-Calpe, 1957.
CARRO, VENANCIO. *El maestro Fr. Pedro de Soto, O. P. y las controversias político-teológicas en el siglo XVI*. Vol. I. Salamanca: Convento de San Esteban, 1931.
CASTELLOTE CUBELLS, SALVADOR. «La posición de Suárez en la historia». *Anales del Seminario de Valencia*, 2 (1962), pp. 5-120.
CERVANTES SAAVEDRA, MIGUEL DE. *Don Quijote de la Mancha*. Edición y notas de Francisco Rodríguez Marín, de la Real Academia Española. 8 vols. Madrid: Espasa-Calpe, 1964.
CHAYTOR, H. J., ed. *Dramatic Theory in Spain*. Cambridge, 1925.
CIORANESCU, ALEXANDRE. «La biographie de Tirso de Molina: Points de repère et points de vue». *Bulletin Hispanique*, LXIV (1962), pp. 157-92.
COTARELO Y MORI, E. «Últimos estudios acerca de *El burlador de Sevilla*». *Revista de Archivos, Bibliotecas y Museos*, XVIII (1908), pp. 75-86.
CROCE, ALDA. «Tirso de Molina e Italia». *Bulletin Hispanique*, LXV (1963), pp. 99-120.
DARST, DAVID H. «The Thematic Design of *El condenado por desconfiado*». *Kentucky Romance Quarterly*, 21 (1974), pp. 483-94.
— «The Two Worlds of *La ninfa del cielo*». *Hispanic Review*, 42 (1974), pp. 209-20.
— *The Comic Art of Tirso de Molina*. University of North Carolina: Estudios Hispanófila, 1974.
DELGADO VARELA, J. M., O. DE M. «Psicología y teología de la conversión en Tirso». *Estudios*, 5 (1949), pp. 341-77.
DENZINGER, HENRICUS. *Enchiridion Symbolorum*. Friburgii Brisgoviae: Herder, 1937.
DE VINCENTIIS, SILVANA. «Metamorfosi di Don Giovanni: Da Tirso a Shaw». *Lingua e Stile: Trimestrale di Linguistica e Critica Letteraria*, 17 (2) (1982),pp. 295-315.
FERNÁNDEZ-TURIENZO, FRANCISCO. «*El Burlador*: mito y realidad». *Romanische Forschungen*, 86, 3/4 (1974), pp. 265-300.
— «*El convidado de piedra*: Don Juan pierde el juego». *Hispanic Review*, 45 (1977), pp. 43-60.
FERREYRA LIENDO, MIGUEL ÁNGEL. «*El condenado por desconfiado* de Tirso: análisis teológico y literario del drama». *Revista de la Universidad Nacional de Córdoba* (Argentina), 10 (1969), pp. 925-46.
FORTUNAT, STROWSKI. *Pascual et son temps*. Vol. I. París: PLON, 1909.
FRAILE, GUILLERMO, O. P. *Historia de la filosofía española: Desde la época romana hasta fines del siglo XVII*. Madrid: BAC, 1971.
GARCÍA HERRERO, MIGUEL. *Ideas de los españoles del siglo XVII*. Madrid: Gredos, 1966.

GETINO, ALONSO LUIS G., O. P. *Vida y procesos del maestro Fr. Luis de León.* Salamanca: Imprenta de Calatrava, 1907.

GICOVATE, BERNARD. «Observations on the Dramatic Art of Tirso de Molina». *Hispania*, XLIII (September, 1960), pp. 328-37.

GIRONELLA, ROIG. «Para la historia del nominalismo y de la reacción anti-nominalista de Suárez». *Pensamiento*, 17 (1961), pp. 279-310.

GRACIÁN, BALTASAR. *Obras completas.* Estudio preliminar, edición, bibliografía, notas e índices de Arturo del Hoyo. Madrid: Aguilar, 1967.

GRAHAM, MALBONE WATSON. «The religious dramas of Tirso de Molina». *Univ. of California Univ. Chronicle.* Berkeley, XXX (1928), pp. 46-55.

GREEN, OTIS H. *España y la tradición occidental: el espíritu castellano desde «El Cid» hasta Calderón.* Versión española de Cecilio Sánchez Gil. Madrid: Gredos, 1969.

— *The Literary Mind of Medieval and Renaissance Spain.* Lexington: The University Press of Kentucky, 1970.

GUASTAVINO GALLENT, GUILLERMO. «Notas tirsianas». *Revista de Archivos, Bibliotecas y Museos*, LXVII (1959), pp. 677-96.

— «Notas tirsianas (IV)». *Revista de Archivos, Bibliotecas y Museos*, 73 (1966), pp. 817-60.

— «Notas tirsianas (IV)». *Revista de Archivos, Bibliotecas y Museos*, 73 (1966), pp. 91-107.

HALSTEAD, F. G. «The Attitude of Tirso de Molina toward Astrology». *Hispanic Review*, IX (1941), pp. 417-39.

— «The Optics of Love: Note on a Concept of Atomistic Philosophy in the Theater of Tirso de Molina». *Publications of the Modern Language Association of America*, LVIII (1943), pp. 108-21.

HESSE, EVERETT W. *Análisis e interpretación de la comedia.* Madrid: Castalia, 1968.

— *La comedia y sus intérpretes.* Madrid: Castalia, 1972.

— *Interpretando la comedia.* Madrid: Porrúa Turanzas, 1977.

— «Tirso's Don Juan and the Opposing Self». *Bulletin of the Comediantes*, 33 (1) (Spring, 1981), pp. 3-7.

HIRSCHBERGER, JOHANNES. *Historia de la filosofía*, I. Barcelona: Herder, 1971.

HORNEDO, RAFAEL M., S. J. «*El condenado por desconfiado* no es una obra molinista». *Razón y Fe*, CXX (1940), pp. 18-34.

— «*El condenado por desconfiado*. Su significación en el teatro de Tirso». *Razón yFe*, CXX (1940), pp. 170-91.

— «La tesis escolástico-teológica de *El condenado por desconfiado*». *Razón y Fe*, (diciembre, 1948), pp. 633-46.

HUGHES, PHILIP. *The Church in Crisis: The Twenty Great Councils.* London: Burns and Oats, 1961.

HUTTON, LEWIS J. «Salvation and Damnation in Tirso's Play *Condemned for Unbelief*». *Christianity and Litterature*, 30 (4), (Summer, 1981), pp. 53-62.

JUDERÍAS, JULIÁN. *La leyenda negra.* Madrid: Editora Nacional, 1960.

KENNEDY, RUTH LEE. «Did Tirso Send to Press a *Primera Parte* of Madrid (1626) which Contained *El condenado por desconfiado?*» *Hispanic Review*, 41 (Spec. issue), pp. 261-74.

— «Certain Phases of the Sumptuary Decrees of 1613 and Their Relation to Tirso's Theater». *Hispanic Review*, X (1942), pp. 91-115.

— «On the Date of Five Plays by Tirso de Molina». *Hispanic Review*, X (1942), pp. 183-214.

— «Studies for the Chronology of Tirso's Theater». *Hispanic Review* XI (1943), pp. 17-46.

— *Studies in Tirso, I: The Dramatist and his Competitors, 1620-26.* Chapel Hill: North Carolina Studies in the Romance Languages and Literatures, 1974.

KLEMPERER, VÍCTOR. «Gibt es eine Spanische Renaissance?». *Logos*, 16 (1927), pp. 126-161.

KOHUT, KARL. *Las teorías literarias en España y Portugal durante los siglos XV y XVI*. Madrid: C. S. I. C., 1973.

KONAN, JEAN. «L'aspect humain ou traditionnel du *Condenado por desconfiado*». *Annales de l'univ. d'Abidjan*, 5D (1972), pp. 151-65.

— «Origines des querelles de auxiliis dans las comedias de Tirso de Molina et dans le thèâtre religieux de l'Espagne du Siècle d'or, en general». *Annales de l'Universitè d'Abidjan*, 90 (1976), pp. 251-64.

KRAUSS, WERNER. «El concepto de D. Juan en la obra de Tirso». *Boletín de la Biblioteca Menéndez Pelayo*, V (1923), pp. 348-60.

LIDA DE MALKIEL, MARÍA ROSA. *Estudios de la literatura española y comparada*. Buenos Aires: Editorial Universitaria de Buenos Aires, 1966.

LÓPEZ TASCÓN, JOSÉ. «*El condenado por desconfiado*, y Fray Alonso Remón». *Boletín de la Biblioteca Menéndez Pelayo*. Santander, fasc. IV (1934); fasc. I, II, III (1935), pp. 14-29, 144-71, 273-93 y fasc. I, II (1936), pp.35-82, 133-82.

MACCHIA, GIOVANNI. *Vita avventure e morte di Don Giovanni*. Bari: Editori Laterza, 1966.

MARAVAL, JOSÉ ANTONIO. *Teatro y literatura en la sociedad barroca*. Madrid: Seminario y Ediciones, 1972.

MARCEL, GABRIEL. *Du Refus a l'invocacion*. París: Gallimard, 1940.

— *Théâtre et religion*. Lyon: Edition E. Vitte, 1968.

MÁRQUEZ, ANTONIO. *Los alumbrados*. Madrid: Taurus, 1972.

MAUREL, SERGE. *L'Univers dramatique de Tirso de Molina*. Poitiers: Publications de l'Université de Poitiers, 1971.

MAY, T. E. «*El condenado por desconfiado*». *Bulletin of Hispanic Studies*, XXXV (1958), pp. 138-56.

MCCLELLAND, I. L. «The Conception of the Supernatural in the Plays of Tirso de Molina». *Birger Sjöberg Sällskapet*, XIX (1942), pp. 148-63.

MENÉNDEZ PIDAL, RAMÓN. *Estudios literarios*. Buenos Aires: Espasa-Calpe Argentina, 1946.

MENÉNDEZ Y PELAYO, MARCELINO. *Estudios y discursos de crítica histórica y literaria*. Vol. 8 de *Obras completas*. Santander: C. S. I. C., 1941.

— *Historia de los heterodoxos españoles*. Vol. XXXVIII de *Obras completas*. Santander: C. S. I. C., 1947.

METFORD, J. C. J. «Tirso de Molina and the Conde-Duque de Olivares». *Bulletin of Hispanic Studies*, XXVII (1959), pp. 15-27.

MÖNCH, WALTER. «Don Juan: Ein Drama der europäischen Bühne. Tirso de Molina-Molière-Mozart». *Revu de Littérature Comparée*, XXXV (1961), pp. 617-39.

MOREL-FATIO, ALFRED. *La comedie espagnole du VIIᵉ siècle*. París: F. Vieweg, Libraire Editeur, 1885.

— «Etudes sur le thêâtre de Tirso de Molina». *Bulletin Hispanique*, II (1900), pp 1-109, 178-203.

MUÑOZ, VICENTE. *El influjo del entendimiento sobre la voluntad según Zumel*. Roma: sin editorial, 1950.

— *La lógica nominalista en la Universidad de Salamanca (1510-1530)*. Madrid: Estudios, 1964.

NOUGUÉ, ANDRÉ. *L'Oeuvre en prose de Tirso de Molina: «Los cigarrales de Toledo» et «Deleytar aprovechando»*. Toulouse: Lib. des Facultés, 1962.

ORTUÑO, MARIANO MIKAYLO. «From Theology to Drama: The Artistic Evaluation of Tirso's Auto, *Los hermanos parecidos*». Neophilologus, 63, pp. 59-73.

ORTÚZAR, MARTÍN, O. DE M. «*El condenado por desconfiado* depende teológicamente de Zumel». *Estudios*, 10 (1948), pp. 7-41.

— «Teología del *Condenado*». *Estudios*, 5 (1949), pp. 321-36.

PARKER, A. A. *The Approach to the Spanish Drama of the Golden Age*. London: The Tispanic and Luso-Brazilian Councils, 1957.

PENEDO REY, FRAY MANUEL. «Tirso de Molina: *El acto de contrición*». *Revista de Archivos, Bibliotecas y Museos*, 75 (1968-72), pp. 479-509.

PENNA, MARIO. *Don Giovanni e il misterio di Tirso*. Torino: Rosenberg e Sellier, 1958.

PÉREZ GOYENA, P. A. «La teología entre los mercedarios españoles». *Razón y Fe*, 53 (1919), pp. 62-74.

PINTA LLORENTE, MIGUEL DE LA. *Estudios y polémicas sobre fray Luis de León*. Madrid: C. S. I. C., 1956.

POZO, CÁNDIDO, S. I. *Teología del más allá*. Madrid: BAC, 1968.

REVILLA, MANUEL DE LA. *Obras*. Madrid: Imprenta Central, 1883.

ROGERS, DANIEL. «Fearful Symmetry: The Ending of *El burlador de Sevilla*». *Bulletin of Hispanic Studies*, XLI (1964), pp. 141-59.

SALOMON, NOËL. *Recherches sur le thème paysan dans la «comedia» au temps de Lope de Vega*. Bordeaux: Féret et Fils, 1965.

SÁNCHEZ ESCRIBANO, FEDERICO y ALBERTO PORQUERAS MAYO, eds. *Preceptiva dramática española*. Madrid: Gredos, 1972.

SCORRAILLE, RAOUL DE, S. J. *François Suárez de la Compagnie de Jesús*. 2 vols. París: P. Lethielleux, 1911, 1914.

SOLANA, MARCIAL. *Los grandes escolásticos españoles de los siglos XVI y XVII: sus doctrinas filosóficas y su significación en la Hitoria de la Filosofía*. Madrid: Real Academia de Ciencias Morales y Políticas, 1928.

STEGMÜLLER, F. *Francisco de Victoria y la doctrina de la gracia en la escuela salmantina*. Traducción de J. D. García Bacca. Barcelona: Biblioteca Balmes, Durán y Bas, 1934.

SUÁREZ, FRANCISCO. *Defensio Fidei, III*. Eds. E. Elorduy y L. Pereña. Madrid: C. S. I. C., 1965.

SULLIVAN, HENRY. *Tirso de Molina and the Drama of the Counter Reformation*. Amsterdam: Radopi BV, 1981.

TÉLLEZ, FRAY GABRIEL. Seudónimo Tirso de Molina. *Los cigarrales de Toledo*. Ed. Víctor Said Armesto. Madrid: «Renacimiento», 1913.

— *Los cigarrales de Toledo*. Madrid: Espasa-Calpe, «Colección universal», 1928.

— *Comedias escogidas*. Edición de D. Juan Eugenio Hartzenbusch. Madrid: BAE, 7.ª edición, 1924.

— *La Santa Juana*. Edición, prólogo y notas de Agustín del Campo. Madrid: Editorial Castilla, 1948.

— *El Burlador de Sevilla* (L'Abuseur de Séville). Édition critique, traduction, introduction et notes par Piere Guenoun. Aubier: Collection bilingue des classiques espagnols, París, 1962.

— *Comedias: El vergonzoso en palacio y El burlador de Sevilla*. Prólogo y notas de Américo Castro. Madrid: Espasa-Calpe, Col. Clásicos Castellanos, 7.ª edición, 1963.

— *Obras dramáticas completas*. Edición crítica de Blanca de los Ríos. 3 vols. Madrid: Aguilar, vol. I, 3.ª ed., 1969; vol. II, 2.ª ed., 1962; vol. III, 2.ª ed. 1968.

— *Obras*. Edición, prólogo y notas de María del Pilar Palomo. Barcelona: Vergara, 1968.

— *Obras de Tirso de Molina*. Edición y estudio pdeliminar de María del Pilar Palomo. Madrid: BAE, 1970.

— *Historia General de la Orden de Nuestra Señora de las Mercedes*. Introducción y primera edición crítica de Fray Manuel Penedo Rey. 2 vols. Madrid: «Revista Estudios», 1973.

— *El condenado por desconfiado*. Edición de Ciriaco Morón-Arroyo y Rolena Adorno. Madrid: Ediciones Cátedra, 1974.

TENENTI, ALBERTO. *Il senso della morte e l'amore della vita nel Rinascimento*. Torino: Giulio Einaudi, 1957.

TER HORST, ROBERT. «The Loa of Lisbon and the Mythical Substructure of *El burlador de Sevilla*». *Bulletin of Hispanic Studies*, 50 (1973), pp. 147-65.

TOFFANIN, GIUSEPPE. *Storia dell'umanesimo: dal XIII al XVI secolo*. Bologna: N. Zanichelli, 1947.

226   MARIO F. TRUBIANO

VALBUENA PRAT, ÁNGEL. *El sentido católico en la literatura española.* Zaragoza: Ediciones Partenón, 1940.
— *El teatro español en su Siglo de Oro.* Barcelona: Editorial Planeta, 1969.
VAN ACKEREN, GERARD, S. J., gen. ed. *The Church Teaches: Documents of the Church in English Translation.* St. Louis, Mo.: B. Herder Book, 1964.
VOSSLER, KARL. *Lope de Vega y su tiempo.* Traducido del alemán por Ramón de la Serna. Madrid: Revista de Occidente, 1933.
WADE, GERALD E. «Love, Comedia Style». *Kentucky Romance Quarterly*, 29 (1) (1982), pp. 47-60.
WANTOCH, HANS. *Spanien: Das Land ohne Renaissance.* München: G. Müller, 1927.
WARDROPPER, BRUCE W. «*El burlador de Sevilla:* A Tragedy of Errors». *Philological Quarterly*, XXXVI, I (Jenaury 1957), pp. 61-71.
— *Introducción al teatro religioso del Siglo de Oro.* Salamanca: Ediciones Anaya, 1967.
WULF, MAURICE DE. *Philosophy and Civilization in the Middle Ages.* New York: Dover Publications, 1953.

ÍNDICE